LA MOITIÉ DU CIEL

NICHOLAS D. KRISTOF
& SHERYL WuDUNN

La Moitié du ciel

*Traduit de l'anglais (États-Unis)
par Olivier Colette*

les arènes

Titre original : *Half the Sky*
Turning Oppression into Opportunity for Women Worldwide

Achevé d'imprimer en France
par l'Imprimerie CPI Hérissey à Evreux (Eure) en mars 2010.

Dépôt légal : avril 2010
ISBN : 978-2-35204-106-1
N° d'impression : 113789

Cet ouvrage a été publié sous la direction
de Catherine Meyer avec la collaboration d'Amélie Petit.
La maquette a été réalisée par Dominique Guillaumin (In Folio).
La révision a été assurée par Marceau Piana.
La couverture a été créée par Quintin Leeds.

Éditions des Arènes
3 rue Rollin
75005 Paris
Tél. : 01 42 17 47 80
Fax : 01 43 31 77 97
arenes@arenes.fr

Suivez le blog de *La Moitié du ciel* sur www.arenes.fr

À nos enfants : Gregory, Geoffrey et Caroline.

Merci d'avoir fait preuve d'amour et de patience chaque fois que les recherches nécessaires à ce livre vous ont imposé des parents grincheux, absents ou moins disposés à vous encourager lors de vos matchs de football. Vous enrichissez nos voyages dans des pays difficiles ou tyranniques, et se faire arrêter avec des gamins comme vous est une merveilleuse expérience !

Et à tous ceux qui œuvrent en première ligne aux quatre coins de la planète pour sauver le monde, une femme après l'autre.

Les femmes portent la moitié du ciel.

Proverbe chinois

Préface

de Manon Loizeau [1]

Elles sont les bannies du monde. Elles représentent près de la moitié de l'humanité. Une moitié trop souvent violentée, exclue, cachée. Nicholas Kristof et Sheryl WuDunn nous entraînent dans un incroyable voyage à la rencontre de ces femmes qu'on ne voit pas, qu'on n'entend pas, et qui pourtant « portent la moitié du ciel ». Ils ont recueilli les témoignages de ces rescapées qui, au plus profond de la douleur, ont puisé la force de parler. De parler et d'agir, surtout. Des femmes entrées en résistance. En survivantes, elles lancent un défi aux sociétés fondées sur la discrimination.

Les témoignages des femmes de *La Moitié du ciel* m'ont rappelé d'autres femmes croisées lors de mes reportages en Afghanistan, au Pakistan, en Inde, en Iran, en ex-URSS. Comme un écho de douleurs, une communauté de destins. Des femmes aux souffrances infinies, trop longtemps réduites au silence. Des femmes qui, un jour, ont brisé le cercle de la violence, de l'enfermement, de l'humiliation, parfois de la mort, en prenant la parole. Des femmes debout, au courage immense.

Dans un village perdu du Tamil Nadu, j'ai aussi perçu cette violence masquée, normalisée, acceptée par la communauté. J'ai rencontré la douleur des mères criminelles, des mères qui ont tué leurs filles à la naissance. Le conseil des anciens du village ne leur avait pas laissé le choix : une fille, c'est une malédiction. Selon un

---

1. Manon Loizeau est grand reporter, spécialiste des droits de l'homme. Elle a remporté le prix Albert Londres en 2006 pour son documentaire *Missing Women, la malédiction de naître fille*, produit par l'agence Capa et diffusé sur Arte.

proverbe indien, « élever une fille, c'est comme arroser le jardin de son voisin ». En d'autres termes, non rentable…

Hema, mère « infanticide », a osé me parler. Et braver l'interdit, car le crime, admis par tous, n'en demeure pas moins caché. Non avouable. Cinq ans après le meurtre, elle me disait entendre, chaque nuit, la voix de sa petite fille la supplier de vivre. L'association Terres des hommes s'est occupée d'Hema. Lui a expliqué qu'avoir une fille n'est pas un crime, et a longuement travaillé auprès des chefs de village, des hommes de la communauté. Depuis, Hema a eu quatre filles. Comme un affront aux traditions immuables. Une résistance et un défi à sa communauté.

Je me souviens de cette mère, accouchant d'une petite fille dans une maternité de la banlieue de Delhi et détournant la tête. De son visage impassible, indifférent, et de ses grands yeux noirs habités d'une infinie tristesse, vivant la naissance d'une fille comme un châtiment. Dans la province de l'Haryana, d'autres douleurs de femmes m'avaient saisie. La douleur de celles qui avaient tué leur fille avant même qu'elle ne naisse. On appelle cela le « fœticide ». Depuis l'apparition de l'échographie, les femmes indiennes et chinoises avortent dès qu'elles apprennent que l'enfant à venir sera une fille. Des millions par an. Dans certains hôpitaux, des fœtus de cinq ou six mois jonchent les sols encrassés. L'élimination quasi systématique de la femme à venir est en marche dans une grande partie de l'Asie.

Il manque aujourd'hui plus de cent millions de femmes dans le monde. Elles seront deux millions supplémentaires à ne pas naître cette année. On les appelle « les femmes manquantes ». Poids des traditions, de la dot, pressions de la belle-mère, du mari. Mais aussi, selon l'aveu d'Indira, jeune femme de vingt-cinq ans d'une caste supérieure, parce que les femmes le décident : « Je ne veux pas avoir une fille pour qu'elle vive les mêmes souffrances que moi. » Trop de douleurs tues, trop de violences au quotidien qui encouragent les femmes à s'éliminer elles-mêmes. Dans certains villages indiens et chinois, la femme est devenue invisible. Elle est l'« Absente ».

Dans ce que l'on nomme « les villages de célibataires », j'ai rencontré la première génération d'hommes confrontée à la part manquante. À celle qui n'existe plus puisqu'elle n'a pas eu le droit de naître. Je n'oublierai jamais le désespoir dans le regard de ces jeunes hommes livrés à eux-mêmes, dans un monde d'hommes. Cercle de douleurs. Début de prise de conscience. « Si les filles ne naissent plus, s'il n'y a plus de femmes, c'est la fin de l'humanité », murmurait Nirmal, un jeune homme de dix-huit ans, le regard embué.

La violence sordide, quotidienne, routinière, dont des millions de femmes sont victimes, Nicholas Kristof et Sheryl WuDunn l'ont côtoyée au fil de leurs reportages, lorsqu'ils étaient correspondants en Asie. Ces deux journalistes du *New York Times*, qui ont reçu le prestigieux prix Pulitzer, salués pour leur sérieux et leur humanité, ont progressivement pris conscience de la maltraitance des femmes dans les pays pauvres : « Ce livre, nous l'avons porté pendant vingt ans. » La première découverte, c'est en Chine, un an après le massacre sur la place Tienanmen. Les deux auteurs découvrent que trente-neuf mille petites filles meurent tous les ans parce que leurs parents ne leur donnent pas les mêmes soins, ni la même aide médicale qu'aux garçons. « Nous avons réalisé que certaines des violations des droits de l'homme les plus ancrées concernaient les petites filles, et que ces violations n'apparaissaient même pas sur les radars du monde. Cela nous a poussés à continuer d'enquêter. Mais à ce moment-là, nous n'aurions pas imaginé écrire ce livre. Le rôle des femmes semblait encore un enjeu mineur. Ce n'est qu'après quelques années de reportages sur cette question que nous nous sommes rendu compte que c'était l'enjeu majeur de ce siècle. C'était comme tirer sur une pelote de laine ; plus on tirait sur le fil, plus on s'enfonçait dans l'horreur. »

Dans les années 1990, Nick et Sheryl font une rencontre déterminante. « Je n'oublierai jamais un de mes reportages au Cambodge, et l'après-midi passé avec deux filles prisonnières d'un bordel. C'étaient des filles formidables, les meilleures amies du monde. L'une avait quatorze ans, l'autre quinze. Des esclaves, voilà ce qu'elles étaient. La seule façon pour elles de sortir de cet enfer, c'était d'attraper le sida ou de se suicider. Ça m'a ébranlé et c'est en pensant à elles et à des femmes comme elles que nous avons décidé d'écrire *La Moitié du ciel.* »

Plus tard, Nick et Sheryl s'impliqueront dans l'histoire de deux adolescentes cambodgiennes, au-delà de leur métier. Nick paiera 350 dollars au patron d'un bordel cambodgien pour « acheter » la liberté des deux jeunes filles, Srey Momm et Srey Neth. Il les ramènera dans leurs villages. « Le jour où Srey Momm est revenue dans son village a été un moment de bonheur rare. Sa famille pensait qu'elle était morte, et elle était là, de retour à la vie. C'était extraordinaire. » Un sauvetage doux et amer à la fois. Srey Neth restera dans sa famille puis ouvrira son propre magasin, le premier du village. Srey Momm, elle, finira par retourner dans les bas-fonds des bordels de Poipet, devenue dépendante de la métamphétamine que les proxénètes fournissent aux filles. Des années plus tard, elle s'échappera définitivement.

Les témoignages de *La Moitié du ciel* alternent avec une enquête approfondie sur les formes de violence que subissent des millions de femmes dans une grande partie du monde. Un constat implacable d'une souffrance passée sous silence. Les statistiques que Nicholas Kristof et Sheryl WuDunn révèlent dans ce livre sont effrayantes :

> Trois millions de filles et de femmes sont prisonnières de l'esclavage sexuel.
>
> Ces cinquante dernières années, plus de femmes ont été tuées parce qu'elles étaient des femmes que d'hommes ne l'ont été sur les champs de bataille du XXe siècle.
>
> Deux millions de petites filles meurent de faim chaque année parce que leurs parents ont préféré nourrir et soigner leurs frères.
>
> Une femme meurt toutes les minutes en accouchant.
>
> Toutes les dix secondes, quelque part dans le monde, une petite fille est excisée. Trois millions de fillettes sont mutilées chaque année sur le seul continent africain.
>
> Cinq mille femmes dans le monde meurent chaque année, victimes de « crimes d'honneur ». En Inde, une femme est

brûlée vive toutes les deux heures, et une petite fille meurt à cause de la discrimination toutes les quatre minutes.

Trois millions de femmes sont victimes de fistules obstétricales, des lésions consécutives à un accouchement difficile qui provoquent une incontinence urinaire, voire la mort.

Des chiffres vertigineux. Des chiffres qui, de par leur immensité, choquent mais demeurent abstraits. La force de ce livre est de leur donner un visage humain.

Les récits des bannies sont des gouffres de douleur, parfois difficilement supportables, mais cette douleur a souvent été transcendée. Par l'incroyable volonté de survie de ces femmes. Parfois aussi grâce à l'aide de quelqu'un qu'elles ont croisé sur leur chemin. Mukhtar Mai et son combat contre la pratique du viol dans les villages du Pakistan, Sunitha Krishnan et son programme de sauvetage et de réhabilitation des femmes prisonnières de la prostitution forcée à Hyderabad, en Inde, Edna Adan et sa maternité en Somalie, Sakena Yacoubi et son Institut afghan du savoir, qui éduque trois cent cinquante mille filles et femmes à travers l'Afghanistan, Harper McConnell et l'hôpital Heal Africa, à l'est du Congo, qui soigne les femmes rendues infirmes par un accouchement ou par un viol. Et tant d'autres encore. Les femmes de *La Moitié du ciel* sont entrées dans l'action, et leur destin a été transformé. Souvent, elles ont incité d'autres femmes à résister. Car ce livre est aussi une démonstration implacable que cette violence est réversible. Qu'il n'y a pas de fatalité. « L'une des choses que l'on recherchait, précise Nick, c'était un peu d'espoir. Nous voulions écrire un livre qui rende compte de toutes les injustices terribles dont sont victimes les femmes, mais qui témoigne aussi des victoires, sources d'inspiration. »

Il existe des moyens pour rompre le silence de celles qui sont humiliées au quotidien et n'ont pas accès à l'éducation, pour vaincre la violence institutionnalisée : l'éducation des filles, le planning familial, le microcrédit, et toutes les formes d'aide qui donnent du pouvoir aux femmes (des aides individuelles autant que gouvernementales). L'éducation est la base de tout, rappelle sans cesse *La Moitié du ciel.* « Si vous voulez combattre la pauvreté et l'extrémisme, vous devez éduquer et donner du pouvoir aux femmes et les intégrer à l'économie. Un pays ne peut se développer et être stable si la moitié de la population est marginalisée. »

La Moitié du ciel souhaite éveiller les consciences, mais aussi entraîner les lecteurs dans son combat. Ce livre se veut un manifeste, visant à rassembler autour de lui un vaste mouvement de lutte pour émanciper les femmes. « En tant que journalistes, nous sommes censés rester neutres. Mais, quand l'enjeu est aussi important, quand on voit la manière dont des filles qui ont accès à l'éducation peuvent changer les choses, comment ne pas prendre parti, ne pas s'engager ? », s'interroge Nick. « Dans un sens, *La Moitié du ciel* est une sorte de guide du "comment faire". Cela donne aux lecteurs une idée de ce qu'ils peuvent entreprendre pour changer les choses concrètement. C'est très important : les gens veulent sentir qu'ils ont le pouvoir d'agir eux-mêmes. »

Et les lecteurs ont suivi. Alliant le reportage et l'analyse de fond, *La Moitié du ciel* est devenu en quelque mois un best-seller aux États-Unis. Le livre, paru en septembre 2009, en est à sa vingtième réimpression. Un succès critique et populaire sans précédent pour un livre de cette nature. Depuis des mois, Nicholas Kristof et Sheryl WuDunn font le tour des talk shows à l'américaine, et ont notamment été les invités d'honneur d'Oprah Winfrey. *La Moitié du ciel* inspire aussi Hollywood : Angelina Jolie et George Clooney se sont enflammés pour ce livre « nécessaire » et « source d'inspiration ». Plus important, les politiques s'en sont saisis. Nicholas Kristof, encore surpris par l'incroyable succès de son livre, m'a dit, enthousiaste : « Des chefs d'État en parlent et s'en inspirent. Ban ki Moon [1] a consacré une session de l'ONU au livre. Hillary Clinton m'a appelé dès que les premiers extraits ont été publiés. Ce n'est évidemment pas que le livre, c'est tout le travail des ONG depuis des années dans le domaine de la lutte contre les violences faites aux femmes qui est en train de porter ses fruits. L'heure est aujourd'hui venue de faire de cette question une priorité mondiale. »

1. Secrétaire général de l'ONU.

Le succès fulgurant de *La Moitié du ciel* s'explique sans doute par le message d'espoir qui domine à la fin de la lecture. On ne peut pas refermer ce livre sans avoir envie d'agir. Une aide ciblée – un programme dans un village ou une école, un dispensaire de campagne, un hôpital –, c'est déjà une possibilité d'avenir, parfois de survie, pour des dizaines, voire des centaines, de filles et de femmes. L'idée maîtresse de Nicholas Kristof et de Sheryl WuDunn est la suivante : « Les femmes ne sont pas le problème mais la solution. » La Chine est l'exemple vivant d'un pays où le boom économique est directement lié à l'émancipation des femmes et à leur intégration dans l'économie. Autre exemple, peu connu, le Rwanda : après le génocide, le pays comptait 70 % de femmes. Elles ont participé activement au redressement du pays et elles occupent aujourd'hui 55 % des sièges au Parlement. En Afghanistan, des femmes députées, souvent menacées de mort par les talibans, poursuivent leur lutte. En Inde, une loi vient d'être votée qui impose un quota d'un tiers de femmes à l'Assemblée nationale. Au Bengladesh, le pourcentage de filles à l'école est en hausse constante. Une récente enquête de l'ONU montre que 98 % de la population en Jordanie, en Égypte et au Maroc pensent que les femmes ont autant le droit à l'éducation que les hommes.

C'est plus qu'un tressaillement. Comme une lente prise de conscience. Le mouvement est en marche. Dans des pays où la femme a été si longtemps niée, elle devient progressivement une perspective d'avenir, une voie pour sortir de la pauvreté, et une garantie de stabilité. « Éduquer un homme, c'est éduquer un individu. Éduquer une femme, c'est éduquer une famille », disait le Mahatma Gandhi. La route est encore longue. Les mentalités, les traditions, l'obscurantisme religieux sont autant d'obstacles à surmonter. Mais désormais une voix s'élève, la clameur longtemps étouffée des silencieuses, des humiliées, des absentes. Un appel que l'on ne peut plus ne pas entendre : celles qui portent la moitié du ciel portent l'avenir du monde.

INTRODUCTION

« L'effet fille »

Que seraient les hommes sans les femmes ? Ils seraient rares, monsieur, fort rares.

Mark TWAIN

Srey Rath est une adolescente cambodgienne pleine d'assurance. Chevelure noire, visage rond et légèrement basané. Debout près de son chariot de vente ambulante, au milieu d'un marché de rue grouillant de monde, elle raconte son odyssée d'un air calme et détaché. Seule sa façon de repousser les cheveux qui tombent sur ses yeux noirs – peut-être un tic nerveux – évoque un peu d'anxiété ou un traumatisme. Puis elle laisse tomber sa main, et ses longs doigts se remettent à gesticuler et à flotter dans l'air avec une grâce déconcertante.

Rath est menue, jolie, vive et pétillante. Impossible de deviner la personnalité exceptionnelle et l'allant qui se cachent derrière ce petit bout de fille. Quand le ciel libère une brusque averse tropicale qui nous trempe jusqu'aux os, elle se contente de rire et nous presse de nous abriter sous un toit en tôle, avant de reprendre gaiement son histoire, malgré le tambourinement de la pluie au-dessus de nos têtes. Mais la beauté et le charme de Rath sont de périlleux atouts pour une paysanne cambodgienne, surtout lorsqu'ils sont associés à une nature confiante et à une assurance optimiste.

Rath avait quinze ans quand elle décida d'aller travailler pendant deux mois en Thaïlande pour aider sa famille à surmonter des difficultés financières. Ses parents craignaient pour sa sécurité, mais ils furent rassurés de savoir que Rath ferait le voyage avec quatre autres amies à qui l'on avait également promis une place dans le même restaurant thaïlandais. L'agent de recrutement emmena les filles au cœur de la Thaïlande, puis les remit à un gang qui les conduisit à Kuala Lumpur, capitale de la Malaisie. Lorsqu'elle découvrit les avenues impeccables et les tours rutilantes de la ville, dont celles qui étaient à l'époque les tours jumelles les plus élevées du monde, Rath fut éblouie : l'endroit semblait sûr et accueillant. Puis des voyous séquestrèrent Rath et deux autres adolescentes dans un bar-karaoké qui faisait office de bordel. Un gangster proche de la quarantaine surnommé le « boss » prit les filles en main et leur expliqua qu'elles lui avaient coûté cher et qu'elles devaient à présent le rembourser. « Quand vous aurez trouvé l'argent pour éponger votre dette, je vous renverrai chez vous », leur dit-il tout en répétant d'un ton rassurant qu'il finirait par les libérer si elles se montraient coopératives.

Lorsqu'elle comprit ce qui se passait, Rath s'effondra. Le boss l'enferma avec un client qui voulut la forcer à un rapport sexuel. Elle se débattit, ce qui le mit en rage. « Alors, le boss s'est fâché et il m'a frappée au visage, d'une main, puis de l'autre », se souvient-elle avec résignation. « J'en ai gardé la trace pendant deux semaines. » Ensuite, le boss et les autres gangsters la violèrent et la rouèrent de coups de poing.

« Tu dois servir les clients, lui ordonna-t-il tout en la martelant de coups. Sinon, on te battra à mort. C'est ce que tu veux ? » Rath cessa de protester mais sanglota et refusa de coopérer activement. Le boss l'obligea à prendre un comprimé – que le gangster appelait « la drogue du bonheur » ou « du tremblement ». Elle ignore précisément ce dont il s'agissait, mais sa tête se mit à trembler et elle se sentit léthargique, heureuse et docile pendant environ une heure. Quand elle n'était pas droguée, Rath était en larmes et insuffisamment soumise – elle était censée rayonner de joie à la vue des clients –, si bien que le boss décréta qu'il ne perdrait plus son temps avec elle : elle devait obéir à ses ordres ou il la tuerait. Rath finit par céder. Les filles étaient contraintes de travailler au bordel quinze heures par jour, sept jours sur sept. Elles devaient rester nues, de telle sorte qu'il leur soit difficile de s'échapper et de conserver des pourboires ou de l'argent, et elles n'avaient pas le droit de demander aux clients de mettre des préservatifs. Elles étaient battues jusqu'à ce qu'elles sourient constamment et fassent semblant d'être heureuses à la vue des clients, car les hommes étaient moins généreux avec les filles aux yeux rouges et à la mine défaite. Elles ne pouvaient jamais sortir dans la rue et ne touchaient pas un centime.

« Ils nous donnaient juste à manger, mais pas trop parce que les clients n'aiment pas les grosses », explique Rath. Les filles étaient escortées en autocar jusqu'à un appartement perché au dixième étage d'un immeuble où une douzaine d'entre elles était logée. La porte était verrouillée de l'extérieur. Mais, une nuit, plusieurs d'entre elles sortirent sur le balcon et détachèrent une longue planche d'une dizaine de centimètres de large destinée à sécher le linge. Elles la posèrent en équilibre précaire entre leur balcon et celui du bâtiment voisin, éloigné d'environ trois mètres. La planche n'arrêtait pas de trembler, mais, désespérée, Rath monta dessus et traversa lentement.

« Nous étions quatre, explique-t-elle. Les autres avaient trop peur, parce que ça bougeait trop. J'étais aussi terrifiée qu'elles, et je ne pouvais pas baisser les yeux, mais l'idée de rester était encore plus terrifiante. On se disait qu'il valait mieux mourir que de rester là-bas. De toute façon, si on restait, on était condamnées. »

Une fois de l'autre côté, les filles tambourinèrent à la fenêtre et réveillèrent le locataire étonné. Aucune d'elles ne parlant malais, ils purent à peine communiquer, mais il les laissa entrer puis s'échapper par la porte. Les filles prirent l'ascenseur et errèrent dans les rues silencieuses jusqu'à un poste de police. Les agents tentèrent d'abord de les chasser, avant de les arrêter pour immigration illégale. Rath fut condamnée à un an de prison. Au terme de sa peine, elle aurait dû être rapatriée, mais le policier malaisien censé la raccompagner chez elle s'arrêta à la frontière thaïlandaise – et la vendit à un trafiquant, qui la revendit à un bordel.

L'épopée de Rath laisse entrevoir la sauvagerie des traitements infligés quotidiennement aux femmes et aux filles dans une grande partie du monde. Cette malveillance est peu à peu reconnue comme un des enjeux essentiels des droits de l'homme de ce siècle.

Pourtant, les instances mondiales commencent à peine à s'intéresser à ce phénomène. Dans les années 1980, au moment où nous commencions notre carrière de grands reporters à travers le monde, nous n'aurions jamais imaginé écrire un jour ce livre. Nous supposions que seules les questions de politique étrangère préoccupantes, telle la non-prolifération nucléaire, étaient nobles et complexes. À cette époque, il paraissait improbable que le Conseil des relations étrangères[1] se soucie de la mortalité maternelle ou des mutilations génitales. À cette époque, l'oppression des femmes était une question marginale, le genre de cause pour laquelle les scouts étaient susceptibles de collecter des fonds. Nous préférions explorer les « sujets sérieux » et abscons.

Ce livre est donc le prolongement du « voyage d'éveil » auquel nous invita notre activité de journalistes au *New York Times*. Le premier jalon de ce voyage fut la Chine. Sheryl est sino-américaine et a grandi à New York. Nicholas a passé son enfance dans l'Oregon, au milieu des cerisiers et des moutons, sur une ferme près de Yamhill. Après notre mariage, nous nous sommes installés en Chine. Sept mois plus tard, nous nous trouvions au bord de la place Tienanmen quand l'armée ouvrit le feu à l'arme automatique sur des manifestants prodémocratiques. À la stupéfaction générale, quatre à huit cents personnes furent massacrées. Ce fut la violation des droits de l'homme la plus importante de l'année et la plus choquante que l'on puisse imaginer.

L'année suivante, nous sommes tombés sur une étude démographique obscure mais minutieuse exposant une violation des droits de l'homme encore plus meurtrière. On y révélait que trente-neuf mille petites filles mouraient chaque année en Chine au cours de leur première année parce que leurs parents ne leur accordaient ni les mêmes soins médicaux ni la même attention qu'aux garçons. « Si un garçon tombe malade, ses parents l'enverront peut-être

1. Le Conseil des relations étrangères (*Council on Foreign Relations* ou CFR) est un groupe d'experts américain dont le but est d'analyser la situation politique mondiale et de conseiller le gouvernement des États-Unis en matière de politique étrangère. Fondé en 1921, il est composé d'environ quatre mille membres. *(N.d.T.)*

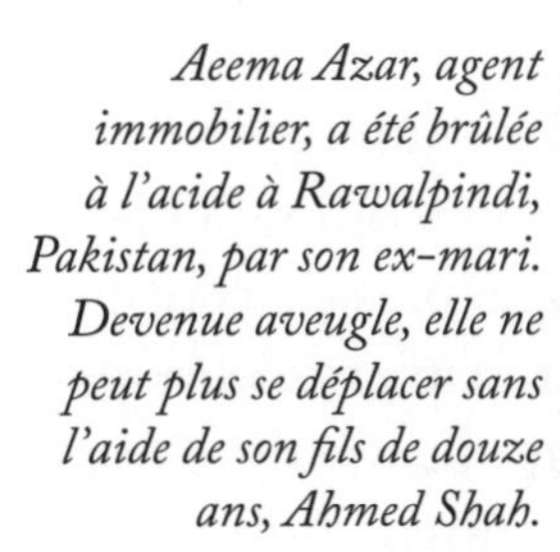

Aeema Azar, agent immobilier, a été brûlée à l'acide à Rawalpindi, Pakistan, par son ex-mari. Devenue aveugle, elle ne peut plus se déplacer sans l'aide de son fils de douze ans, Ahmed Shah.

sur-le-champ à l'hôpital, expliquait Li Honggui, un responsable chinois du planning familial. Mais si une fille tombe malade, ils se diront : “Bon, voyons comment elle ira demain.” » Résultat : le nombre de Chinoises en bas âge qui *chaque semaine* meurent pour rien est égal à celui des manifestants tués au cours d'un seul Tienanmen. Pas la moindre colonne n'avait été consacrée à ces Chinoises dans la presse, si bien que nos priorités journalistiques commencèrent à nous sembler biaisées.

Même chose dans d'autres pays, en particulier en Asie du Sud et dans le monde musulman. En Inde, environ toutes les deux heures, une épouse est brûlée – parce que sa dot est estimée insuffisante ou que son mari souhaite se remarier –, mais c'est un sujet qui fait rarement l'actualité. Au Pakistan, au cours des neuf dernières années, dans les villes jumelles d'Islamabad et de Rawalpindi, cinq mille femmes et filles jugées coupables de désobéissance ont été aspergées de kérosène – ou, ce qui est peut-être pire, d'acide – et immolées par des membres de leur famille ou de leur belle-famille. Imaginez le tollé si le *gouvernement* pakistanais ou indien brûlait vives autant de femmes. Pourtant, quand les États ne sont pas directement impliqués, les gens haussent les épaules.

Quand un important dissident était arrêté en Chine, nous écrivions un article qui paraissait en une ; quand cent mille filles étaient kidnappées et victimes de réseaux de prostitution, nous ne considérions même pas cela comme de l'information. Notamment parce que les journalistes que nous sommes tendent à être plus efficaces pour couvrir les événements ponctuels que les phénomènes diffus dans le temps – telles les cruautés quotidiennes infligées aux femmes et aux filles. Mais les journalistes ne sont pas les seuls en cause : une part infime de l'aide étrangère américaine est consacrée spécifiquement aux femmes et aux filles.

Amartya Sen, l'exubérant prix Nobel d'économie indien, a travaillé sur un indicateur de l'inégalité des sexes qui rappelle de façon frappante les intérêts en jeu. « Il manque plus de cent millions de femmes », écrivait-il en 1990 dans un papier célèbre paru dans la *New York Review of Books*, favorisant ainsi le développement d'un nouveau domaine d'études. Sen notait qu'en temps normal les femmes vivent plus longtemps que les hommes et que l'on compte plus de femmes que d'hommes dans une grande partie du monde. Même les régions pauvres comme l'essentiel de l'Amérique latine et une bonne partie de l'Afrique présentent cette caractéristique. Pourtant, là où les filles souffrent d'un statut profondément inégal, elles *disparaissent*. La Chine compte cent sept hommes pour cent femmes (l'écart est encore plus important entre les nouveau-nés), l'Inde cent huit et le Pakistan cent onze. La biologie n'y est pour rien. D'ailleurs, dans le sud-ouest de l'Inde, l'État du Kerala, qui s'est fait le chantre de l'éducation et de l'égalité des femmes, affiche le même excédent féminin que les États-Unis.

Selon le professeur Sen, ces ratios prouvent qu'il manque environ cent sept millions de femmes sur la planète aujourd'hui. Des études ultérieures, basées sur des méthodes de calcul légèrement différentes, estiment que le nombre de « femmes manquantes » varie entre soixante et cent un millions. Chaque année, au moins deux millions de filles supplémentaires disparaissent dans le monde à cause de la discrimination sexuelle.

L'Occident n'est pas épargné par la discrimination. Mais, dans les pays riches, elle se traduit généralement par des salaires inégaux, des équipes sportives féminines en mal de financement ou des patrons aux mains baladeuses. Dans une grande partie du monde, la discrimination est synonyme de mort. En Inde, par exemple, les mères sont moins disposées à faire vacciner leurs filles que leurs garçons – un fait qui explique à lui seul un cinquième du déficit de femmes indiennes. Des études ont également révélé

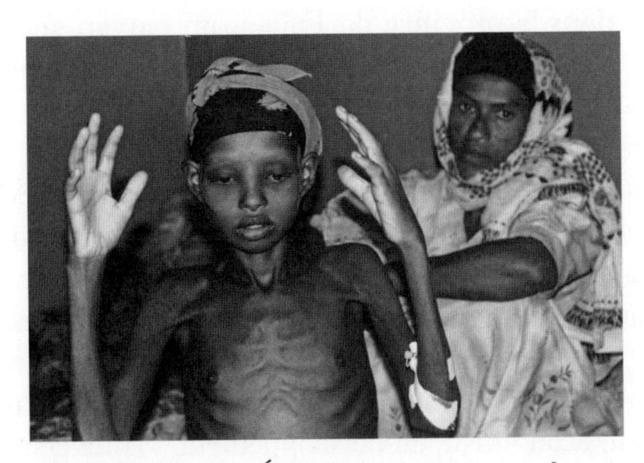

Ummi Ababiya, une Éthiopienne de treize ans, dans un centre d'alimentation d'urgence du sud de l'Éthiopie. Sa mère, Zahra, à droite, nous dit que tous les hommes de la famille étaient bien nourris. Parmi les douzaines d'enfants présents au centre d'alimentation, presque tous étaient des filles, les parents donnant généralement la priorité aux garçons quand la nourriture devient rare. Ce genre de discrimination tue jusqu'à deux millions de filles chaque année à travers le monde.

que les filles sont généralement conduites à l'hôpital lorsqu'elles sont plus malades que les garçons. Dans l'ensemble, en Inde, le taux de mortalité des filles âgées de un à cinq ans est de 50 % supérieur à celui des garçons. Selon les meilleures estimations, toutes les quatre minutes, une petite Indienne meurt à cause de la discrimination sexuelle.

Un jour, un grand Afghan barbu nommé Sedanshash nous confia que sa femme et son fils étaient malades. Il voulait que tous deux survivent, expliquait-il, mais ses priorités étaient claires : un fils est un trésor indispensable, alors qu'une épouse est remplaçable. Il n'avait acheté des médicaments que pour son fils. « Ma femme est toujours malade, se justifia-t-il d'un ton bourru, à quoi bon lui acheter des médicaments ? »

La modernisation et les progrès technologiques peuvent aggraver cette discrimination. Depuis les années 1990, la multiplication des échographes permet aux femmes de découvrir le sexe de leur fœtus – puis de se faire avorter si ce sont des filles.

En Chine, dans la province du Fujian, un paysan s'extasia sous nos yeux devant les échographies : « On n'est plus obligé d'avoir des filles ! »

Pour empêcher ces avortements sélectifs, la Chine et l'Inde interdisent aux médecins et aux radiologues de révéler aux femmes enceintes le sexe de leur fœtus. Mais cette solution n'est qu'imparfaite. Les études montrent que, lorsqu'on empêche les parents d'avorter les fœtus féminins, davantage de filles meurent en bas âge. Les mères ne suppriment pas délibérément les fillettes qu'elles sont obligées de mettre au monde, mais elles les négligent. Nancy Qian, économiste du développement à l'université Brown, a quantifié ce dilemme : en moyenne, l'avortement sélectif de cent fœtus féminins permet de sauver quinze petites filles.

Les statistiques mondiales sur les sévices infligés aux filles sont stupéfiantes. Elles révèlent qu'au cours des cinquante dernières années plus de filles ont été tuées – précisément parce qu'elles étaient des filles – que d'hommes dans l'ensemble des batailles du XXe siècle. Tous les dix ans, ce « gynécide » quotidien fait plus de victimes que tous les génocides du XXe siècle.

L'esclavage fut le défi moral du XIXe siècle. Le combat contre le totalitarisme, celui du XXe siècle. Nous croyons que ce siècle sera avant tout celui de la lutte pour l'égalité des sexes dans le monde.

Les propriétaires du bordel thaïlandais où atterrit Rath ne la battaient pas et ne la surveillaient pas en permanence. Si bien que, deux mois plus tard, elle réussit à s'échapper et à rentrer au Cambodge.

À son retour, Rath rencontra un travailleur social qui la mit en contact avec une organisation humanitaire chargée d'aider les victimes de la traite sexuelle à refaire leur vie. American Assistance for Cambodia lui acheta un petit chariot et un certain nombre d'articles de base d'une valeur de quatre cents dollars pour lui permettre de devenir marchande de rue. Elle trouva un bon emplacement entre les bureaux des douanes thaïlandaises et cambodgiennes dans la ville-frontière de Poipet. Les voyageurs qui vont et viennent entre la Thaïlande et le Cambodge empruntent inévitablement cette voie aussi vaste qu'un terrain de foot-

Srey Rath et son fils devant sa boutique au Cambodge.

ball, bordée d'échoppes de vendeurs de boissons, d'en-cas et de souvenirs.

Pour garnir son chariot, Rath acheta des chemises et des chapeaux, des bijoux fantaisie, des carnets, des stylos et des petits jouets. Sa beauté et sa sociabilité commencèrent à jouer en sa faveur, faisant d'elle une commerçante efficace. Elle épargna et investit dans d'autres marchandises, son commerce prospéra au point qu'elle put subvenir aux besoins de ses parents et de deux sœurs cadettes. Elle se maria, eut un fils et mit de l'argent de côté pour son éducation.

En 2008, Rath transforma son chariot en étal, puis acheta l'emplacement voisin. Elle lança également un « téléphone public » en louant aux clients son portable. Si vous franchissez un jour la frontière entre la Thaïlande et le Cambodge à Poipet, cherchez une boutique sur la gauche, à mi-passage : une adolescente vous interpellera avec un sourire et essaiera de vous vendre une casquette souvenir. Elle rira, vous jurera qu'elle vous fait le meilleur prix, et il est probable que, vu son charme et son enthousiasme, vous achetiez la casquette.

La réussite de Rath nous montre que, si l'on donne une chance aux filles, qu'il s'agisse d'éducation ou de microcrédit, elles peuvent être plus que des potiches ou des esclaves : beaucoup d'entre elles peuvent faire tourner une affaire.

Si vous parlez à Rath aujourd'hui – après avoir acheté la casquette –, vous constaterez qu'elle déborde de confiance grâce au revenu conséquent qui lui permet d'offrir à ses jeunes sœurs et à son fils un avenir meilleur. De nombreuses histoires de ce livre sont déchirantes, mais gardez à l'esprit cette vérité fondamentale : *Les femmes ne sont pas le problème mais la solution. La détresse des filles est moins une tragédie qu'une opportunité.*

C'est une leçon que nous avons assimilée dans le village ancestral de Sheryl, au bout d'un chemin de terre longeant les rizières du sud de la Chine. Pendant de nombreuses années, nous avons arpenté les sentiers boueux de la région de Taishan pour rejoindre Shunshui, le hameau d'où est originaire le grand-père paternel de Sheryl. La Chine est de longue date un des pays les plus répressifs et les plus étouffants pour les filles, comme le suggère l'histoire familiale de Sheryl. En effet, au cours de notre premier voyage, nous avions découvert par hasard un secret de famille en la personne d'une grand-mère par alliance perdue de vue depuis longtemps. Le grand-père de Sheryl avait émigré en Amérique avec sa première épouse, mais elle n'avait mis au monde que des filles. Il l'abandonna et la renvoya à Shunshui, où il prit une seconde épouse plus jeune qu'il ramena avec lui en Amérique. C'était la grand-mère de Sheryl, qui lui donna le fils attendu – le père de Sheryl. La première épouse et ses filles furent alors effacées de la mémoire familiale.

Quelque chose nous dérangeait chaque fois que nous explorions Shunshui et les villages environnants : où se trouvaient les jeunes femmes ? Les garçons s'activaient dans les rizières ou s'éventaient indolemment à l'ombre, mais les jeunes femmes et les filles étaient rares. Nous finîmes par les trouver dans les usines qui, à cette époque, se multipliaient à travers la province du Guangdong, épicentre de l'éruption économique chinoise. Ces usines produisaient les chaussures, les jouets et les chemises qui inondaient les centres commerciaux américains, engendrant des taux de croissance presque inédits dans l'histoire de l'humanité – mais également le programme antipauvreté le plus efficace jamais observé. Les usines étaient de véritables ruches bourdonnantes. 80 % des employés des chaînes de montage des côtes chinoises sont des femmes, comme au moins 70 % de la ceinture industrielle de l'Asie orientale. L'explosion économique asiatique est en grande partie due à l'affirmation économique des femmes. « Elles ont de plus petits doigts, elles sont donc meilleures en couture », nous expliqua le directeur d'une usine de sacs à main. « Elles sont obéissantes et travaillent plus dur que les hommes, renchérit le dirigeant d'une fabrique de jouets. Et on peut les payer moins. »

Les femmes sont effectivement l'un des piliers de la stratégie de développement de la région. Les économistes qui se sont penchés sur le succès de l'Asie orientale ont noté un schéma commun. Ces pays ont pris des jeunes femmes qui jusque-là n'avaient contribué que de manière dérisoire au produit national brut (PNB) et les ont injectées dans l'économie formelle, accroissant considérablement leur main-d'œuvre. La formule de base consistait à diminuer la répression, à éduquer les filles autant que les garçons, à leur laisser la liberté de s'installer en ville et de travailler en usine, et à profiter de l'avantage démographique entraîné par le recul de l'âge du mariage et la baisse du nombre de naissances. Parallèlement, les femmes finançaient l'éducation de proches plus jeunes tout en économisant suffisamment pour accroître les taux d'épargne nationaux. Ce modèle a été baptisé « l'effet fille ». En référence aux chromosomes féminins, on pourrait également parler de « solution du double X ».

Un nombre croissant d'études démontre qu'aider les femmes peut être un moyen efficace de lutter contre la pauvreté dans le monde, et pas seulement dans les économies prospères de l'Asie orientale. Depuis sa fondation en 1972, la Self Employed Women's Association aide les Indiennes les plus pauvres à monter leur propre entreprise – entraînant des hausses de niveau de vie qui n'ont cessé de fasciner les érudits et les fondations. Au Bangladesh, Muhammad Yunus et la banque Grameen ont développé la microfinance, destinée prioritairement aux femmes – l'impact économique et social de son travail fut tel qu'il lui valut un prix Nobel. Toujours au Bangladesh, la BRAC, l'organisation de lutte contre la pauvreté la plus importante du monde, travaille avec les femmes les plus pauvres pour sauver des vies et augmenter les revenus – la banque Grameen et la BRAC ont permis aux acteurs de l'aide humanitaire de voir davantage les femmes comme des agents, et non plus seulement comme des bénéficiaires potentiels de leur travail.

Au début des années 1990, les Nations unies et la Banque mondiale commencèrent à prendre conscience du potentiel représenté par les femmes et les filles. « Investir dans l'éducation des filles pourrait bien être le placement le plus rentable du monde en voie de développement », écrivait Lawrence Summers à l'époque où il occupait le poste de chef économiste de la Banque mondiale. « La question n'est pas de savoir si les pays peuvent se permettre cet investissement, mais s'ils peuvent se permettre de ne pas éduquer davantage de filles. » En 2001, une étude très remarquée de la Banque mondiale, *Genre et développement économique : vers l'égalité des sexes dans les droits, les ressources et la participation*, soutenait que promouvoir l'égalité des sexes était un élément crucial de la lutte contre la pauvreté mondiale. Selon un rapport essentiel de l'UNICEF, l'égalité des sexes produit un « double dividende » en élevant les femmes, mais également leurs enfants et leurs communautés. Les recherches de plus en plus nombreuses sur le sujet sont résumées par le Programme des Nations unies pour le développement (PNUD) : « L'habilitation des femmes accroît la productivité économique et réduit la mortalité infantile. Elle contribue à l'amélioration de la santé et de la nutrition et favorise les progrès en matière d'éducation pour la génération montante. »

Les plus grands spécialistes du développement et de la santé publique – y compris Sen et Summers, Joseph Stiglitz, Jeffrey Sachs et le Dr Paul Farmer – enjoignent les pays à se montrer beaucoup plus attentifs au rôle des femmes. Les organisations privées et les fondations humanitaires revoient également leur stratégie. « Les femmes sont la clé de la lutte contre la faim en Afrique », déclarait le Hunger Project. Pour Bernard Kouchner, ministre des Affaires étrangères français et fondateur de Médecins sans frontières : « Le progrès passe par les femmes. » « Pourquoi et comment mettre les filles au centre du développement ? » se demandait le Centre pour le développement mondial dans un rapport essentiel. Les femmes et les filles sont également au centre de la lutte contre la pauvreté de CARE, tandis que les fondations Nike et NoVo s'attachent à leur offrir des opportunités. « L'inégalité des sexes nuit à la croissance économique », concluait Goldman Sachs dans un rapport de 2008 qui soulignait que les performances économiques des pays en voie de développement pouvaient être radicalement améliorées par l'éducation des filles. C'est notamment grâce à cette étude que Goldman lança une campagne de 100 millions de dollars destinée à offrir une formation commerciale à « 10000 Femmes ».

Après les attentats du 11 Septembre, les inquiétudes générées par le terrorisme suscitèrent l'intérêt d'organismes inattendus pour ce genre de questions : les agences militaires et contre-terroristes. En effet, certains experts en sécurité notèrent que les pays qui nourrissent le terrorisme sont en très grande majorité ceux où les femmes sont marginalisées. Selon eux, c'est moins le Coran que la place insuffisante des femmes dans l'économie et la société de beaucoup de pays islamiques qui explique le grand nombre de terroristes musulmans. Le Pentagone s'intéressa davantage à des projets fondamentaux, telle l'instruction des filles, lorsqu'il acquit une compréhension plus profonde du contre-terrorisme et qu'il constata que lâcher des bombes avait peu d'effet. Renforcer les femmes, affirmaient certains militaires, affaiblirait les terroristes. Quand le Comité des chefs d'état-major interarmées organise des discussions sur l'instruction des filles au Pakistan et en Afghanistan – comme ce fut le cas en 2008 –, on peut être certain que c'est un sujet sérieux qui cadre parfaitement avec l'ordre du jour international. Il en va de même du Conseil des relations étrangères. Les salles lambrissées où se tinrent les débats sur les ogives mirvées et sur la politique de l'OTAN accueillent désormais également des séances très suivies sur la mortalité maternelle.

Nous tenterons dans ce livre d'établir un ordre du jour pour les femmes du monde en nous concentrant sur trois abus précis : la traite sexuelle et la prostitution forcée ; la violence à l'égard des femmes, dont les crimes d'honneur et les viols de masse ; et la mortalité maternelle, qui continue de tuer inutilement une femme toutes les minutes. Nous proposerons des solutions qui fonctionnent déjà, telles l'éducation des filles et la microfinance.

Il est vrai qu'il existe beaucoup d'injustices dans le monde, beaucoup de causes importantes qui réclament notre attention et notre soutien, et chacun d'entre nous définit ses propres priorités. Si ce sujet attire notre attention, c'est que ce genre d'oppression nous semble transcendant – tout comme l'opportunité de la dépasser. Nous avons vu que des acteurs extérieurs pouvaient réellement changer les choses.

Revenons par exemple à Rath. Son histoire nous avait tellement ébranlés que nous avons voulu retrouver ce bordel de Malaisie, interviewer ses propriétaires et tenter de libérer les filles toujours prisonnières. Malheureusement, il nous fut impossible d'identifier le nom ou la rue de l'établissement. (Rath ne parlait pas anglais et ne connaissait pas l'alphabet romain, de sorte qu'elle n'avait pu déchiffrer aucun panneau à l'époque où elle s'y trouvait.) Quand nous lui avons demandé si elle voulait bien retourner à Kuala Lumpur pour nous aider à localiser le bordel, elle a blêmi. «Je ne sais pas, nous répondit-elle. Je ne veux pas affronter ça de nouveau.» Elle hésita, consulta sa famille et finit par accepter dans l'espoir de délivrer ses amies.

Rath revint à Kuala Lumpur sous la protection d'un interprète et d'un militant local d'une association de lutte contre la traite sexuelle. Elle se mit malgré tout à trembler lorsqu'elle parvint dans les quartiers chauds et qu'elle vit les enseignes au néon animées qu'elle associait à tant de douleur. Mais, depuis son évasion, la Malaisie avait été la cible de critiques publiques embarrassantes, si bien que la police avait sévi contre les pires bordels qui détenaient des filles contre leur gré. Celui de Rath en faisait partie. De modestes réprimandes internationales avaient amené un gouvernement à prendre des mesures, améliorant de façon perceptible la vie des filles au bas de l'échelle du pouvoir. Ce résultat rappelle qu'il s'agit d'un combat encourageant, et non d'une cause perdue d'avance.

Les crimes d'honneur, l'esclavage sexuel et les mutilations génitales peuvent sembler tragiques mais inévitables et lointains, très lointains, aux Occidentaux. Un peu comme l'esclavage était jadis considéré par beaucoup d'Européens et d'Américains respectables comme un élément regrettable mais inéluctable de la vie humaine – une horreur parmi tant d'autres perpétrée depuis des milliers d'années. Mais, dans les années 1780, quelques Britanniques indignés, emmenés par William Wilberforce, décidèrent que l'esclavage était tellement choquant qu'il devait être aboli. Et ils y parvinrent. Aujourd'hui, un phénomène identique s'ébauche : un mouvement mondial visant à émanciper les femmes et les filles.

Soyons clairs : nous espérons bien vous recruter pour rejoindre un mouvement émergent destiné à émanciper les femmes et à combattre la pauvreté mondiale en libérant le pouvoir féminin et en en faisant un catalyseur économique. C'est un processus en cours – non un drame de la persécution mais de la responsabilisation –, susceptible de sortir les adolescentes pétillantes des bordels pour les transformer en femmes d'affaires prospères.

C'est l'histoire d'une transformation. C'est un changement qui se produit déjà et qui peut s'accélérer si vous consentez à ouvrir votre cœur et à nous rejoindre.

CHAPITRE PREMIER

Émanciper les esclaves du XXIe siècle

Il se pourrait bien que les femmes aient autre chose à apporter à l'humanité que leur vagin.
Christopher BUCKLEY, *Florence d'Arabie*

Le quartier « chaud » de la ville de Forbesgunge n'a en fait rien de très chaleureux. Les bordels, de simples concessions familiales aux murs de boue, abritent des cabanes au toit de chaume réservées aux clients. Les enfants jouent et s'élancent le long des chemins de terre. Et l'épicerie du coin, réduite à une seule pièce, ne vend que de l'huile, du riz et des sucreries. Ici, au nord de l'Inde, dans l'État défavorisé du Bihar, près de la frontière népalaise, le sexe est l'une des rares denrées commerciales toujours disponibles.

Meena Hasina s'avance sous l'œil attentif des enfants qui interrompent leurs jeux. Les adultes s'arrêtent également. Certains lui lancent un regard noir, et la tension monte. Meena est une ravissante Indienne d'une trentaine d'années. Peau sombre, yeux chiffonnés, regard de braise, elle porte un bijou au creux de la narine gauche, un sari, et ses cheveux noirs sont tirés en arrière. Apparemment insensible au mépris des villageois qui l'entourent, elle déambule, parfaitement détendue.

Meena est musulmane. Pendant des années, elle a vécu l'enfer de la prostitution dans un bordel dirigé par les Nutt, une tribu de basse caste contrôlant le marché du sexe local. L'implication des Nutt dans le proxénétisme et la petite délinquance est ancienne, et leur univers reste celui de la prostitution intergénérationnelle, où les mères pratiquent le commerce sexuel et élèvent leurs filles pour en faire autant.

Meena traverse d'un pas tranquille les bordels. Elle se dirige vers une grande cabane accueillant une école à temps partiel, puis s'assoit et s'installe confortablement. Derrière elle, les villageois reprennent progressivement leurs activités.

« J'avais huit ou neuf ans quand des trafiquants m'ont kidnappée », commence Meena. Issue d'une famille pauvre de la frontière népalaise, elle fut achetée par un clan Nutt, puis conduite dans une maison de campagne où le propriétaire du bordel gardait des filles prépubères jusqu'à ce qu'elles soient suffisamment mûres pour attirer les clients. À douze ans – elle se souvient que c'était six mois avant ses premières règles –, on la transféra au bordel. « Ils avaient soutiré beaucoup d'argent au client », explique Meena froidement, sans trahir la moindre émotion. L'initiation fut identique à celle subie par Rath en Malaisie, car la traite sexuelle opère selon le même mode dans le monde entier et recourt aux mêmes méthodes pour briser les filles. « Je me suis débattue et j'ai crié pour qu'il n'arrive pas à ses fins, poursuit Meena. J'ai tellement résisté qu'ils ont dû lui rendre son argent. Et ils m'ont battue impitoyablement, à coups de ceinture, de bâton, de barre de fer. C'était épouvantable. » Elle hoche la tête pour dissiper le souvenir. « Mais je n'ai pas cédé. Ils m'ont montré des sabres et m'ont menacée de me tuer si je refusais. À quatre ou cinq reprises, ils ont fait venir des clients, mais chaque fois j'ai résisté et ils ont continué à me battre. Ils ont fini par me droguer : ils ont mis du vin dans mon verre et m'ont complètement enivrée. » Ensuite, un des propriétaires du bordel la viole. Lorsqu'elle se réveille, nauséeuse et endolorie, elle comprend ce qui s'est passé. « Maintenant, je suis fichue », se dit-elle, si bien qu'elle renonce à s'opposer aux clients.

Dans le bordel de Meena, le tyran était la matriarche, Ainul Bibi. Il arrivait qu'Ainul batte elle-même les filles, ou qu'elle s'en remette à sa bru ou à ses fils, qui faisaient preuve de cruauté.

« Je n'avais même pas le droit de pleurer. Si la moindre larme coulait, ils me battaient. Je pensais qu'il valait mieux mourir que

Meena Hasina et son fils Vivek au Bihar, Inde.

de vivre comme ça. Un jour, j'ai sauté du balcon, mais ça n'a servi à rien. Je ne me suis même pas cassé une jambe. »

Meena et ses compagnes n'étaient pas autorisées à quitter le bordel et n'étaient jamais payées. En général, elles avaient dix clients ou plus par jour, sept jours sur sept. Si elles s'endormaient ou se plaignaient de douleurs au ventre, la question se réglait avec une correction. Et si l'une d'elles affichait la moindre résistance, toutes étaient convoquées pour regarder la récalcitrante se faire attacher et battre sauvagement.

« Ils montaient le volume de la stéréo pour couvrir les hurlements », conclut laconiquement Meena.

L'Inde compte probablement plus d'esclaves modernes détenues dans ces conditions que n'importe quel autre pays au monde. Sur les deux ou trois millions de prostituées indiennes, beaucoup vendent volontairement – si l'on peut dire – leur corps et sont rémunérées pour cela, mais un grand nombre d'entre elles sont entrées dans l'industrie du sexe contre leur gré. Dans une étude de 2008 consacrée aux bordels indiens, environ la moitié des prostituées indiennes et népalaises qui avaient commencé à travailler à l'adolescence déclaraient y avoir été forcées. Les femmes âgées d'une vingtaine d'années étaient plus susceptibles d'avoir fait elles-mêmes ce choix, souvent pour nourrir leurs enfants. Celles qui débutent comme esclaves finissent souvent par accepter leur sort et se prostituent de leur plein gré, parce qu'elles n'ont aucune autre compétence et sont trop stigmatisées pour pouvoir exercer d'autres métiers.

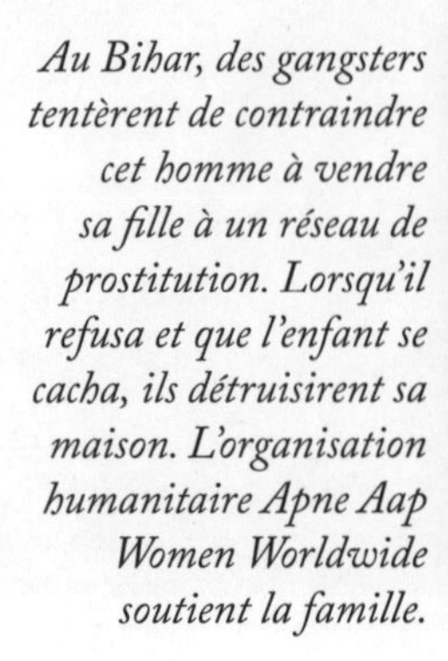

Au Bihar, des gangsters tentèrent de contraindre cet homme à vendre sa fille à un réseau de prostitution. Lorsqu'il refusa et que l'enfant se cacha, ils détruisirent sa maison. L'organisation humanitaire Apne Aap Women Worldwide soutient la famille.

La Chine compte plus de prostituées que l'Inde – dix millions, voire plus, selon certaines estimations –, mais celles qui exercent sous la contrainte sont moins nombreuses. En effet, les véritables bordels sont rares en Chine. Beaucoup de prostituées sont indépendantes et travaillent comme *ding-dong xiaojie* (ainsi nommées parce qu'elles démarchent leurs clients en appelant les chambres d'hôtel), et même celles qui œuvrent dans les salons de massage et les saunas sont généralement payées à la commission et peuvent s'en aller si elles le souhaitent.

Paradoxalement, ce sont les pays les plus rigides et les plus conservateurs, tels l'Inde, le Pakistan et l'Iran, qui comptent un nombre démesuré de prostituées forcées. Les rapports sexuels étant très rares avant le mariage, on tolère que les jeunes hommes de ces pays soulagent leurs frustrations sexuelles avec des prostituées.

Selon les termes de ce contrat social implicite, les jeunes filles de bonne famille doivent conserver leur vertu, et les jeunes gens, trouver satisfaction dans les bordels, pourvus en esclaves, du Népal, du Bangladesh ou de pauvres villages indiens. Tant que les filles sont des paysannes de basse caste sans instruction comme Meena, la société fait comme si elle ne voyait rien – comme de nombreux Américains avaient refusé de voir les horreurs de l'esclavage avant la guerre de Sécession, parce que les individus qui étaient fouettés leur semblaient différents d'eux.

Dans le bordel de Meena, personne n'utilisait de préservatifs. Pour le moment, Meena est en bonne santé, mais elle n'a jamais fait le test du sida. (Bien que la prévalence du VIH soit faible en Inde, les prostituées sont particulièrement exposées, car elles ont un très grand nombre de clients.) Privée de préservatifs, Meena tomba enceinte, ce qui la remplit de désespoir.

« Je pensais ne jamais devenir mère parce que ma vie avait été gâchée et que je ne voulais pas en gâcher une autre », explique Meena. Mais, comme beaucoup de bordels en Inde, celui d'Ainul accueillit sa grossesse comme une occasion d'engendrer une nouvelle génération de victimes. Selon son sexe, l'enfant serait destiné à la prostitution ou au service – à la lessive et à la cuisine.

Au bordel, sans assistance médicale, Meena mit au monde une petite fille, qu'elle baptisa Naina. Mais, très vite, Ainul lui retira le bébé. Pour interrompre l'allaitement – les clients n'aiment pas cela –, mais également pour se servir de l'enfant comme otage et s'assurer que Meena ne prendrait pas la fuite.

« Nous ne te laisserons pas Naina, décréta Ainul. Tu es une prostituée et tu n'as pas d'honneur. Tu pourrais bien t'enfuir. » Plus tard elle eut un fils, Vivek, que les propriétaires lui retirèrent également. Les deux enfants de Meena furent donc élevés par d'autres personnes, le plus souvent dans des parties de la concession où elle n'était pas autorisée à pénétrer.

« Comme ils gardaient mes enfants prisonniers, ils pensaient que je n'essaierais jamais de m'évader », explique Meena. Dans une certaine mesure, la stratégie fut un succès. Un jour, Meena aida treize filles à s'en aller, mais elle refusa de les accompagner, car l'idée de laisser ses enfants lui était insupportable. Accusée de complicité, elle reçut une violente correction.

Ainul, qui avait elle-même été prostituée dans sa jeunesse, n'éprouvait aucune compassion pour ses jeunes travailleuses. « Si mes propres filles peuvent le faire, alors vous aussi », répétait-elle. Et il est vrai qu'elle avait prostitué ses deux filles. (« Il a fallu les battre pour qu'elles acceptent, précise Meena. Personne ne veut entrer là-dedans. »)

Meena estime que, au cours des douze années qu'elle a passées au bordel, elle a été battue en moyenne cinq jours par semaine. La plupart des filles étaient rapidement brisées et intimidées, mais Meena n'a jamais tout à fait cédé. L'obstination est sa marque de fabrique. Elle sait être opiniâtre et têtue, c'est d'ailleurs une des raisons pour lesquelles les villageois la trouvent si désagréable. Comme elle refuse de se taire – et de se laisser faire –, elle déroge au modèle féminin de l'Inde rurale.

Les filles des bordels pouvaient difficilement se tourner vers les policiers, qui profitaient de leurs services de manière régulière et gratuite. Mais Meena était tellement désespérée qu'un jour elle sortit discrètement demander de l'aide au commissariat.

« Les propriétaires d'un bordel de la ville m'obligent à me prostituer, déclara-t-elle à l'agent de permanence étonné. Ils me battent et retiennent mes enfants en otages. » D'autres policiers vinrent contempler cette scène inhabituelle, mais ils se moquèrent d'elle et lui dirent de retourner d'où elle venait.

« Tu es bien audacieuse de te présenter ici ! » lui reprocha l'un d'eux. Pour finir, la police la renvoya au bordel après avoir arraché aux propriétaires la promesse de ne pas la battre. Ces derniers ne la punirent pas immédiatement. Mais un voisin bienveillant la prévint qu'ils avaient décidé de l'assassiner. Ce sont des choses qui n'arrivent pas souvent dans les quartiers chauds, de la même manière que les agriculteurs ne se débarrassent pas de leurs meilleures vaches laitières. Mais, de temps en temps, une prostituée devient si agaçante qu'elle est supprimée en guise d'avertissement aux autres.

Craignant pour sa vie, Meena abandonna ses enfants et s'enfuit. Elle rejoignit Forbesgunge après plusieurs heures de train. Mais quelqu'un révéla sa présence à Manooj, un des fils d'Ainul, qui vint rapidement la battre. Craignant qu'elle ne perturbe de nouveau son bordel, il l'autorisa à vivre seule et à se prostituer à Forbesgunge, mais à condition qu'elle lui verse de l'argent. C'était sa seule chance de survie, et Meena accepta.

Chaque fois que Manooj venait se faire payer à Forbesgunge, il n'était pas satisfait de la somme que lui remettait Meena et il la battait. Un jour, il la jeta au sol et la cingla de coups de ceinture tellement violents qu'un voisin respectable intervint.

« Tu la prostitues, tu lui prends sa force vitale, protesta son sauveur, un pharmacien prénommé Kuduz. Pourquoi la battre également à mort ? »

Il ne s'était pas jeté sur Manooj pour la sortir de ses griffes, mais une femme comme Meena, méprisée par la société, fut surprise que l'on puisse prendre sa défense. Manooj recula, et Kuduz l'aida à se relever. L'incident les rapprocha. Très vite, ils se mirent à bavarder régulièrement, et Kuduz finit par lui demander sa main. Toute frissonnante, Meena accepta.

Furieux, Manooj proposa à Kuduz cent mille roupies (2500 dollars) pour renoncer à Meena – une somme qui reflétait peut-être sa crainte qu'elle ne se serve de sa nouvelle respectabilité de femme mariée pour créer des problèmes au bordel. Mais la proposition n'intéressa pas Kuduz.

« Même si tu m'offrais deux cent cinquante mille roupies, je ne renoncerais pas à elle, rétorqua Kuduz. L'amour n'a pas de prix. »

Après son mariage, Meena eut deux filles et retourna dans son village natal pour retrouver ses parents. Sa mère était morte – les voisins lui expliquèrent qu'elle avait été inconsolable après la disparition de Meena et qu'elle avait fini par perdre la tête –, mais son père fut stupéfait et ravi de voir sa fille ressuscitée.

Bien que la vie fût manifestement plus clémente, Meena ne pouvait oublier les deux enfants qu'elle avait laissés derrière elle. Elle retournait donc régulièrement au bordel d'Ainul Bibi, situé à cinq heures de bus. Une fois sur place, elle restait à l'extérieur et implorait qu'on lui rende Naina et Vivek.

« Dès que je le pouvais, je retournais me battre pour mes enfants, se souvient-elle. Je savais qu'ils refuseraient que je les prenne. Je savais qu'ils me battraient. Mais je me disais que je ne pouvais pas renoncer. »

C'était peine perdue. Ainul et Manooj ne permettaient pas à Meena d'entrer : ils la fouettaient et la pourchassaient. La police ne lui accordait aucune attention. Les proxénètes, non contents de s'en prendre à elle, menacèrent de kidnapper ses deux fillettes et de les vendre à un bordel. Un jour, deux gangsters se présentèrent au domicile de Meena à Forbesgunge pour s'emparer des enfants, mais Kuduz saisit un couteau et les mit en garde : « Si vous essayez de les voler, je vous taille en pièces. »

Meena était terrifiée, mais elle ne pouvait oublier Naina. Elle savait que sa fille aînée approchait de l'âge de la puberté et qu'elle serait bientôt mise sur le marché. Mais que faire ?

Au fil des ans, ce sont les femmes comme Meena qui nous ont amenés à revoir notre position sur la traite sexuelle. Ayant grandi aux États-Unis, puis vécu en Chine et au Japon, nous considérions la prostitution comme une activité vers laquelle les femmes pouvaient se tourner par opportunisme ou désespoir financier. Un jour, à Hong Kong, une prostituée australienne avait discrètement introduit Sheryl dans le vestiaire de son « club pour hommes » pour lui permettre de rencontrer les filles du coin, qui voyaient dans la prostitution une chance de s'enrichir. Nous ne considérions certainement pas les prostituées comme des esclaves, obligées de faire ce qu'elles faisaient, car, en Amérique, en Chine et au Japon, la plupart d'entre elles ne sont pas réellement réduites en esclavage.

Pourtant, il n'est pas exagéré de dire qu'aujourd'hui des millions de femmes et de filles sont bel et bien asservies. (La grande différence avec l'esclavage du XIXe siècle, c'est que beaucoup d'entre elles meurent du sida avant d'avoir trente ans.) L'expression souvent employée pour désigner ce phénomène, « trafic sexuel », est trompeuse. Le problème n'est pas le sexe, ni la prostitution en soi. Dans beaucoup de pays – la Chine, le Brésil et l'essentiel de l'Afrique subsaharienne –, la prostitution est répandue mais le plus souvent volontaire (au sens où il s'agit d'une nécessité dictée par la pression économique plutôt que par la contrainte physique). Dans ces pays, les bordels ne séquestrent pas les femmes, et beaucoup d'entre elles exercent seules, sans proxénètes ni maisons closes. Le problème n'est pas davantage celui du trafic, puisque la prostitution forcée ne consiste pas toujours à acheminer des filles sur de longues distances par des intermédiaires. Le trafic sexuel est une horreur que l'on peut plus précisément qualifier de traite, ou d'esclavage.

Le nombre total d'esclaves modernes est difficile à évaluer. L'Organisation internationale du travail, une agence des Nations unies, estime que 12,3 millions de personnes exercent un travail forcé, sous une forme ou sous une autre, dont la prostitution. Selon un rapport de l'ONU, sur le seul continent asiatique, un million d'enfants sont détenus dans des conditions assimilables à de l'esclavage. Pour *The Lancet*, une importante revue médicale britannique, « un million d'enfants supplémentaires sont contraints de se prostituer chaque année, et le nombre total d'enfants prostitués pourrait s'élever à dix millions ».

Les associations de lutte contre la traite tendent à avancer des chiffres plus élevés, tels vingt-sept millions d'esclaves modernes. Cette estimation provient des recherches de Kevin Bales, directeur d'une belle organisation baptisée Libérez les esclaves (*Free the Slaves*). Il est difficile d'établir des statistiques précises, notamment parce que la frontière entre travailleuses du sexe volontaires et involontaires n'est pas toujours très nette. Certains journalistes considèrent les prostituées comme des esclaves, d'autres comme des entrepreneuses. Mais, en réalité, si certaines peuvent effectivement être classées dans une de ces catégories, beaucoup occupent une zone floue entre liberté et esclavage.

Une des bases du modèle commercial des bordels est de briser la résistance des filles, par l'humiliation, le viol, la menace et des actes de violence. Nous avons rencontré une Thaïlandaise de quinze ans qui, en guise d'initiation, avait dû manger des crottes de chien, un geste destiné à anéantir son amour-propre. Lorsqu'une fille est brisée et terrifiée, que tout espoir d'évasion lui a été ôté, il est souvent inutile de recourir à la force pour la contrôler. Elle continuera peut-être de rire et de sourire aux passants, d'essayer de les retenir et de les entraîner au bordel. Beaucoup d'étrangers peuvent penser qu'elle est là de son plein gré. Mais, dans ce cas, la soumission à la volonté du proxénète n'est pas synonyme de consentement.

Selon notre estimation personnelle, le monde compterait trois millions de femmes et de filles (et un nombre très faible de garçons) susceptibles d'être qualifiées d'esclaves du commerce sexuel. Il s'agit d'une estimation prudente, qui exclut toutes celles qui se prostituent sous la pression de manipulations ou d'intimidations. Elle ne tient pas davantage compte des millions d'autres qui n'ont pas dix-huit ans et qui ne peuvent donc pas sincèrement consentir à travailler dans des bordels. Nous parlons de trois millions d'êtres humains qui, au fond, sont la propriété d'une autre personne qui, bien souvent, pourrait les tuer en toute impunité.

En théorie, faire franchir une frontière internationale à un

Long Pross avait treize ans quand elle fut kidnappée et vendue à un bordel au Cambodge. Lorsqu'elle se rebella, la proxénète la punit en lui arrachant un œil avec un morceau de métal.

individu (par la force ou la tromperie) est ce qui définit la traite. Le Département d'État américain estime qu'entre six cent mille et huit cent mille personnes sont concernées chaque année, dont 80 % de femmes et de filles, destinées essentiellement à l'exploitation sexuelle. Meena n'ayant franchi aucune frontière, elle n'a pas été victime de traite au sens traditionnel du terme. C'est également le cas de la plupart des personnes réduites en esclavage dans les bordels. Comme le fait remarquer le Département d'État, cette estimation ne tient pas compte « des millions de gens à travers le monde qui sont l'objet d'une traite à l'intérieur de leurs propres frontières ».

En comparaison, dans les années 1780, où le commerce triangulaire atteignit son apogée, un peu moins de quatre-vingt mille esclaves furent expédiés en moyenne chaque année de l'Afrique vers le Nouveau Monde. Entre 1811 et 1850, les chiffres retombèrent à un peu plus de cinquante mille. Autrement dit, au début du XXIe siècle, on expédie chaque année beaucoup plus de femmes et de filles dans les bordels que d'esclaves africains sur les plantations aux XVIIIe ou XIXe siècles – bien que la population fût, bien entendu, bien plus faible à l'époque. Comme le faisait observer le journal *Foreign Affairs* : « Quel que soit le chiffre exact, il semble presque certain que le commerce d'esclaves mondial moderne soit plus important en termes absolus que ne le fut le commerce d'esclaves transatlantique aux XVIIIe et XIXe siècles. »

Comme il y a deux siècles dans les plantations esclavagistes, peu de contraintes pratiques pèsent sur les propriétaires. En 1791, La Caroline du Nord décréta que tuer un esclave revenait à commettre un « meurtre », tandis que la Géorgie établissait un peu plus tard que tuer ou mutiler un esclave équivalait légalement à tuer ou mutiler un Blanc. Mais ces doctrines étaient plus valables sur le papier que sur les plantations, tout comme les lois pakistanaises n'ont jamais empêché les propriétaires de bordel de supprimer les filles difficiles.

Bien que de nombreux problèmes humanitaires aient été mieux pris en charge ces dernières décennies, l'esclavage sexuel a en réalité empiré. Notamment à cause de la chute du communisme en Europe de l'Est et en Indochine. En Roumanie et ailleurs, la conséquence immédiate fut une détresse économique et l'émergence de bandes organisées qui remplirent le vide laissé par le pouvoir. Le capitalisme créa de nouveaux marchés pour le riz et les pommes de terre, mais également pour la chair féminine.

La deuxième raison de l'augmentation de la traite est la mondialisation. Il y a encore une génération, les gens restaient chez eux. Aujourd'hui, il est plus facile et plus abordable de gagner la ville ou un pays lointain. Une jeune Nigériane dont la mère n'a jamais quitté le territoire tribal peut désormais atterrir dans un bordel en Italie. Dans la campagne moldave, on peut rouler d'un village à l'autre sans tomber sur une seule femme entre seize et trente ans.

La troisième cause de la dégradation de la situation est le sida. Être vendue à un bordel a toujours été un destin horrible, mais rarement une condamnation à mort. Aujourd'hui, c'est souvent le cas. Et, à cause de la peur du sida, les clients préfèrent des filles plus jeunes parce qu'ils pensent qu'ils ont moins de risques d'être contaminés. En Afrique comme en Asie, il existe également une légende selon laquelle on peut soigner le sida grâce à un rapport sexuel avec une vierge, ce qui entretient la demande de jeunes filles kidnappées dans leur village.

Pour toutes ces raisons, nous insistons sur l'esclavage sexuel plus que sur d'autres types de travail forcé. Il suffit d'avoir passé un peu de temps dans les bordels indiens et, par exemple, dans les usines de briques pour savoir qu'il est préférable d'être réduit en esclavage dans les secondes. Les préposés aux fours à briques vivent très probablement entourés de leur famille, et leur métier ne les expose pas au risque du sida ; ils peuvent toujours rêver qu'un jour ils s'évaderont.

À l'intérieur du bordel, Naina et Vivek étaient battus, affamés et maltraités. Ils ne savaient pas qui étaient leurs parents. Naina apprit à appeler Ainul grand-mère, et Vinod, le fils de cette dernière, père. On disait parfois à Naina que l'épouse de Vinod, Pinky, était sa mère. À d'autres moments, on lui racontait que sa mère était morte et que Pinky était sa belle-mère. Mais quand Naina demanda à aller à l'école, Vinod refusa et décrivit leur lien de manière plus abrupte.

« Tu dois m'obéir, ordonna-t-il à Naina, parce que je suis ton propriétaire. »

Les voisins tentèrent d'informer les enfants. « Les gens affirmaient qu'ils ne pouvaient pas être mes vrais parents, parce qu'ils me torturaient trop », se souvient Naina. De temps en temps, les enfants entendaient, et même voyaient, Meena se présenter à la porte et les appeler. Un jour, Meena vit Naina et lui dit : « Je suis ta mère.

– Non, rétorqua Naina. Pinky est ma mère. »

Vivek se rappelle également les visites de Meena. « Je la voyais se faire battre et pourchasser, explique-t-il. Ils m'ont raconté que ma mère était morte, mais les voisins m'ont finalement révélé qu'elle était ma mère, et je l'ai vue revenir pour essayer de se battre pour moi. »

Naina et Vivek n'avaient jamais mis les pieds à l'école, ni vu un médecin et ils avaient rarement le droit de sortir. On leur assignait des tâches comme l'entretien des sols et du linge, et ils étaient vêtus de haillons – les chaussures étaient exclues : cela aurait pu les inciter à s'enfuir. Puis, quand Naina eut douze ans, on l'exhiba devant un homme âgé, au point qu'elle en éprouva de la gêne. « Quand j'ai demandé à “Maman” qui était l'homme, se rappelle Naina, elle m'a battue et m'a envoyée au lit sans dîner. »

Deux jours plus tard, « Maman » ordonna à Naina de se baigner et l'emmena au marché, où elle lui acheta de beaux vêtements et un anneau pour son nez. « Quand je lui ai demandé pourquoi elle m'achetait toutes ces choses, elle m'a grondée. Elle m'a expliqué que je devais écouter tout ce que dirait l'homme. Elle a aussi ajouté : "L'homme a donné de l'argent à ton père pour toi." Je me suis mise à sangloter. »

Pinky ordonna à Naina d'enfiler les vêtements, mais la fillette les jeta, sans s'arrêter de pleurer. Vivek, qui n'avait que onze ans, était un petit garçon docile. Mais, de sa mère, il avait hérité cette incapacité à capituler. Il supplia donc ses «parents» et sa «grand-mère» de laisser partir sa sœur ou de lui trouver un époux. Chaque supplication lui valait une correction de plus – administrée avec mépris. «Tu ne ramènes aucun salaire, se moqua son "père", comment crois-tu pouvoir t'occuper de ta sœur?»

Mais Vivek trouva encore et encore le courage d'affronter ses persécuteurs, les suppliant de libérer sa sœur. Dans une ville où les policiers, les responsables gouvernementaux, les prêtres hindous et les respectables bourgeois faisaient semblant de ne pas voir la prostitution forcée, la seule voix de la conscience était celle d'un garçon de onze ans battu chaque fois qu'il osait dire ce qu'il pensait. Mais son franc-parler n'eut aucun effet. Vinod et Pinky l'enfermèrent, forcèrent Naina à enfiler les vêtements neufs, et sa carrière de prostituée débuta.

«Ma "mère" me disait de ne pas avoir peur, parce que c'était un homme bien, se rappelle Naina. Ensuite, ils m'ont enfermée dans la pièce avec lui. Il m'a demandé de fermer à clé de l'intérieur. Je l'ai giflé... Et puis, il m'a forcée. Il m'a violée.»

Un jour, un client donna un pourboire à Naina, qui le passa en secret à Vivek. Ils pensaient que Vivek pourrait utiliser un téléphone, un appareil dont ils n'avaient aucune expérience, pour retrouver la mystérieuse femme qui prétendait être leur vraie mère et obtenir de l'aide auprès d'elle. Mais quand Vivek tenta d'appeler, les propriétaires du bordel s'en aperçurent, et les deux enfants furent flagellés.

Ainul crut qu'elle pouvait détourner l'attention de Vivek avec les filles, et lui proposa d'avoir des rapports sexuels avec les prostituées. Cette idée le bouleversait et l'intimidait, et quand il rechigna, Pinky le battit. Bouillant de colère et inquiet pour sa sœur, Vivek se dit que leur seul espoir était qu'il s'échappe pour tenter de retrouver la personne qui prétendait être leur mère. Il avait entendu dire qu'elle se prénommait Meena et qu'elle habitait Forbesgunge. Un matin, il s'enfuit jusqu'à la gare de chemin de fer et acheta un billet avec le pourboire de Naina.

«Je tremblais de peur car je pensais qu'ils allaient me poursuivre et me tailler en pièces», se rappelle-t-il. Une fois à Forbesgunge, il demanda comment se rendre aux bordels. Il descendit péniblement la route qui menait au quartier chaud, puis arrêta chaque passant qu'il croisait : *Où est Meena ? Où habite-t-elle ?*

Finalement, après une longue marche et de nombreux faux pas, il sut qu'il approchait de la maison de sa mère et il appela : *Meena ! Meena !* Une femme sortit d'une petite bâtisse – la lèvre de Vivek se mit à trembler lorsqu'il nous raconta ce passage – et l'examina de la tête aux pieds d'un air étonné. Tous deux s'observèrent longuement, puis la femme finit par demander avec stupéfaction : «Tu es Vivek ?»

Les retrouvailles furent extraordinaires. Ce furent quelques semaines de pure joie et d'éblouissement, le premier moment de bonheur que Vivek ait jamais connu de sa vie. Meena est une femme chaleureuse et sensible, et Vivek fut ravi de sentir pour la première fois l'amour d'une mère. Mais, dès lors que Meena eut des nouvelles de Naina, son obstination refit surface : elle était résolue à récupérer sa fille.

«Je l'ai mise au monde, je ne pourrai jamais l'oublier, dit Meena. Je dois me battre pour elle aussi longtemps que je vivrai. Chaque journée sans Naina me semble aussi longue qu'une année.»

Meena avait noté qu'Apne Aap Women Worldwide, une organisation qui combat l'esclavage sexuel en Inde, avait ouvert un bureau à Forbesgunge. Apne Aap est basée à Kolkata (autrefois appelée Calcutta), mais sa fondatrice – Ruchira Gupta, une ancienne journaliste – avait passé une partie de son enfance à Forbesgunge. D'autres associations humanitaires hésitent à travailler dans la campagne du Bihar parce que la criminalité est partout, mais Ruchira Gupta connaissait la région et considérait qu'ouvrir un bureau était un risque qui valait la peine d'être couru. Une des premières personnes à s'y présenter fut Meena. «Je vous en prie, je vous en prie, supplia-t-elle, aidez-moi à récupérer ma fille !»

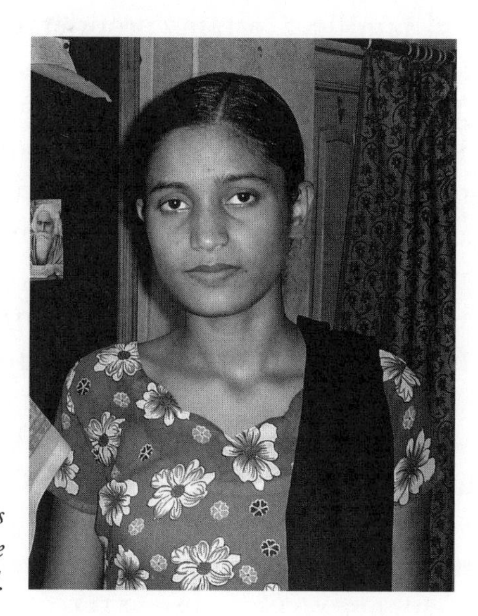

Naina, peu après avoir été délivrée du bordel.

De mémoire d'homme, il n'y avait jamais eu de descente de police dans un bordel du Bihar, mais, déterminée, Ruchira en décida autrement. Même si l'établissement d'Ainul Bibi entretenait des liens étroits avec la police locale, Ruchira était très liée à des officiers de la police nationale. Et Ruchira peut être aussi intimidante que n'importe quel propriétaire de bordel.

Apne Aap sermonna la police jusqu'à ce qu'elle consente à délivrer Naina. Les forces de l'ordre débarquèrent au bordel, trouvèrent Naina et l'emmenèrent au commissariat. Mais elle avait été tellement droguée et brisée qu'elle regarda Meena et déclara d'un air hébété : « Je ne suis pas ta fille. » Meena en fut bouleversée.

Naina expliqua plus tard qu'elle s'était sentie seule et terrifiée, notamment parce que Ainul Bibi lui avait fait croire que Vivek était mort. Mais, au bout d'une heure au poste de police, elle comprit qu'elle pouvait peut-être échapper au bordel et finit par murmurer : « Oui, tu es ma mère. »

Apne Aap fit hospitaliser Nina d'urgence à Kolkata, où elle fut traitée pour de graves blessures et une dépendance à la morphine. Les proxénètes l'avaient droguée pour la rendre docile, et son état de manque faisait peine à voir.

À Forbesgunge, la vie devint plus difficile et plus dangereuse pour Meena et sa famille. Certains propriétaires des bordels du coin étaient des parents d'Ainul et de Manooj, et ils étaient furieux contre Meena. Même les membres de la communauté Nutt – qui n'aimaient pourtant pas la prostitution – désapprouvaient la descente de police, si bien que l'école et le refuge d'Apne Aap furent boycottés. Meena et ses enfants furent stigmatisés, et un jeune homme travaillant avec Apne Aap, poignardé. Les filles de Meena et de Kuduz reçurent des menaces. Mais cela n'empêcha pas Meena de déambuler sereinement dans les rues. Elle riait à l'idée que l'on puisse l'intimider.

« Ils pensent que le bien est mal, se moque-t-elle en parlant des villageois du coin. Peu importe qu'ils ne m'adressent pas la parole, je sais ce qui est bien et je n'en démordrai pas. Aussi longtemps que je vivrai, je n'accepterai pas la prostitution, ni pour moi ni pour mes enfants. »

Meena travaille aujourd'hui comme animatrice de quartier à Forbesgunge, où elle tente de dissuader les parents de prostituer leurs enfants, mais également de donner la même éducation à leurs filles et à leurs garçons. Avec le temps, le ressentiment à son égard a un peu diminué, mais elle est toujours considérée comme arrogante et non féminine.

Plus tard, Apne Aap a créé un pensionnat au Bihar, en partie grâce aux dons de sympathisants américains, et les enfants de Meena y ont été admis. L'école, qui a un gardien, est un endroit beaucoup plus sûr pour eux. Naina étudie désormais au pensionnat et espère devenir professeur. Elle souhaite en particulier aider les enfants défavorisés.

Un après-midi, Meena a appris une chanson à ses deux jeunes filles :

L'Inde ne sera pas libre,
Tant que ses femmes ne seront pas libres.
Et les filles de ce pays ?
Si les filles sont insultées, maltraitées et asservies dans ce pays,
Mets ta main sur ton cœur et demande-toi,
Ce pays est-il vraiment indépendant ?

Combattre l'esclavage depuis Seattle

Les gens nous demandent sans cesse comment ils peuvent se rendre utiles. Compte tenu de la corruption, du gaspillage et des problèmes de gestion, comment peut-on réellement aider des femmes comme Meena et vaincre l'esclavage moderne ? Y a-t-il quelque chose qu'une personne lambda puisse faire ?

Pour commencer, il faut faire preuve d'un réalisme implacable et reconnaître que le changement est un processus complexe. Pour être honnête, les humanitaires ont parfois tendance à exagérer et à embellir la réalité, tout en passant sous silence les écueils. Ils torturent parfois de fragiles données jusqu'à produire les « preuves » de succès exigées. Notamment parce que les causes en question sont louables et exaltantes : il est par exemple naturel de croire à l'éducation des filles quand on réalise une étude sur ce sujet. Mais, comme nous le verrons, les recherches finissent souvent par ne pas être menées avec la même rigueur que, par exemple, celles destinées à tester l'efficacité des dentifrices. Les organisations humanitaires hésitent également à admettre leurs erreurs, notamment de peur de compromettre les appels à contribution.

La réalité, c'est que, par le passé, les efforts pour aider les filles ont parfois eu l'effet inverse. En 1993, le sénateur Tom Harkin, qui voulait venir en aide aux ouvrières exploitées des ateliers du Bangladesh, présenta une loi destinée à interdire les importations de marchandises fabriquées par des travailleurs âgés de moins de quatorze ans. Les usines du Bangladesh renvoyèrent sur-le-champ des dizaines de milliers de jeunes filles, dont beaucoup se retrouvèrent dans des bordels et sont sans doute mortes du sida aujourd'hui.

En revanche, de nombreuses formes d'aide – en particulier en matière de santé et d'éducation – donnent d'excellents résultats. Prenons le cas de Frank Grijalva, le directeur de l'Overlake School de Redmond, Washington, un excellent établissement privé de quatre cent cinquante élèves répartis entre le CM2 et la terminale. Les frais de scolarité s'élèvent aux alentours de 22 000 dollars par an, et la plupart des enfants bénéficient de l'environnement protégé des classes moyennes aisées. Frank Grijalva voulait montrer à ses élèves comment on vit de l'autre côté de la barrière.

« Il m'apparut évident que la communauté très privilégiée que nous étions devait être une force plus grande, plus positive dans le monde », se souvient-il. Frank entendit parler de Bernard Krisher, un ancien correspondant de *Newsweek* qui avait été tellement écœuré par la pauvreté au Cambodge qu'il avait fondé une organisation humanitaire, American Assistance for Cambodia. Délivrer les filles des bordels est important, Krisher l'admet volontiers, mais la meilleure façon de les sauver est d'éviter avant tout qu'elles ne tombent dans les pièges des trafiquants – ce qui signifie les maintenir à l'école. American Assistance for Cambodia s'attache donc à éduquer les enfants des campagnes, en particulier les filles. Le programme phare de Bernie Krisher est le Projet d'école rurale. Pour treize mille dollars, un donateur peut créer une école dans un village cambodgien. Le don est doublé par la Banque mondiale, puis triplé par la Banque du développement asiatique.

Grijalva eut une idée de génie : ses élèves pouvaient sponsoriser une école au Cambodge et, par la même occasion, prendre conscience de l'importance de l'intérêt général. Dans un premier temps, la réaction des élèves et des parents fut polie mais prudente. Toutefois, après les événements du 11 Septembre, la communauté éprouva soudain un profond intérêt pour le vaste monde et accepta de s'engager dans le projet. Les élèves lavèrent des voitures, organisèrent des ventes de gâteaux et des concours de jeunes talents, tout en se renseignant par ailleurs sur l'histoire de la guerre et du génocide au Cambodge. L'école fut bâtie à Pailin, une ville située à la frontière avec la Thaïlande, connue pour ses bordels bon marché très fréquentés par les Thaïlandais.

En février 2003, la construction de l'école fut achevée, et une délégation de dix-neuf élèves d'Overlake conduite par Grijalva vint assister à l'inauguration. Si l'on est cynique, on peut dire qu'il aurait mieux valu économiser l'argent du voyage pour construire une autre école. Mais, en réalité, cette visite fut un voyage d'étude et d'apprentissage essentiel pour ces jeunes Américains. Ils avaient trimbalé des cartons de fournitures scolaires depuis Redmond, mais, en s'approchant de Pailin, ils se rendirent compte que les besoins du Cambodge étaient bien plus importants qu'ils ne se l'étaient imaginé. Le chemin de terre et de gravier qui menait à la ville était troué d'ornières si profondes qu'il était à peine praticable, et un bulldozer gisait retourné près d'un cratère – frappé par une mine.

Un panneau indiquant OVERLAKE SCHOOL en anglais et en khmer attendait les Américains, qui furent accueillis par une marée de Cambodgiens excités – menés par un directeur unijambiste, victime lui-même d'une mine. À cette époque, les hommes totalisaient en moyenne 2,6 années de scolarisation au Cambodge, et les femmes, seulement 1,7. Les Américains étaient donc loin de s'imaginer à quel point une nouvelle école était précieuse.

L'implication d'Overlake – et la semaine passée au Cambodge – marqua les jeunes Américains d'une empreinte indélébile. Au point qu'élèves et parents décidèrent de garder le contact avec leur homonyme cambodgien. Ils financèrent un poste de professeur d'anglais et l'installation d'Internet pour échanger des mails. Ils firent bâtir une cour de récréation et expédièrent des livres. Puis, en 2006, l'établissement américain décida d'envoyer chaque année des délégations, constituées d'élèves et de professeurs, chargées pendant les vacances de printemps d'enseigner l'anglais et les arts aux jeunes Cambodgiens. En 2007, le groupe décida d'aider également une école au Ghana et d'y envoyer une délégation.

« Ce projet est tout bonnement l'initiative la plus significative et la plus louable que j'aie entreprise en trente-six ans d'enseignement », admet Frank Grijalva. L'Overlake School du Cambodge est un lieu absolument extraordinaire. Depuis qu'un pont a été emporté, il faut traverser un ruisseau pour y accéder, mais l'école n'a rien à voir avec les bâtiments délabrés que l'on voit dans la plupart des pays en voie de développement. Elle compte deux

Kun Sokkea devant l'École Overlake au Cambodge.

cent soixante-dix élèves, âgés de six à quinze ans. Le professeur d'anglais a un diplôme universitaire et parle bien la langue. Mais ce qui nous a le plus stupéfiés, c'était de voir les élèves de sixième envoyer des mails depuis leur compte Yahoo à leurs camarades d'Overlake, en Amérique.

Parmi eux se trouvait Kun Sokkea, une fillette de treize ans qui allait bientôt être la première de sa famille à achever l'école primaire. Son père était mort du sida, et sa mère, également atteinte de la maladie, avait besoin de soins constants. Kun Sokkea a de longs cheveux noirs filasses. Maigre comme un clou, presque dégingandée, c'est une enfant réservée, dont les épaules ploient sous le poids de la pauvreté.

« Ma mère m'encourage à rester à l'école, mais parfois je crois que je ferais mieux d'aller gagner de l'argent, nous expliqua-t-elle. Comme je n'ai pas de père, peut-être que je devrais subvenir aux besoins de ma mère. En un jour, je pourrais gagner soixante-dix bahts [un peu plus de 2 dollars] en faisant les foins ou en plantant du maïs. »

Pour tenir compte de ces pressions financières, American Assistance for Cambodia a monté un programme baptisé « Girls Be Ambitious » (« Les filles, soyez ambitieuses »), qui revient en quelque sorte à soudoyer les familles pour maintenir les filles à l'école. Si une fille n'enregistre aucune absence pendant un mois, sa famille reçoit 10 dollars. Une approche similaire, qui s'est avérée très efficace et bon marché, a été adoptée au Mexique et dans d'autres pays pour favoriser l'éducation des filles. La famille de Kun Sokkea perçoit désormais son allocation. Pour les donateurs qui n'ont pas les moyens de financer une école entière, c'est une façon de lutter contre la traite pour cent vingt dollars par an et par fille. Cette approche est utile parce que les filles comme Kun Sokkea en sont les victimes toutes désignées. Leurs familles sont aux abois, les filles ont peu d'instruction, et il suffit qu'un trafiquant leur promette un emploi fabuleux de vendeuse de fruits dans une ville lointaine pour qu'elles tombent dans leur piège.

Kun Sokkea nous a montré sa maison, une cabane délabrée sur pilotis – pour se protéger des inondations et des animaux nuisibles – plantée dans un champ près de l'école. Il n'y avait pas d'électricité, et les biens de la fillette tenaient dans un petit sac. Elle ne se demande jamais ce qu'elle va porter : elle ne possède qu'un chemisier et une paire de nu-pieds. Kun Sokkea n'a jamais été examinée par un dentiste et ne s'est rendue chez le médecin qu'une seule fois. L'eau consommée par le foyer provient du proche ruisseau – le même ruisseau où Kun Sokkea lave le linge de la famille (elle emprunte un chemisier quand elle doit laver le sien). Elle partage un matelas posé à même le sol avec son frère, et trois autres parents dorment à quelques dizaines de centimètres. Kun Sokkea n'a jamais touché un téléphone de sa vie, elle n'est jamais montée dans une voiture et n'a jamais goûté à un soda. Quand nous lui avons demandé s'il lui arrivait de boire du lait, elle a semblé perplexe et nous a répondu que, lorsqu'elle était bébé, sa mère l'avait allaitée.

Mais ce que Kun Sokkea possède près de son lit, c'est une photo des élèves d'Overlake sur leur campus. Le soir, avant de se coucher, elle la prend parfois et examine les visages souriants, les pelouses impeccables et les bâtiments modernes. Dans sa cabane, avec sa mère malade qui pleure souvent, ses frères et ses sœurs affamés, cette photo est une fenêtre ouverte sur un monde magique, où l'on a toujours à manger et où l'on est soigné quand on tombe malade. Dans un endroit pareil, se dit-elle, tout le monde doit être heureux tout le temps.

Kun Sokkea et sa famille ne sont pas les seuls à profiter de ce programme. Les Américains ont été autant transformés que les

Cambodgiens. Et c'est un phénomène que l'on constate régulièrement : les projets humanitaires ont un bilan mitigé en matière d'aide aux populations étrangères, mais extraordinaire si l'on tient compte de l'inspiration et des enseignements qu'en retirent les donateurs. Parfois, les leçons sont déroutantes, comme le découvrit Overlake quand l'école tenta d'aider Kun Sokkea à poursuivre sa scolarité après l'école primaire. Il lui fallait un moyen de transport, car le collège était éloigné, et les garçons du coin harcelaient souvent les filles en chemin.

Ainsi, sur la suggestion des professeurs, Overlake acheta à Kun Sokkea une bicyclette. Tout fonctionna parfaitement pendant plusieurs mois, jusqu'à ce qu'une femme âgée, une voisine, demande à la fillette de lui passer le vélo. Kun Sokkea n'eut pas le courage de dire non à une aînée. La femme vendit la bicyclette et conserva l'argent. Frank Grijalva et les élèves américains furent outrés, mais ils avaient appris que vaincre la pauvreté est moins aisé qu'il n'y paraît. Les Américains décidèrent qu'ils ne pouvaient pas simplement racheter une bicyclette à Kun Sokkea, et la fillette se remit à marcher deux heures par jour pour se rendre au collège. Elle manqua de plus en plus souvent les cours, peut-être à cause de la distance et des risques courus. Ses notes s'en ressentirent. Au début de l'année 2009, elle abandonna ses études.

Les écoles américaines permettent rarement à leurs élèves de comprendre les 2,7 milliards de personnes (40 % de la population mondiale) qui vivent aujourd'hui avec moins de deux dollars par jour. Aussi, bien que l'objectif premier d'un nouveau mouvement en faveur des femmes soit de mettre un terme à l'esclavage et aux crimes d'honneur, il s'agit tout autant d'exposer les jeunes Occidentaux à la vie dans un autre pays, afin qu'eux aussi puissent s'instruire, grandir et s'épanouir – et qu'une fois adultes ils continuent de s'attaquer aux problèmes.

« Après mon voyage au Cambodge, mes projets d'avenir ont changé », admet Nathalie Hammerquist, une jeune fille de dix-sept ans qui échange régulièrement des mails avec deux Cambodgiennes. « Cette année, je me suis inscrite pour apprendre trois langues étrangères et je compte en choisir d'autres à l'université. »

L'amie cambodgienne de Nathalie veut devenir médecin mais ne peut pas se permettre d'aller à l'université, ce qui agace la jeune Américaine : *Une fille comme moi doit faire une croix sur ses rêves parce qu'elle n'en a pas les moyens.* Nathalie projette désormais de travailler en faveur des jeunes dans le monde : « Nous devrions tous utiliser nos dons de la meilleure façon possible. Moi j'ai trouvé la manière dont je pouvais utiliser les miens. C'est dire à quel point aller au Cambodge m'a été précieux. »

CHAPITRE 2

Prohibition et prostitution

Bien qu'on ait écrit des livres et des livres afin de démontrer que l'esclavage est une très bonne chose, aucun homme ne semble disposé à en accepter le bénéfice en étant lui-même esclave.

Abraham LINCOLN

Après avoir rendu visite à Meena Hasina et Ruchira Gupta au Bihar, Nick passa de l'Inde au Népal *via* un village frontalier grouillant d'échoppes de vêtements, d'en-cas et d'articles encore plus sinistres. C'est le point de passage de milliers de jeunes Népalaises introduites contre leur gré en Inde et destinées aux bordels de Kolkata. Elles y sont appréciées pour leur teint clair, leur beauté, leur docilité et leur incapacité à parler la langue locale, ce qui limite le risque d'évasion. Pendant que Nick remplissait les documents requis au poste frontière, des flots de Népalaises entraient en Inde, sans aucune formalité.

Assis dans la cabane des autorités indiennes, Nick engagea la conversation avec un officier qui parlait parfaitement l'anglais. L'homme déclara qu'il avait été envoyé par le bureau des renseignements pour surveiller la frontière.

« Et que surveillez-vous exactement ? demanda Nick.

– Nous recherchons des terroristes, ou du matériel destiné au terrorisme », répondit l'homme, qui ne surveillait pourtant rien de très près, car les camions n'arrêtaient pas de défiler. « Après le 11 Septembre, on a renforcé les contrôles par ici. On cherche aussi de la marchandise piratée ou de contrebande. Si on en trouve, on la confisque.

– Et pour les filles victimes de la traite ? poursuivit Nick. Vous gardez un œil là-dessus ? Il doit y en avoir beaucoup.

– Oh, des tas. Mais ce n'est pas notre problème. On ne peut rien faire pour elles.

– Pourtant, vous pourriez arrêter les trafiquants. Est-ce que la traite des filles n'est pas aussi importante que le piratage des DVD ? »

L'agent des renseignements eut un rire cordial et leva les mains au ciel. « La prostitution est inévitable. » Il gloussa. « La prostitution a toujours existé, dans tous les pays. Que voulez-vous que les garçons fassent entre le moment où ils atteignent la majorité et leur mariage à trente ans ?

– Parce que vous pensez que la meilleure solution est de kidnapper des jeunes Népalaises et de les retenir prisonnières dans des bordels indiens ? »

L'agent haussa les épaules, imperturbable. « C'est malheureux, convint-il. Ces filles sont sacrifiées pour que l'harmonie règne dans la société. Pour que les Indiennes respectables soient en sécurité.

– Mais beaucoup des Népalaises victimes de la traite sont également respectables.

– Bien sûr, mais ce sont des paysannes. Elles ne savent même pas lire. Elles viennent de la campagne. Les Indiennes respectables de la bourgeoisie sont en sécurité. »

Nick, qui serrait les dents depuis un moment, fit cette suggestion détonante : « J'ai une idée ! Vous savez, aux États-Unis nous avons beaucoup de problèmes d'harmonie sociale. On devrait donc kidnapper des filles de la bourgeoisie indienne et les obliger à travailler dans les bordels américains ! Comme ça, les jeunes Américains pourraient s'amuser aussi, vous ne pensez pas ? Ça favoriserait l'harmonie dans notre société ! »

Ces paroles firent place à un silence inquiétant. Puis le policier finit par éclater de rire.

« Vous plaisantez ! rétorqua-t-il avec un sourire radieux. C'est très drôle ! »

Nick laissa tomber.

On asservit impunément les filles des villages pour les mêmes raisons que l'on asservissait impunément les Noirs il y a deux cents ans : parce que les victimes sont considérées comme des êtres humains négligeables. L'Inde a désigné un agent des renseignements pour lutter contre la contrefaçon parce qu'elle sait pertinemment que les États-Unis se préoccupent de la propriété intellectuelle. Quand l'Inde sentira que l'Occident se préoccupe autant de l'esclavage que des CD piratés, elle enverra des hommes aux frontières pour arrêter les trafiquants.

Les outils pour mettre fin à l'esclavage moderne existent, mais la volonté politique fait défaut. Ce doit être le point de départ de tout mouvement abolitionniste. Nous ne prétendons pas que les Occidentaux doivent embrasser cette cause parce qu'ils sont les premiers fautifs. Dans la plupart des pays pauvres, les Occidentaux ne jouent pas un rôle central dans la prostitution. Il est vrai que les touristes sexuels américains et européens participent au problème en Thaïlande, aux Philippines, au Sri Lanka et au Belize. Mais ils ne représentent qu'un faible pourcentage de la clientèle des bordels, constituée essentiellement de locaux. En outre, ils fréquentent généralement des filles plus ou moins consentantes, car ils préfèrent les ramener à hôtel, ce qui est théoriquement impossible avec les prostituées forcées. Il ne s'agit donc pas d'inciter les Occidentaux à montrer le chemin parce qu'ils seraient à l'origine du problème. Mais, bien que nous soyons en marge de l'esclavage, notre action demeure nécessaire pour vaincre ce mal horrible.

Si le mouvement abolitionniste moderne n'est pas plus efficace, c'est en partie à cause des conceptions divergentes de la prostitution. Dans les années 1990, la gauche et la droite américaines unirent leurs efforts pour obtenir la loi de protection des victimes de la traite d'êtres humains de 2000, qui permit aux instances mondiales de prendre conscience de ce problème. Mais le mouvement antitraite finit par se scinder en deux, fortement soutenu par certains démocrates libéraux, dont feu le sénateur Paul Wellstone, et certains républicains conservateurs, dont le sénateur Sam Brownback. Hillary Clinton eut également un rôle clé dans

Une adolescente cambodgienne, kidnappée et vendue à un bordel, dans la pièce où elle travaille.

ce combat, et Carolyn Maloney, membre démocrate du Congrès, en fut la championne incontestée. De même, une des rares actions positives de George W. Bush sur le plan international fut une grande campagne contre la traite. Vital Voices et d'autres groupes libéraux se montrèrent exemplaires sur la traite sexuelle, tout comme International Justice Mission et d'autres groupes évangéliques conservateurs. Pourtant, bien que la gauche et la droite accomplissent un travail important, elles agissent le plus souvent séparément. Le mouvement abolitionniste serait beaucoup plus efficace s'il forgeait l'unité dans ses propres rangs.

Un des points de désaccord réside dans la façon de concevoir la prostitution. La gauche parle avec neutralité de « travailleuses du sexe » et tend à tolérer les transactions entre adultes consentants. La droite, rejointe par certaines féministes, parle de « prostituées » ou de « femmes prostituées » et affirme que la prostitution est par essence avilissante et choquante. Le résultat de ces chamailleries est un manque de coopération dans la lutte contre ce que *tout le monde* s'accorde à trouver odieux : la prostitution forcée et enfantine.

« Le débat est mené dans un cadre théorique au sein des universités », regrette Ruchira Gupta, assise dans sa vieille demeure familiale du Bihar après avoir passé la journée dans le quartier chaud. « Très peu de ces théoriciens viennent voir ce qui se passe réellement sur le terrain. Tout ce débat sur la définition du problème est sans importance. L'important, c'est que des enfants sont réduits en esclavage. »

Quelle politique devons-nous mener pour tenter d'éliminer cette forme d'esclavage ? Au départ, nous estimions qu'une prohibition n'aurait pas plus d'effet sur la prostitution aujourd'hui qu'elle n'en eut sur l'alcool dans l'Amérique des années 1920. Au lieu de tenter vainement d'interdire la prostitution, nous pensions qu'il était préférable de la légaliser et de la réguler. Ce modèle pragmatique de « réduction des risques » est privilégié par de nombreuses associations humanitaires, car il permet aux équipes sanitaires de distribuer des préservatifs et de freiner la progression du sida, mais également d'accéder aux bordels et de repérer plus aisément les filles mineures.

Avec le temps, nous avons révisé notre point de vue. Tout simplement parce que ce modèle de légalisation fonctionne mal dans les pays où la prostitution se fait le plus souvent sous la contrainte. Notamment parce que les systèmes politiques en place sont souvent médiocres, et la réglementation, par conséquent, inefficace. Mais aussi parce que les bordels légaux ont tendance à favoriser le développement d'un commerce parallèle de jeunes filles et de prostituées forcées. En revanche, il existe des preuves concrètes de l'efficacité de la répression, lorsqu'elle est associée à des mesures sociales, telles la reconversion professionnelle et la réinsertion des toxicomanes. C'est cette approche qui a notre préférence. Dans les pays où la traite est répandue, nous sommes en faveur d'une stratégie répressive, qui n'est possible que si la police accepte de changer fondamentalement d'attitude et de s'assurer régulièrement que les bordels ne retiennent aucune fille, mineure ou non. Il ne s'agit pas simplement de voter des lois, mais de les faire appliquer, et de surveiller le nombre d'établissements contrôlés et de proxénètes arrêtés. Les bordels qui sont de véritables cachots devraient être fermés, des opérations d'infiltration, montées contre les acheteurs de jeunes vierges, et les chefs de la police nationale, contraints de sévir contre la corruption, elle-même liée à la traite. L'objectif est de réduire la marge de bénéfice des propriétaires de bordel.

Nous n'éliminerons pas complètement la prostitution. En Iran, bien que les bordels soient strictement interdits, le maire de Téhéran, adepte jusque-là du respect de l'ordre le plus strict, aurait, selon des informations iraniennes, été arrêté en compagnie de six prostituées nues dans un bordel. La répression n'est pas la panacée, mais elle rend généralement les policiers nerveux et les pousse à exiger des pots-de-vin plus importants, diminuant ainsi la rentabilité des bordels. Au pire, la police fait fermer les bordels qui ne sont pas gérés par leurs collègues. Ces méthodes ont plus de chances de réduire le nombre de filles de quatorze ans retenues prisonnières pour finir brisées par le sida.

« On peut y arriver », explique Gary Haugen, président d'International Justice Mission. « Ce n'est pas la peine de chercher à arrêter tout le monde. Il suffit de faire ce qu'il faut pour provoquer un effet ricochet et changer la donne. C'est comme ça que les proxénètes modifieront leur comportement. On peut pousser les trafiquants de jeunes vierges à se reconvertir dans le recel de radios. »

Beaucoup de féministes et de libéraux sont interloqués par l'approche musclée que nous prônons. Selon eux, elle ne ferait qu'inciter les établissements du sexe à passer dans la clandestinité. Ils préconisent un modèle de légalisation et de régulation basé sur le renforcement du pouvoir des travailleuses du sexe et citent un programme en exemple : le Projet Sonagachi.

Sonagachi, c'est-à-dire « arbre d'or », est un gigantesque quartier chaud de Kolkata. Dans les années 1700 et 1800, c'était le quartier légendaire des concubines. Aujourd'hui, des centaines de bordels à plusieurs étages disposés le long d'une étroite allée hébergent plus de six mille prostituées. Au début des années 1990, la progression du sida en Inde inquiétait profondément les experts sanitaires. En 1992, soutenus par l'Organisation mondiale de la santé (OMS), ils lancèrent donc le Projet Sonagachi, qui comportait notamment la mise en place d'un syndicat de travailleuses du sexe, le Comité Durbar Mahila Samanwara (DMSC), censé encourager l'usage des préservatifs et ralentir la progression du VIH par la prostitution.

DMSC sembla prôner avec succès l'usage du préservatif, présenté comme une solution pragmatique aux problèmes de santé publique liés à la prostitution. Une étude révéla que le Projet Sonagachi avait permis d'augmenter l'usage systématique du préservatif de 25 %. En 2005, selon une autre étude, seulement 9,6 %

des travailleuses du sexe de Sonagachi étaient contaminées par le VIH, contre environ 50 % à Mumbai (anciennement Bombay), où il n'existait pas de syndicat des travailleuses du sexe. Le comité devint expert en médias et proposa des visites de Sonagachi, insistant sur le fait que leurs membres bloquaient l'arrivée de filles mineures ou forcées, et que le commerce sexuel était un moyen pour les ouvrières sans formation professionnelle de gagner un revenu décent. Le modèle de Sonagachi reçoit également le soutien indirect de CARE et de la Fondation Bill & Melinda Gates, deux organisations que nous respectons profondément. Beaucoup d'experts du développement approuvent ce modèle.

Mais lorsqu'on examine les chiffres de plus près, ils sont moins convaincants qu'il n'y paraît à première vue. Bizarrement, la prévalence du VIH était forte chez les nouvelles venues à Sonagachi – 27,7 % des travailleuses du sexe âgées de vingt ans ou moins. Les recherches avaient également montré qu'à l'origine toutes les femmes interviewées à Sonagachi prétendaient utiliser presque automatiquement des préservatifs. Mais, lorsqu'on insistait, seules 56 % reconnaissaient avoir utilisé un préservatif avec leurs trois derniers clients. En outre, le contraste avec Mumbai était trompeur, car, en Inde, le sud et l'ouest du pays avaient toujours affiché des taux de séropositivité nettement plus élevés que le Nord et l'Est. En effet, selon une étude menée par la Harvard School of Public Health, à l'époque où le Projet Sonagachi avait démarré à Kolkata, la prévalence du VIH chez les travailleuses du sexe de Mumbai était déjà de 51 %, contre 1 % à Kolkata. DMSC encourage peut-être l'usage du préservatif, mais le bénéfice en termes de santé publique semble plus modeste que ne l'affirment ses partisans.

Quand Nick critiqua DMSC sur son blog, un Indien répondit de la manière suivante :

> Je ne cesse d'être stupéfait par les penseurs pseudo-féministes et progressistes comme vous qui perdent souvent leurs moyens à l'idée que des femmes puissent être réellement maîtresses de décisions liées au sexe et au travail… Je trouve parfaitement répugnant que vous vous serviez des

> histoires pénibles des travailleuses du sexe pour critiquer le travail sexuel en tant que profession, au moment où elles connaissent enfin des avancées et s'entourent de davantage de sécurité. Votre position… n'est pas sans rappeler celle des missionnaires occidentaux déterminés à délivrer les bons sauvages de leur sort.

De nombreux libéraux indiens partagent cet avis. Mais des femmes dotées d'une longue expérience dans la lutte contre la traite dans les quartiers chauds de Kolkata nous ont fait part d'un point de vue différent. Ce fut notamment le cas de Ruchira Gupta. Mais également d'Urmi Basu, directrice d'une fondation baptisée Nouvelle Lumière (New Light) qui se bat pour les prostituées, qu'elles soient toujours en activité ou non. Selon Ruchira et Urmi, DMSC n'est plus qu'une façade pour les propriétaires de bordel, et le soutien occidental dont il bénéficie, une couverture pour les trafiquants.

Urmi nous a présenté Geeta Ghosh, qui nous a décrit un Sonagachi très différent de celui que l'on voit lors des visites organisées par DMSC. Geeta a grandi dans un village pauvre du Bangladesh et a fui des parents violents alors qu'elle n'avait que onze ans. La « tante » d'une amie lui proposa son aide et l'emmena à Sonagachi, où il s'avéra qu'elle possédait un bordel. À aucun moment Geeta ne constata que DMSC tentait de barrer la route aux trafiquants.

Au début, la tante se montra correcte avec elle. Mais, lorsque la fillette eut douze ans, elle la pomponna, lui changea sa coiffure, lui donna une robe étriquée et l'enferma dans une pièce avec un client arabe.

« J'étais terrifiée de voir cet homme immense devant moi, nous dit-elle. J'ai beaucoup pleuré et je me suis jetée à ses pieds, en le suppliant. Mais je n'ai pas pu me faire comprendre. Il m'a ôté ma robe, et les viols ont continué ainsi pendant un mois. Il m'obligeait à dormir nue à côté de lui et il buvait beaucoup… Ça a été une expérience très douloureuse. J'ai beaucoup saigné. »

Au cours de ses trois premières années de prostitution à Sonagachi, Geeta ne fut pas autorisée à sortir et ne bénéficia d'aucune des libertés évoquées par DMSC. Elle recevait régulièrement des coups de bâton et était menacée avec un couteau de boucher.

« Il y avait un gros tuyau d'évacuation dans la maison, se souvient Geeta. "Si jamais tu essaies de t'enfuir, on te taillera en pièces et on te jettera là-dedans", me répétait la tenancière. » Pour Geeta, la campagne de DMSC censée empêcher la traite n'est qu'une illusion destinée à leurrer les étrangers. Même lorsqu'elle finit par être autorisée à se poster devant le bordel pour appâter le client, elle était étroitement surveillée. Contrairement à l'idée selon laquelle les filles reçoivent un salaire décent, Geeta ne toucha jamais la moindre roupie. C'était du travail forcé, réalisé sous la menace d'une exécution. D'autres femmes qui ont exercé à Sonagachi après la prise de contrôle de DMSC ont témoigné dans le même sens.

Il suffit de traverser Sonagachi le soir pour voir des mineures. Nick s'y est rendu à plusieurs reprises, se faisant passer pour un client potentiel. Il a vu beaucoup de jeunes filles dans les bordels, mais ne fut pas autorisé à les emmener ailleurs, probablement de crainte qu'elles ne s'enfuient. Et, comme elles ne s'exprimaient qu'en bengali, népali ou hindi, des langues que lui-même ne parle pas, il lui fut impossible de les interviewer. En revanche, en 2005, Anup Patel, un étudiant de la faculté de médecine de Yale, mena des recherches sur l'usage du préservatif à Kolkata. Il découvrit que le tarif de la passe à Sonagachi était négocié entre le proxénète et le client (plutôt qu'avec la fille même), qui, pour quelques roupies de plus, pouvait être dispensé de préservatif. La fille n'avait pas son mot à dire.

Anup participa à une visite de DMSC. Il y vit une tenancière déclarer fièrement que la plupart des prostituées choisissent de venir à Sonagachi pour intégrer « la noble profession du travail sexuel ». Dans un des bordels, Anup et deux autres participants avaient pris place au fond de la salle, sur un lit, à côté d'une prostituée qui écoutait en silence la tenancière expliquer que les filles choisissaient librement de gagner de l'argent facile tout en bénéficiant des droits humains que DMSC pouvait leur assurer. Anup décrivit ainsi la scène :

Pendant que la tenancière discutait avec d'autres personnes dans la pièce, se répandant en louanges sur l'association, les trois d'entre nous qui étaient assis sur le lit ont demandé en hindi à la prostituée si elle disait vrai. Apeurée et timide, la prostituée garda le silence jusqu'à ce que nous lui assurions que nous ne voulions pas lui créer d'ennuis. D'une voix à peine audible, elle nous expliqua que presque aucune prostituée de Sonagachi n'aspirait à devenir travailleuse du sexe. La plupart, comme elle-même, étaient victimes de la traite... Quand je lui ai demandé si elle voulait quitter Sonagachi, son regard s'est illuminé. Mais, avant qu'elle ne puisse répondre quoi que ce soit, la représentante de DMSC a posé sa main sur mon dos et annoncé qu'il était temps de s'en aller...

Nous avons continué la visite et sommes passés au bordel suivant, après avoir croisé des centaines de prostituées en chemin. Un membre du groupe demanda si nous pouvions visiter Neel Kamal, le bordel qui, selon la rumeur, continuait à prostituer des mineures. La représentante de DMSC s'empressa de rejeter cette idée, suggérant que DMSC n'avait pas demandé d'autorisation préalable et qu'elle ne souhaitait pas violer les droits des prostituées. Rien ne résiste au bluff en Inde – après l'avoir menacée solennellement de « passer quelques coups de fil » si elle refusait de coopérer, nous avons pris la direction du célèbre Neel Kamal.

Cinq proxénètes gardaient un portail verrouillé signalant l'entrée du bordel à plusieurs étages. Pendant que l'un d'eux ouvrait, les quatre autres se sont hâtés à l'intérieur, tout en claironnant : « Nous avons des visiteurs ! » Notre groupe s'est précipité en avant, grimpant l'escalier jusqu'au premier étage, avant de s'arrêter net : des dizaines de filles, âgées au mieux de seize ans, arborant du rouge à lèvres vif, remontaient à la hâte les couloirs miteux, disparaissant dans des chambres secrètes.

Les proxénètes n'arrêtaient pas de hurler et la représentante de DMSC nous demandait de ne pas bouger. Tout autour de moi, les filles fuyaient. J'avais cependant réussi à bloquer une porte où deux adolescentes, âgées au mieux de quatorze ans, étaient affalées sur le lit, les jambes complètement écartées, leur sexe visible sous leur minijupe en jeans.

Bien que le Projet Sonagachi soit parvenu à freiner quelque peu le sida, le contraste avec l'approche musclée de Mumbai est étonnant. Les bordels de Mumbai, réputés pour leurs « filles en cage », ont toujours été pires que ceux de Kolkata. Mais, après la répression, déclenchée en partie grâce à la pression américaine, le nombre de prostituées au centre de Mumbai a baissé nettement sur plusieurs années. Aujourd'hui, le quartier chaud central de Mumbai ne compte plus qu'environ six mille prostituées, au lieu de trente-cinq mille dix ans plus tôt. À Sonagachi, leur nombre n'a pas bougé.

Il est vrai que la répression à Mumbai incita certains bordels à entrer dans la clandestinité. C'est la raison pour laquelle il fut difficile de savoir si ces mesures avaient été un véritable succès. C'est ce qui explique également qu'il fut plus difficile de fournir des préservatifs et un suivi médical aux prostituées. Il est possible que la prévalence du VIH ait augmenté dans ces bordels clandestins, bien qu'il soit impossible d'en être certain puisqu'il n'y a aucun moyen de faire passer des tests aux filles. Mais la répression rendit également la prostitution moins rentable, au point que le prix d'une fille achetée ou vendue dans les bordels de Bombay s'effondra. Les trafiquants préférèrent expédier la chair fraîche à Kolkata, où ils pouvaient en obtenir un meilleur prix. On peut donc supposer qu'il y a moins de traite aujourd'hui vers Mumbai, ce qui représente déjà un certain succès.

Les Pays-Bas et la Suède incarnent la différence entre l'approche musclée et le modèle de légalisation/régularisation. En 2000, les Pays-Bas décidèrent de légaliser la prostitution (qui avait toujours été tolérée), persuadés qu'il serait alors plus facile d'offrir aux prostituées des soins médicaux et des conditions de travail acceptables, et de protéger les mineures et les victimes de la traite. En 1999, la Suède opta pour l'approche inverse, criminalisant l'achat plutôt que la vente de services sexuels : tout homme qui bénéficie d'un rapport sexuel payant est passible d'amende (en théorie, il risque jusqu'à six mois de prison). La prostituée, de son côté, n'est pas pénalisée. Ce dispositif reflétait l'idée selon laquelle la prostituée est davantage une victime qu'une criminelle.

Dix ans plus tard, la répression suédoise semble être parvenue à réduire plus efficacement la traite et la prostitution forcée. Selon une étude, le nombre de prostituées en Suède a diminué de 41 % au cours des cinq premières années du dispositif, et le prix des passes a également chuté – ce qui semble indiquer que la demande était en baisse. Les prostituées suédoises regrettent le changement, à cause de la chute des prix, mais ce déclin a rendu la Suède moins attirante pour les trafiquants. En effet, certains d'entre eux estiment désormais qu'y faire entrer illégalement des filles n'est plus rentable et se tournent désormais vers les Pays-Bas. Les Suédois eux-mêmes considèrent que la mesure est un succès, bien qu'elle ait été source de controverses à l'époque où elle fut instituée. Un sondage montre que 81 % d'entre eux approuvent la loi.

Aux Pays-Bas, la légalisation facilita le suivi médical des femmes dans les bordels légaux, mais rien ne prouve que les infections sexuellement transmissibles (IST), dont le VIH, aient diminué. Les proxénètes continuent de proposer des mineures à leurs clients, et la traite comme la prostitution forcée continuent. Au moins au début, le nombre de prostituées illégales a augmenté, Amsterdam étant apparemment devenu un centre du tourisme sexuel. Le Conseil municipal d'Amsterdam fut tellement contrarié par le tourisme sexuel et la criminalité qu'en 2003 il mit un terme à l'expérience des « zones de tolérance » pour la prostitution de rue, tout en maintenant les bordels légaux. Résultat ? Il est facile de trouver une prostituée mineure d'Europe de l'Est à Amsterdam, mais non à Stockholm.

D'autres pays européens ont admis que l'expérience suédoise était plus concluante et s'acheminent désormais vers ce modèle. Nous aimerions également que certains États américains tentent de déterminer s'il est possible de l'appliquer aux États-Unis.

En revanche, dans le monde en voie de développement, ce débat difficile et controversé relève le plus souvent de la simple distraction. En Inde, par exemple, les bordels sont théoriquement illégaux – ce qui n'empêche pas, comme nous l'avons déjà vu, qu'ils soient omniprésents. Il en va de même au Cambodge. Dans les pays pauvres, la loi a peu d'effet, surtout en dehors des capitales. Nous devons donc nous attacher à changer la réalité plus que le droit.

En 2000, le Congrès fit un pas important dans ce sens en exigeant que le Département d'État publie chaque année un rapport sur la traite des êtres humains – le rapport TIP, qui classe les pays selon leur dispositif de lutte contre la traite et réclame des sanctions pour les plus mauvais élèves. Pour la première fois, des ambassades américaines à l'étranger durent rassembler des données sur la traite. Des diplomates américains se mirent à mener des discussions avec leurs homologues des ministères des Affaires étrangères, qui se virent obligés d'ajouter la traite à leur liste des préoccupations majeures, tels la prolifération nucléaire et le terrorisme. En conséquence, les ministères des affaires étrangères se mirent à demander des comptes aux agences de police nationale.

Il suffit de poser des questions pour qu'un sujet apparaisse soudain à l'ordre du jour. Des pays se mirent à voter des lois, à organiser des descentes et à rassembler des fiches de renseignements. Les proxénètes furent confrontés à la hausse des pots-de-vin, qui érodait leurs profits.

On peut encore aller plus loin. Au sein du Département d'État, le bureau de la traite a été marginalisé, et même relégué à un autre bâtiment. Si le secrétaire d'État reconnaissait publiquement et activement son rôle, en se faisant accompagner de son directeur, notamment à l'occasion de certains voyages, ce sujet prendrait davantage d'importance. Le Président pourrait visiter un refuge comme celui d'Apne Aap lors d'une visite officielle en Inde. L'Union européenne aurait dû faire de la question de la traite une condition de l'adhésion des pays de l'Est, et il est toujours temps de le faire pour la Turquie.

La répression devrait viser en particulier la vente de vierges. Ces transactions, surtout en Asie, représentent une part extrêmement importante des profits des trafiquants et des kidnappings de jeunes adolescentes. Les filles, une fois violées, se résignent souvent à rester prostituées jusqu'à leur mort. Les hommes les plus demandeurs de vierges sont souvent de riches Asiatiques, notamment des Chinois installés à l'étranger – il suffit d'en envoyer quelques-uns en prison pour obtenir un résultat : le marché des vierges se réduira, leur prix s'effondrera, les gangs se tourneront vers des activités moins risquées ou plus profitables, l'âge moyen des prostituées augmentera un peu, et la prostitution forcée diminuera.

Nous avons observé ce genre de changement au village cambodgien de Svay Pak, jadis un des hauts lieux de l'esclavage sexuel. La première fois que Nick s'y rendit, les bordels y proposaient des fillettes de sept ou huit ans. Nick fut pris pour un client potentiel et autorisé à parler à une adolescente de treize ans qui avait été achetée par le propriétaire du bordel et attendait avec terreur que sa virginité soit vendue. Mais, par la suite, le Cambodge fut sévèrement critiqué dans le rapport TIP. Les médias braquèrent les projecteurs sur les jeunes esclaves cambodgiennes, et l'International Justice Mission y ouvrit un bureau. Svay Pak devint un symbole de l'esclavage sexuel, et le gouvernement cambodgien finit par conclure que les pots-de-vin versés par les propriétaires des bordels ne valaient pas de si gros soucis et un tel embarras. Et la police sévit.

Les deux dernières fois que Nick se rendit à Svay Pak, les filles n'étaient plus exposées et les portails des bordels arboraient des chaînes. Les propriétaires, qui le prirent pour un client, le firent entrer précipitamment par l'arrière des bâtiments et firent venir quelques prostituées, mais il semblait y avoir au mieux un dixième des filles présentes autrefois. Et, quand Nick demanda à voir des fillettes ou des vierges, les proxénètes rétorquèrent qu'ils étaient en rupture de stock et qu'ils devaient prendre rendez-vous pour lui en fournir une dans un jour ou deux. C'est le signe que des progrès significatifs sont possibles. Même si la prostitution ne disparaîtra sans doute jamais complètement, nous n'avons pas à accepter la généralisation de l'esclavage sexuel.

Le plus difficile n'est pas d'affranchir les filles

En plein XXIe siècle, nous sommes devenus propriétaires d'esclaves, à l'ancienne : en échange d'une somme d'argent, nous avons fait l'acquisition de deux jeunes esclaves. On nous a donné un reçu. Les filles étaient notre propriété, et nous pouvions faire d'elles ce que nous voulions.

Libérer les filles des bordels reste pourtant le plus facile. Le vrai défi est d'éviter qu'elles y retournent. La honte qu'elles éprouvent lorsqu'elles regagnent leur communauté, associée aux dépendances aux drogues et aux menaces des proxénètes, les conduit souvent à revenir au quartier chaud. C'est extrêmement décourageant pour les humanitaires qui supervisent une descente dans un bordel, accueillent les filles dans un refuge, leur procurent de la nourriture et des soins médicaux, et qui finissent par les voir faire le mur.

Notre étrange achat fut effectué alors que Nick se rendait avec Naka Nathaniel, à l'époque vidéaste du *New York Times*, dans une zone du nord-ouest du Cambodge tristement réputée pour sa criminalité. Nick et Naka arrivèrent dans la ville de Poipet et prirent une chambre dans une pension de famille à huit dollars la nuit, qui faisait également office de bordel. Ils concentrèrent leurs interviews sur deux adolescentes, Srey Neth et Srey Momm, qui travaillaient chacune dans un établissement différent.

Neth était une très jolie fille, petite et au teint clair. On lui aurait donné quatorze ou quinze ans, mais elle pensait être plus âgée, bien qu'elle n'eût aucune idée de sa date de naissance. Une proxénète la conduisit jusqu'à la chambre de Nick, et elle s'assit

Srey Neth à l'entrée de sa maison, juste après son retour du bordel.

sur le lit, tremblante de peur. Elle n'était au bordel que depuis un mois, et Nick était censé être son premier client étranger. Nick avait besoin de la présence de son interprète, ce qui interloqua la proxénète, bien qu'elle s'en accommodât.

Les cheveux noirs de Neth retombaient sur ses épaules et son T-shirt rose moulant. Un blue-jeans tout aussi moulant et des sandales complétaient sa tenue. Elle était joufflue, mais le reste de son corps était mince et fragile. L'épais maquillage qui lui recouvrait le visage semblait incongru – on aurait dit une enfant qui a joué avec les produits cosmétiques de sa mère.

Après une conversation embarrassée, traduite par l'interprète, Nick lui posa des questions sur son enfance et sa famille, et elle commença à se détendre. Elle cessa de trembler et garda le plus souvent les yeux sur le poste de télévision dans l'angle de la pièce, que Nick avait allumé pour étouffer leurs voix. Elle lui répondit brièvement et sans montrer d'intérêt.

Au cours des cinq premières minutes, Neth prétendit qu'elle vendait son corps de son plein gré. Elle soutint qu'elle était libre d'aller et de venir à sa guise. Mais, lorsqu'elle fut certaine qu'il ne s'agissait pas d'un coup monté de la part de sa proxénète et qu'ils n'allaient pas la manger si elle disait la vérité, elle débita son histoire d'un air monotone.

Une cousine était venue chercher Neth à son village, après avoir fait croire à sa famille qu'elle s'occuperait d'un étal de fruits à Poipet. Une fois sur place, elle fut vendue à un bordel et mise sous étroite surveillance. Après qu'un médecin eut confirmé que son hymen était intact, sa virginité fut proposée aux enchères. L'homme qui l'emporta, le directeur d'un casino thaïlandais, l'enferma dans une chambre d'hôtel pendant plusieurs jours et eut trois rapports sexuels avec elle (il mourut plus tard du sida). Neth, qui était désormais enfermée dans la pension, était suffisamment jeune et claire de peau pour être louée au meilleur prix.

« Je peux me balader dans Poipet, mais seulement accompagnée d'un proche parent du propriétaire, précisa Neth. Ils me surveillent de près. Ils ne me laissent pas sortir toute seule. Ils craignent que je ne m'enfuie.

– Et pourquoi ne pas t'échapper la nuit ? demanda Nick.

– Ils me rattraperaient, et il m'arriverait malheur. Peut-être qu'ils me battraient. J'ai entendu dire que des filles qui avaient essayé de s'échapper ont été enfermées dans les chambres et battues. »

Et la police ? Les filles ne pouvaient-elles pas demander de l'aide à la police ?

Neth haussa les épaules avec indifférence. « La police refuserait de m'aider parce que les propriétaires de bordel lui versent des pots-de-vin », répondit-elle sur un ton tout aussi mécanique, les yeux rivés sur le téléviseur.

« Tu voudrais t'en aller d'ici ? Si tu étais libre, que ferais-tu ? »

Neth détourna soudain la tête du téléviseur, le regard traversé par une lueur d'intérêt.

« Je rentrerais chez moi », dit-elle tout en ayant l'air de se demander si la question était sérieuse. « Je rentrerais chez ma famille. J'aimerais ouvrir un petit commerce pour gagner de l'argent.

– Veux-tu vraiment t'en aller ? insista Nick. Si je te rachetais et que je te ramenais à ton village, es-tu absolument sûre que tu ne reviendrais pas ici ? »

L'apathie de Neth s'envola subitement. Elle se détourna complètement du téléviseur, et son regard vitreux s'illumina. « C'est l'enfer, ici », rétorqua-t-elle en laissant paraître pour la première fois de la colère dans sa voix. « Tu penses que je fais ça par plaisir ? »

Tout en faisant preuve de prudence et de discrétion, Nick organisa avec Neth son rachat et son rapatriement chez sa famille.

Après quelques négociations, le propriétaire de Neth accepta de la vendre pour 150 dollars et tendit à Nick un reçu.

C'est dans un autre bordel que nous avons fait la connaissance de Momm, une frêle jeune fille prostituée depuis cinq ans, qui semblait sur le point de craquer sous la pression. Momm pouvait rire et lancer des plaisanteries, et l'instant d'après se laisser submerger par les sanglots et la colère, mais elle nous supplia de la racheter, de la libérer et de la ramener chez elle. Nous avons négocié avec son propriétaire, qui accepta de la vendre pour 203 dollars et nous remplit un reçu.

Nous avons emmené les filles loin de la ville et les avons ramenées dans leur famille. Le domicile de Neth était le plus proche, et nous lui avons laissé de l'argent pour ouvrir une petite épicerie dans son village. Dans un premier temps, son commerce prospéra. American Assistance for Cambodia accepta de s'occuper d'elle et de l'aider. Neth n'avait été absente que six semaines, si bien que sa famille, à qui elle raconta qu'elle avait vendu des légumes à Poipet, l'accueillit sans se poser de questions.

Momm vivait à l'autre bout du Cambodge, et plus nous nous rapprochions de chez elle, plus elle se demandait si elle allait être

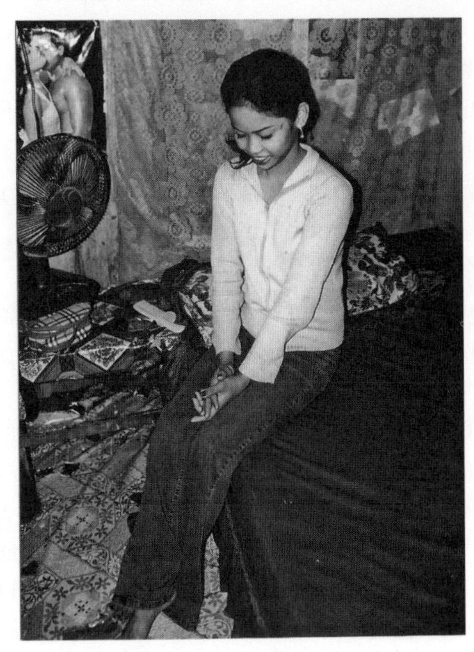

Momm dans sa chambre au bordel de Poipet.

acceptée ou rejetée. Cela faisait cinq ans qu'elle s'était enfuie et qu'elle n'avait donné aucun signe de vie à sa famille. Momm se mit à faire des bonds sur son siège à l'approche de son village. Soudain, elle hurla et, bien que la voiture fût toujours en marche, ouvrit brusquement la portière et sauta. Elle accourut vers une femme âgée, la tante de Momm, qui fixa le véhicule d'un air interrogateur avant de se mettre également à hurler et à l'étreindre en pleurant.

Très vite, on eût dit que le village entier poussait des cris et se précipitait vers Momm. Sa mère, qui s'occupait de son étal au marché, se trouvait à plus de un kilomètre de là. Lorsqu'un enfant était venu lui dire que Momm était de retour, elle s'était hâtée de regagner le village, le visage ruisselant de larmes. Elle étreignit sa fille, qui essayait de se jeter au sol pour demander pardon, et elles s'effondrèrent ensemble. Il fallut quatre-vingt-dix minutes pour que les cris se dissipent et que les larmes sèchent. Puis suivit un festin improvisé. Certains proches soupçonnaient peut-être que Momm avait été victime de trafiquants, mais ils n'insistèrent pas lorsqu'elle expliqua vaguement qu'elle avait travaillé dans l'ouest du pays. La famille décida que Momm vendrait de la viande au marché, juste à côté de sa mère, et Nick leur laissa de l'argent pour financer le projet. American Assistance for Cambodia accepta de suivre Momm et de l'aider pendant sa transition. Au cours des jours qui suivirent, Momm téléphona à maintes reprises pour faire le point sur sa situation.

« Nous avons loué l'étal juste à côté de celui de ma mère, et je vais y travailler demain, nous dit-elle. C'est génial. Je ne retournerai jamais à Poipet. »

Pourtant, une semaine plus tard, un mail extrêmement douloureux nous parvint de Lor Chandara, notre interprète :

> Très, très mauvaise nouvelle. Selon son père, Srey Momm serait retournée de son plein gré au bordel de Poipet. Je lui ai demandé si quelqu'un l'avait battue ou lui avait adressé des reproches, mais il m'a répondu qu'il ne lui était rien arrivé. Elle a quitté le village à 8 heures du matin lundi sans prévenir sa famille. Srey Momm a laissé son téléphone avec ses parents et

elle les a appelés la nuit dernière pour leur dire qu'elle se trouvait à Poipet.

Momm, comme beaucoup de prostituées, était accro à la méthamphétamine, une drogue que les proxénètes donnent souvent aux filles pour les rendre dociles et dépendantes. Dans son village, la sensation de manque l'avait submergée, et elle avait été rongée par le besoin de retourner s'en procurer à Poipet.

Dès qu'elle eut sa dose, Momm voulut quitter le bordel. Bernie Krisher, d'American Assistance for Cambodia, l'installa à deux reprises à Phnom Penh, mais chaque fois elle prit la fuite au bout de quelques jours, incapable de se passer de sa drogue. Momm n'est en aucun cas une « femme dure » – elle est douce, voire un peu mielleuse, offre en permanence des présents à ses amis et prie pour eux au temple bouddhiste. Elle aspirait à laisser le bordel derrière elle, mais elle était incapable de vaincre sa dépendance.

Presque un an plus tard, Nick se présenta au bordel de Momm, qui s'enfuit en larmes lorsqu'elle le vit. Après s'être calmée, elle sortit, s'agenouilla au sol et demanda pardon.

« Je ne mens jamais, mais je t'ai menti, admit-elle avec tristesse. J'ai dit que je ne reviendrais pas, et je l'ai fait. Je ne le voulais pas, mais je l'ai fait. »

Neth et Momm nous rappellent que beaucoup de prostituées ne sont ni libres de leurs actes ni asservies, mais vivent dans un monde marqué par l'ambiguïté, quelque part entre ces deux extrêmes. Après son retour, Momm se trouva liée au bordel par les drogues et les dettes, mais le propriétaire la laissa suivre librement les clients, et elle aurait pu facilement s'échapper si elle l'avait voulu.

En vieillissant, Momm ne rapporta plus que un dollar cinquante par passe. On lui attribua une colocataire avec qui elle partageait le box qu'elles occupaient quand aucune d'elles ne recevait de client. Wen Lok avait seize ans et avait fugué après s'être fait dérober la moto de ses parents. Incapable d'affronter la colère de son père, elle avait pris la fuite. Un trafiquant lui promit une place de femme de chambre à Poipet, puis la vendit au bordel de

Momm, où elle fut battue jusqu'à ce qu'elle accepte des clients. Momm, qui devint sa gardienne, fut chargée de s'assurer qu'elle ne s'échappe pas.

Bien que Momm eût été brutalisée pendant des années, elle semblait endosser peu à peu un rôle d'encadrant. Avec le temps, elle se mettrait à briser des jeunes filles – ou à les battre, comme elle-même avait été battue – pour les obliger à se prostituer. L'esclave devenait le contremaître.

Mais le destin en décida autrement – c'est à cause de la répression contre la prostitution que la carrière de Momm prit fin. Son bordel appartenait à une proxénète d'une cinquantaine d'années dénommée Sok Khorn, qui se plaignait sans cesse des affaires. « C'est à peine rentable, et il y a énormément de travail », ronchonnait-elle, assise dans l'entrée du bâtiment (qui était également sa maison de famille). « Sans compter ces ivrognes – ils sont souvent très désagréables – et les flics qui réclament toujours plus d'argent. » Si Sok Khorn était si désabusée, c'est notamment parce que son époux, qui ne participait à aucune tâche, passait le plus clair de son temps au lit des filles, ce qui l'indignait. Ils finirent par divorcer. En outre, sa fille avait treize ans, et Sok Khorn s'inquiétait de la voir faire ses devoirs dans le hall d'entrée, au milieu des ivrognes qui n'arrêtaient pas de faire irruption et se jetaient sur tout ce qui bougeait. En 2008, quand les autorités cambodgiennes réprimèrent la traite sexuelle en réponse aux pressions de plus en plus fortes des Occidentaux, ce fut la goutte qui fit déborder le vase. Le prix des filles augmenta, et la police se mit à demander des pots-de-vin plus importants. Tous les policiers qui passaient dans le coin s'arrêtaient et exigeaient 5 dollars. À cette époque, environ la moitié des bordels de Poipet mirent la clé sous la porte. Écœurée, Sok Khorn annonça qu'elle aussi allait tenter de monter une autre affaire. « Ça ne rapportait plus, alors j'ai laissé tomber en me disant que je pourrais ouvrir une petite épicerie », conclut-elle.

Comme aucun autre bordel n'achetait de filles, Momm se retrouva soudain libre. C'était un sentiment aussi étourdissant qu'effrayant. Elle épousa très vite un de ses clients, un policier, et s'installa chez lui. Pendant les vacances de Noël de 2008, nous sommes allés au Cambodge – accompagnés de nos trois enfants – et nous avons passé un moment joyeux avec Momm à Poipet. « Je suis une femme au foyer, maintenant », nous dit-elle en rayonnant de fierté. « Je n'ai plus de clients. Cette vie est à jamais derrière moi. »

Quant à Neth, son épicerie, la seule du village, connut d'abord un franc succès. Elle était ravie, tout comme sa famille. Mais, appâtés par sa réussite, d'autres villageois se mirent rapidement à l'imiter. Une demi-douzaine de commerces virent le jour autour de Neth, dont les ventes vacillèrent.

Pire, ses proches persistèrent à la considérer comme une petite fille écervelée dénuée de droits. Dès que les hommes de la famille avaient besoin de quoi que ce soit, ils se ravitaillaient chez elle – parfois en payant, parfois non. Lorsqu'une fête cambodgienne approchait et qu'ils manquaient d'argent pour acheter les victuailles du banquet, ils venaient dévaliser l'épicerie. Neth protesta.

Sa mère se souvient : « Neth a piqué une colère. Elle a dit que nous [la famille] devions nous tenir à l'écart de son commerce, parce que autrement tout allait disparaître. Elle a dit qu'il fallait qu'elle ait de l'argent pour acheter d'autres marchandises. » Mais, dans un village cambodgien, personne n'écoute une adolescente sans instruction. Le festin se poursuivit, le magasin fut vidé. Neth finit par ne plus avoir assez d'argent pour renouveler ses stocks. Quatre mois après l'ouverture de son échoppe, son plan d'activité s'était effondré.

Mortifiée d'avoir perdu son capital, Neth évoqua la possibilité de chercher un emploi en ville avec quelques amies. Un homme leur promit des places dans un restaurant thaïlandais. Mais les filles devaient lui verser 100 dollars pour qu'il leur fasse passer la frontière, une somme qu'elles ne possédaient pas et qui les endetterait auprès du trafiquant. Il s'agit d'une méthode classique pour faire pression sur les filles : incapables de rembourser leurs dettes, qui augmentent sans cesse compte tenu des taux d'intérêt exorbitants, elles sont vendues à un bordel.

Neth était inquiète, mais voulait à tout prix gagner de l'argent. Son père, qui avait la tuberculose et crachait du sang, n'avait pas les moyens de se faire traiter. Elle décida donc de courir le risque de se rendre en Thaïlande. Au moment même où Neth et ses amies s'apprêtaient à partir, un représentant d'American Assistance for Cambodia vint voir comment elle s'en sortait. Trouvant les promesses du trafiquant suspectes, il persuada Neth de renoncer. Mais avait-elle vraiment le choix?

Bernie Krisher, d'American Assistance for Cambodia, tenta une nouvelle approche. Il envoya Neth se former à la coiffure à Phnom Penh, chez Sapor, le meilleur salon de beauté de la ville. Neth vivait dans l'enceinte d'American Assistance et prenait des cours d'anglais, tout en travaillant à temps plein dans le salon d'esthétique, où elle apprenait à couper les cheveux et à réaliser des manucures. Elle termina troisième à un concours de maquillage et mena une vie tranquille et discrète, mettant toute son énergie dans ses études.

«Je suis content de Srey Neth, déclarait à cette époque Sapor Rendall, la propriétaire du salon. Elle travaille dur.» Sapor admit qu'elle avait un seul problème avec Neth : «Elle ne veut pas faire les massages. Je lui en ai souvent parlé, mais elle est très réticente.» Neth n'osa jamais expliquer à Sapor la raison de sa timidité. Dans un salon d'esthétique respectable comme celui de Sapor, les massages ne sont pas sexuels, mais, pour une fille comme Neth, cette idée réveillait d'horribles souvenirs.

Au fil du temps, Neth s'adoucit. Elle avait toujours été très mince et un peu sombre, mais elle prit un peu de poids et se détendit, se montrant même parfois enjouée et rieuse. Elle se comportait comme l'adolescente qu'elle était et attirait le regard des garçons. Ils flirtaient avec elles. Mais elle les ignorait.

«Je me tiens loin d'eux, expliqua-t-elle sèchement. Je ne veux pas m'amuser avec les garçons. Je veux juste apprendre la coiffure, pour pouvoir ouvrir mon propre salon.»

Neth décida qu'à la fin de sa formation elle travaillerait comme esthéticienne dans un petit salon de beauté, pour apprendre à gérer un commerce. Puis, après un an ou deux, elle ouvrirait son propre établissement à Battambang, une ville de province à proximité de son village. Elle pourrait ainsi s'occuper de son père, tout en finançant ses soins.

Mais la santé de Neth se mit à décliner. Elle souffrit de fièvres et de migraines inexplicables qui persistèrent pendant des mois et perdit une partie du poids qu'elle avait pris récemment. Elle se rendit à une clinique de Battambang, et le personnel lui fit passer un test du sida de routine. Une demi-heure plus tard, ils lui tendirent un bout de papier : séropositive.

Neth fut bouleversée. Elle ressortit de la clinique, le papier froissé dans une main. Dans la campagne cambodgienne, le VIH équivaut à une condamnation à mort, si bien que Neth pensait ne plus en avoir pour très longtemps. Elle passa des jours entiers à pleurer et des nuits entières sans dormir. Elle n'était pas du genre à se confier aux autres ou à exprimer ses émotions, mais, quand la pression fut trop forte, elle finit par nous faire part de la funeste nouvelle. American Assistance for Cambodia tenta de la mettre sous traitement, mais Neth pensait que c'était sans espoir. Aveuglée par le déni et la fureur, elle regagna lentement son village afin de mourir auprès de sa famille. Mais un jeune homme prénommé Sothea, diplômé de l'université et parlant un peu anglais, se mit à lui faire la cour. C'était une belle prise pour une paysanne comme elle. Grand et cultivé, il était plus âgé et plus mûr qu'elle, mais ravi d'avoir trouvé une fille aussi belle. Elle le repoussa sèchement mais il ne céda pas.

« Quand je suis tombé amoureux de Srey Neth, elle a voulu me décourager, confirma Sothea. “Je suis pauvre, me dit-elle. Je vis près de Battambang [lui est de Phnom Penh]. Ne tombe pas amoureux de moi.” Mais je lui ai répondu que je l'aimais quand même et que je l'aimerais jusqu'au bout. »

Neth tomba également amoureuse. Il la demanda rapidement en mariage. Elle accepta. Neth lui expliqua qu'elle avait travaillé à Poipet et qu'elle avait pour ami un journaliste américain, mais elle hésita à lui avouer son passé de prostituée – et sa séropositivité. Son secret la tourmentait sans cesse, sans qu'elle n'ose jamais se confier.

Peu après leur mariage, Neth tomba enceinte. Une femme qui prend de la névirapine avant son accouchement et s'abstient d'allaiter son enfant peut réduire considérablement le risque de le contaminer par le VIH. Mais, pour s'engager sur cette voie, Neth devait révéler à Sothea qu'elle était séropositive et qu'elle avait contracté la maladie lorsqu'elle était prostituée. Neth et Sothea offraient un spectacle déchirant, car Sothea était fou amoureux d'une femme qui mettait sa vie et celle de son enfant en péril.

Un après-midi, nous étions assis devant leur maison, et Sothea nous raconta combien ses parents avaient méprisé Neth parce qu'elle avait travaillé quelque temps dans un restaurant. Ils trouvaient cela vulgaire pour une jeune femme. « Mes parents sont fous de rage contre moi, mais j'ai promis à Srey Neth que je l'aimerais pour la vie, expliqua Sothea. Ils m'ont dit qu'ils ne me permettraient jamais de rentrer à la maison. "Si tu choisis Srey Neth, m'ont-ils menacé, tu n'existes plus pour nous." Ils ont essayé de nous séparer en m'envoyant en Malaisie, mais, même si la nourriture me plaisait et que je vivais dans un endroit sympa, Srey Neth me manquait tellement que j'ai dû revenir vers elle. Même si je rencontre des problèmes, je ne la quitterai jamais – même si je meurs de faim, je veux être avec elle. »

Neth eut l'air gênée par cette déclaration d'amour publique, mais leurs regards se croisèrent et ils partirent d'un petit rire. Cela aurait dû être un moment fort de sa vie, mais elle était efflanquée et avait l'air malade. Elle semblait avoir déjà contracté le sida.

« Elle s'affaiblit de plus en plus, s'inquiétait Sothea. Normalement, les femmes enceintes veulent manger, mais elle n'a pas très faim. »

Quand Sothea s'éloigna quelques minutes, Neth se tourna vers nous, l'air exténuée.

« Je sais, je sais, murmura-t-elle, l'air angoissée. Je veux le lui dire. J'essaie de lui dire. Mais il m'aime tellement, comment est-ce qu'il va le prendre ? » Elle hocha la tête et sa voix se brisa : « Pour la première fois, quelqu'un m'aime vraiment. C'est tellement dur de lui raconter ce qui m'est arrivé. »

Nous lui avons répondu que, si elle aimait Sothea, elle se devait de lui en parler. Quand Sothea fut de retour, nous avons essayé de diriger la conversation sur la santé de Neth. « Vous devriez tous deux faire contrôler votre sérologie avant la naissance », suggéra

Nick, sur un ton qu'il espérait informel. « On l'attrape de toutes sortes de façons, et c'est le moment idéal pour le vérifier. »

Sothea sourit avec indulgence et mépris. « Je suis sûr que ma femme n'est pas séropositive, dit-il d'un ton dédaigneux. Je ne fréquente jamais d'autres filles et je ne vais jamais au bordel. Comment aurait-elle pu l'attraper ? »

À plusieurs reprises, nous avons rendu visite à Neth et lui avons donné des sacs de nourriture et de lait en poudre pour sa grossesse, et chaque visite était déchirante. Son bref passage au bordel semblait l'avoir laissée avec une maladie qui allait la tuer, elle, son époux et l'enfant qui allait naître. Au moment même où elle semblait reconstruire sa vie, elle se brisait en mille morceaux.

Et puis, à l'approche de l'accouchement, Neth accepta de passer un nouveau test, plus moderne et plus fiable que le précédent. Et cette fois, un résultat inattendu lui parvint : *séronégatif*. Neth avait effectivement été malade et émaciée, mais elle souffrait peut-être de la tuberculose, de parasites ou d'épuisement. En tout cas, non du sida.

Dès qu'elle apprit la nouvelle, elle commença à se sentir mieux. Elle regagna du poids et parut très vite en meilleure santé. La perspective d'un petit-enfant incita également les parents de Sothea à pardonner au couple, et la famille fut de nouveau unie.

En 2007, Neth mit au monde un fils. Le bébé était robuste, sain et replet. Neth, qui le berçait dans la cour de sa maison, rayonnait de joie. Quand notre famille passa voir Neth et son époux à la fin 2008, elle montra le petit garçon à nos enfants et gloussa en le voyant tituber. Elle terminait sa formation de coiffeuse, et sa belle-mère projetait de lui acheter un petit local où elle pourrait monter un salon d'esthétique et de coiffure. « Je sais comment je vais le baptiser, nous annonça-t-elle. Chez Nick & Bernie. » Après tant de détours et de revers, elle avait réussi à reconstruire sa vie. La jeune fille qui avait tremblé de peur au bordel était à jamais enterrée.

L'histoire de Neth nous inspire trois leçons. La première, c'est que libérer les filles est une opération compliquée et pleine d'incertitudes – voire impossible dans certains cas. C'est la raison pour laquelle il est préférable de concentrer les efforts sur la prévention et la fermeture des bordels. La deuxième leçon est qu'il ne faut jamais baisser les bras. Aider les gens est difficile et imprévisible. Et, même si nos interventions ne sont pas toujours réussies, les succès sont possibles, et ces victoires sont extrêmement importantes.

La troisième leçon, c'est qu'un problème social, si colossal soit-il, peut être atténué, même s'il est impossible de le résoudre intégralement. Nous ne parviendrons peut-être pas à éduquer *toutes* les filles des pays pauvres, ni même à empêcher *toutes* les femmes de mourir en couches ou à sauver *toutes* les filles emprisonnées dans les bordels. Mais, quand nous pensons à Neth, nous nous rappelons une parabole hawaïenne que nous a apprise Naka Nathaniel, l'ancien vidéaste du *Times* :

> Un homme se rend à la plage et constate qu'elle est couverte d'étoiles de mer déposées par la marée. Un petit garçon qui marche le long du rivage les ramasse une à une et les remet à l'eau.
>
> « Qu'est-ce que tu fabriques, fiston ? demande l'homme. Tu as vu combien il y en a ? Ça ne sert à rien. »
>
> Le garçon s'interrompt d'un air songeur, puis ramasse une autre étoile, qu'il jette à la mer.
>
> « Pour elle, ça sert sûrement à quelque chose. »

CHAPITRE 3

Apprendre à se faire entendre

L'homme raisonnable s'adapte au monde. L'homme déraisonnable tente de l'adapter à soi. Tout progrès dépend donc des gens déraisonnables.

George Bernard SHAW

Si tant de femmes sont kidnappées, asservies, violées et maltraitées, c'est aussi parce qu'elles souffrent en silence. Dans de nombreux pays, la soumission aveugle – en particulier, l'acceptation de tout décret masculin – est inculquée aux filles dès le plus jeune âge, si bien qu'elles se contentent le plus souvent d'obéir aux ordres, même s'il s'agit de sourire lorsqu'elles sont violées vingt fois par jour.

Il n'est pas question de faire ici le procès des victimes. Les femmes ont de bonnes raisons, tant pratiques que culturelles, de tolérer ces violences plutôt que de se défendre, parfois au péril de leur vie. Mais, en réalité, tant qu'elles se laisseront battre et prostituer, les sévices continueront. Ce n'est que lorsqu'elles se mettront à hurler et à protester, lorsqu'elles s'enfuiront des bordels, que le modèle économique de la traite commencera à vaciller. Les trafiquants en sont parfaitement conscients. S'ils s'attaquent en priorité aux paysannes sans instruction, c'est parce qu'elles sont les plus susceptibles d'obéir aux ordres et de se résigner à leur sort. Comme le soulignait Martin Luther King pendant la lutte pour les droits civiques en Amérique : « Nous devons redresser l'échine et nous battre pour notre liberté. Car un homme ne peut être dompté que s'il a le dos courbé. »

C'est un sujet éminemment délicat, nous en sommes conscients. Inciter les filles depuis l'étranger à assumer des risques excessifs n'est pas sans danger. Pourtant, il est essentiel de les aider à trouver leur voie. Grâce à l'éducation et à la responsabilisation, on peut leur montrer que féminité et docilité ne sont pas nécessairement liées, et leur donner suffisamment confiance en elles pour leur permettre de riposter. C'est d'ailleurs ce qui se passe au centre de l'Inde, à Kasturba Nagar, un bidonville de la banlieue de Nagpur.

Les fossés de Kasturba Nagar exsudent les eaux fétides et le désespoir. La plupart des habitants sont des Dalits – des intouchables. Leur peau sombre, leurs vêtements, leur allure, tout trahit la pauvreté. Ils vivent dans des cabanes le long de chemins de terre sinueux où la boue se mêle aux eaux usées dès qu'il pleut. Les hommes de Kasturba Nagar conduisent des rickshaws ou occupent des emplois ingrats ou salissants. Les femmes font des ménages ou élèvent leurs enfants.

C'est dans ce cadre improbable qu'une jeune femme, Usha Narayane, a vaincu le désespoir et remporté une grande victoire. À vingt-huit ans, Usha est un petit bout de femme plein d'assurance. Cheveux noirs, visage rond et sourcils épais. Dans un pays comme l'Inde, qui souffre depuis longtemps de malnutrition et où les kilos peuvent être un signe de prestige, la silhouette d'Usha permet tout juste de percevoir sa réussite. Elle n'arrête pas de parler.

Bien que dalit, son père, Madhukar Narayane, est allé jusqu'au lycée et il a trouvé une bonne place dans une compagnie de téléphone. Sa mère, Alka, affiche également un parcours inhabituel : mariée à quinze ans, elle n'en a pas moins été scolarisée jusqu'en troisième et sait lire et écrire. Tous deux tenaient à offrir à leurs enfants la possibilité d'échapper à Kasturba Nagar. Ils menèrent donc une vie frugale et consacrèrent toutes leurs économies à leur instruction. Et le résultat est prodigieux : dans un bidonville où personne n'avait jamais suivi d'études supérieures, les cinq enfants de la famille Narayane, dont Usha, obtinrent un diplôme universitaire.

Bien que comblée, la mère d'Usha est parfois terrifiée par les conséquences de cette éducation sur sa fille. « Elle n'a peur de

Usha Narayane dans son bidonville indien.

rien, lance Alka. Personne ne l'effraie. » Usha, diplômée en gestion hôtelière, semblait destinée à diriger un bel établissement quelque part en Inde. Elle avait déjà échappé à Kasturba Nagar et s'apprêtait à accepter une proposition de travail lorsqu'elle s'était heurtée aux ambitions et à l'assurance d'Akku Yadav.

En un sens, Akku Yadav était l'autre « réussite » de Kasturba Nagar. Issu d'une caste plus élevée, il s'était hissé au rang de gangster et monarque incontesté du bidonville, après de modestes débuts comme petit voyou. Il dirigeait une bande de malfrats qui contrôlaient Kasturba Nagar, volaient, assassinaient et torturaient en toute impunité. S'il s'était agi d'un quartier bourgeois, les autorités indiennes auraient depuis longtemps mis un terme à ses exactions. Mais, dans les bidonvilles, où la police intervient rarement, sauf pour accepter des pots-de-vin, des gangsters émergent parfois en maîtres absolus.

Pendant quinze ans, Akku Yadav avait semé la terreur à Kasturba Nagar tout en se bâtissant habilement un petit empire commercial. Une de ses spécialités était le viol, dont il menaçait quiconque se risquait à lui résister. L'embêtant avec les meurtres, ce sont les piles de cadavres, encombrantes, sur lesquelles la police n'accepte de fermer les yeux qu'en échange de pots-de-vin. Alors que le viol est si infamant que les victimes préfèrent généralement garder le silence. L'humiliation sexuelle est un moyen efficace et peu risqué d'intimider ses challengers et de contrôler la communauté.

Selon des habitants du bidonville, Akku Yadav aurait violé une femme juste après son mariage. Un jour, il aurait déshabillé un homme, lui aurait infligé des brûlures de cigarette, avant de l'obliger à danser nu devant sa fille de seize ans. Il aurait également torturé une femme, Asho Bhagat, à qui il aurait coupé les seins sous les yeux de sa fille et de plusieurs voisins, avant de la tailler en pièces dans la rue. L'un d'eux, Avinash Tiwari, fut tellement horrifié par la scène qu'il voulut aller à la police, mais fut à son tour massacré.

Rien n'arrêtait Akku Yadav. Ses hommes et lui violèrent une femme prénommée Kalma dix jours à peine après son accouchement. Humiliée, elle s'aspergea de kérosène et s'immola. Son gang traîna une autre femme enceinte de sept mois hors de chez elle, la déshabilla, puis la viola dans la rue, en public. Plus ils se montraient barbares, plus la population était intimidée, et plus elle se taisait.

Vingt-cinq familles quittèrent Kasturba Nagar, mais la plupart des Dalits n'avaient pas le choix. Ils s'adaptèrent en retirant leurs filles des écoles et en les bouclant dans les maisons, où elles n'étaient visibles de personne. Les vendeurs de légumes évitaient Kasturba Nagar, si bien que les mères de familles devaient parcourir de longues distances à pied pour s'approvisionner aux marchés. Mais, tant que Akku Yadav ne s'en prenait qu'aux Dalits, les autorités n'intervenaient pas.

« La police raisonnait essentiellement en termes de classes sociales, explique Usha. Si vous étiez clair de peau, elle supposait que vous apparteniez à une classe supérieure et était disposée à vous aider. Mais elle s'en prenait à quiconque avait la peau foncée ou était mal rasé. Souvent, les gens qui allaient se plaindre au commissariat finissaient arrêtés. » Un jour, une femme venue dénoncer un viol commis par Akku Yadav et sa bande fut effectivement violée par les policiers.

La famille d'Usha était la seule qu'Akku Yadav s'abstenait de tourmenter. Il évitait à tout prix les Narayane, craignant que leur éducation ne leur donne plus de poids devant la justice. Dans les pays en voie de développement, harceler les illettrés est généralement peu risqué ; en revanche, s'en prendre aux gens éduqués est plus périlleux. Pourtant, les deux familles finirent par se heurter de front.

Akku Yadav, qui venait de violer une adolescente de treize ans, était plein d'assurance. Ses hommes et lui se dirigèrent chez la voisine immédiate des Narayane, Ratna Dungiri, pour exiger de l'argent. Ils saccagèrent ses meubles et menacèrent d'assassiner ses proches. Quand Usha, qui rendait visite à ses parents, apprit ce qui s'était passé, elle conseilla à Ratna d'aller à la police. Devant son refus, Usha s'en chargea elle-même. Akku Yadav fulmina quand les policiers l'informèrent de la plainte. Accompagné de quarante hommes, il encercla le domicile des Narayane, puis se mit à hurler derrière la porte, une bouteille d'acide à la main. *Retire ta plainte et je ne te ferai aucun mal.*

Usha barricada l'entrée et répliqua qu'elle ne céderait jamais. Puis elle appela désespérément la police, qui lui répondit qu'elle arrivait, mais ne vint jamais. Pendant ce temps, Akku Yadav tambourinait à la porte.

Quand je t'aurai défigurée, on verra si t'es encore capable de porter plainte, rugissait-il. *Ne t'avise pas de croiser notre chemin, parce que tu n'as même pas idée de ce qu'on te fera. Le viol n'est rien. Tu n'imagines même pas ce qu'on te fera.*

Usha lui hurla des insultes en retour, et Akku Yadav lui décrivit minutieusement la façon dont il allait la violer, la brûler à l'acide, la massacrer. Mais, quand ses hommes tentèrent d'enfoncer la porte, Usha prit une allumette et ouvrit la bombonne de gaz dont la famille se servait pour cuisiner.

Si vous entrez, je craque l'allumette et je nous fais tous sauter, cria-t-elle avec frénésie. Sentant l'odeur du gaz, les malfrats hésitèrent. *Reculez ou vous sautez*, cria-t-elle de nouveau. Les assaillants firent quelques pas en arrière.

Entre-temps, la nouvelle de l'affrontement avait fait le tour du quartier. Les Dalits étant extrêmement fiers des études et du succès d'Usha, l'idée qu'Akku Yadav puisse s'attaquer à elle leur était insupportable. Désemparés, les voisins se rassemblèrent un peu plus loin. Quand ils virent Usha résister, insulter Akku, et même le contraindre à faire marche arrière, ils retrouvèrent courage. Une centaine de Dalits en colère fit rapidement front dans la rue et ramassa des bâtons et des pierres.

« Les gens ont compris que, si Akku pouvait s'en prendre ainsi à Usha, il n'y avait plus aucun espoir », explique une voisine. Une pluie de pierres commença à s'abattre sur les hommes d'Akku qui, confrontés à la foule en colère, prirent la fuite. Un vent d'exaltation souffla sur le bidonville. Pour la première fois, le peuple avait remporté une bataille. Les Dalits en liesse défilèrent dans Kasturba Nagar, puis descendirent la rue où se trouvait la maison d'Akku Yadav, qu'ils réduisirent en cendres.

Akku Yadav se rendit à la police, qui l'arrêta pour sa propre sécurité. Apparemment, les policiers avaient l'intention de le maintenir en détention jusqu'à ce que les esprits se calment. Une audience de mise en liberté sous caution fut programmée, mais, d'après la rumeur, la police, qui avait passé un marché avec Akku Yadav, projetait de le libérer. L'audience devait avoir lieu à des kilomètres de Kasturba Nagar, au centre de Nagpur. Pourtant, des centaines de femmes s'y rendirent à pied et pénétrèrent l'une après l'autre dans la magnifique salle du tribunal aux plafonds élevés et au sol de marbre. La grandeur britannique fanée du lieu intimidait les femmes dalits en sandales et saris délavés, qui prirent néanmoins place aux premiers rangs. Akku Yadav entra en se pavanant, dénué de regret et plein d'assurance sous le regard des femmes désorientées dans ce cadre somptueux. Repérant une de ses victimes, il la traita de prostituée d'un air railleur et cria qu'il allait de nouveau la violer. Elle se précipita en avant et lui assena un coup de mule sur la tête.

« Cette fois-ci, si tu ne me tues pas, c'est moi qui te tuerai », hurla-t-elle. Puis le barrage céda, selon un scénario vraisemblablement préparé à l'avance. Toutes les femmes de Kasturba Nagar s'avancèrent et encerclèrent Akku Yadav en poussant des cris et des hurlements. Certaines prirent la poudre de piment qu'elles avaient cachée sous leurs vêtements et la jetèrent au visage de leur bourreau et des deux policiers postés à ses côtés, qui, aveuglés et dépassés, prirent immédiatement la fuite. Ensuite, les femmes sortirent des couteaux et se mirent à poignarder Akku.

« Pardonnez-moi, hurla-t-il, soudain pris de terreur. Pardonnez-moi ! Je ne le ferai plus. » Mais les femmes se passaient les couteaux et continuaient à frapper. Chacune était convenue de le poignarder au moins une fois. Puis, déterminées à venger Asho Bhagat, à qui il avait coupé les seins, elles tranchèrent le pénis d'Akku Yadav. Lorsqu'elles en eurent fini avec lui, ce n'était plus que de la chair à pâté. Le jour où nous sommes passés à la salle d'audience, elle était toujours maculée de sang.

Les femmes rentrèrent à Kasturba Nagar, les mains couvertes de sang, pour annoncer à leurs époux et à leurs pères qu'elles avaient détruit le monstre. La joie s'empara alors du bidonville. Les familles mirent de la musique et dansèrent dans les rues. Elles piochèrent dans leurs économies pour acheter de l'agneau et des confiseries, et offrirent des fruits à leurs amis. On aurait dit que tout Kasturba Nagar célébrait un gigantesque mariage.

De toute évidence, l'attaque avait été soigneusement préparée, à l'initiative d'Usha. Et, bien qu'elle pût prouver qu'elle ne se trouvait pas dans la salle d'audience ce jour-là, elle fut arrêtée par la police. Mais le meurtre d'Akku avait attiré l'attention du public sur le calvaire enduré par Kasturba Nagar, et son arrestation provoqua un tollé. Bhau Vahane, juge de la Cour suprême à la retraite, prit publiquement position en faveur des femmes : « Compte tenu de ce qu'elles subissaient, déclara-t-il, elles n'avaient pas d'autre choix que d'en finir avec Akku. Les femmes ont supplié maintes fois la police d'assurer leur sécurité. Mais cette dernière a failli à son devoir de les protéger. »

Les centaines de femmes du bidonville décidèrent alors qu'aucune d'elles ne pourrait être déclarée coupable si toutes revendiquaient la responsabilité du meurtre. En effet, si plusieurs centaines de femmes avaient poignardé Akku Yadav, aucun coup ne pouvait à lui seul avoir infligé la blessure fatale. Tout Kasturba Nagar résonnait du même refrain : *Nous l'avons toutes tué. Arrêtez-nous toutes !*

« Nous revendiquons toutes la responsabilité de ce qui s'est passé », proclama Rajashri Rangdale, une jeune mère de famille timide. « Je suis fière de ce que nous avons fait, ajouta Jija More, une femme au foyer collet monté de quarante-cinq ans. Si quelqu'un doit être puni, alors nous serons toutes punies. » « Nous les femmes n'avons plus peur de rien, ajouta non sans satisfaction Jija. Nous protégeons les hommes. »

Les forces de l'ordre libérèrent Usha, obstinée et frustrée, au bout de deux semaines, non sans lui avoir interdit de quitter la région. Aujourd'hui, elle peut sans doute faire une croix sur sa carrière de directrice d'hôtel, et elle sait que le gang d'Akku Yadav cherchera à la violer ou à la défigurer à l'acide pour se venger. « Je m'en fiche », lance-t-elle d'un ton dédaigneux, tout en relevant brusquement la tête. « Ça ne m'inquiète pas. » Elle a commencé une nouvelle vie d'animatrice de quartier et se sert de ses compétences de gestionnaire pour rassembler les Dalits autour d'un certain nombre d'activités, comme la confection de pickles, de vêtements et d'autres produits destinés à être vendus sur les marchés. Elle veut que les Dalits montent leurs commerces afin qu'ils puissent accroître leurs revenus et accéder davantage à l'éducation.

Aujourd'hui, Usha peine à joindre les deux bouts, mais elle est le nouveau boss de Kasturba Nagar, l'héroïne du bidonville. Quand nous sommes allé la voir, notre chauffeur de taxi a eu du mal à trouver sa maison. Chaque fois qu'il s'arrêtait pour demander son chemin, on lui répondait immanquablement qu'Usha n'existait pas – quand on ne le dirigeait pas loin du quartier. Nous avons fini par téléphoner à Usha pour lui faire part de nos difficultés. Elle est sortie dans la rue principale pour nous faire signe et nous montrer la voie, puis nous a expliqué que chacune des personnes qui nous avaient fourni de mauvaises indications avait par ailleurs envoyé un enfant la prévenir qu'un étranger la cherchait. « Ils essaient de me protéger, nous a-t-elle dit en riant. La communauté entière veille sur moi. »

La saga de Kasturba Nagar est dérangeante, et sa fin, ambiguë. Après avoir vu pendant des années les femmes accepter d'être maltraitées en silence, la contre-offensive d'Usha est cathartique – même si son dénouement sanglant nous met mal à l'aise et que nous n'approuvons pas le meurtre.

Le concept d'« *empowerment*[1] » est un cliché du monde humanitaire, mais il n'en demeure pas moins une réelle nécessité. Si l'on veut davantage de justice, il faut commencer par changer cette culture de la soumission et de la servilité féminine, de sorte que les femmes elles-mêmes gagnent en assurance et en exigence. Comme nous l'avons vu, c'est plus facile à dire qu'à faire : ce n'est pas nous qui prenons de terribles risques. En revanche, quand des femmes se dressent, nous nous devons de les soutenir. Tout comme nous devons inciter les institutions à les protéger. Parfois, il peut même être nécessaire d'accorder l'asile à celles dont la vie est en danger. Mais, plus généralement, s'il existe un moyen privilégié d'encourager les femmes et les filles à défendre leurs droits, c'est par l'éducation, qu'il est possible de promouvoir davantage dans les pays pauvres.

En définitive, les femmes comme celles de Kasturba Nagar doivent rejoindre d'elles-mêmes la révolution des droits de l'homme. Elles constituent une partie de la réponse au problème : la traite et les viols diminueront quand de plus en plus de femmes cesseront de tendre l'autre joue et se mettront à rendre les coups.

---

1. *Empowerment* : tantôt traduit en français par responsabilisation, autonomisation, habilitation ou même émancipation, ce terme complexe définit notamment la façon dont une communauté ou un individu accroît ses compétences afin de développer la confiance en soi, l'initiative ou le contrôle. *(N.d.T.)*

Les nouveaux abolitionnistes

Originaire d'Atlanta, Zach Hunter avait douze ans lorsqu'il apprit au collège que certaines formes d'esclavage persistaient dans le monde. Il en fut tellement sidéré qu'il se mit à approfondir la question. Plus il lisait d'ouvrages sur le sujet, plus il était horrifié. Et, bien qu'il ne fût qu'en cinquième, il envisagea de collecter des fonds pour combattre le travail forcé. Il forma un groupe baptisé Loose Change to Loosen Chains (Quelques pièces pour mettre en pièces les chaînes), surnommé LC2LC, à l'origine d'une campagne menée par des étudiants contre l'esclavage moderne. Au cours de la première année, il rassembla 8 500 dollars. Depuis, son mouvement a explosé.

Aujourd'hui lycéen, Zach parcourt en permanence le pays pour sensibiliser les écoliers et les communautés religieuses à la traite des êtres humains. Sur sa page MySpace, il se décrit comme « abolitionniste/étudiant » et admire William Wilberforce[1]. En 2007, Zach a présenté à la Maison Blanche une pétition signée par cent mille personnes réclamant davantage d'action contre la traite. Il a également publié un livre pour adolescents, *Soyez le changement. Comment mettre un terme à l'esclavage et changer le monde*, et veille au développement des sections de LC2LC qui ont vu le jour dans les écoles et les églises du pays.

Zach appartient à un mouvement en pleine expansion, les « entrepreneurs sociaux », qui propose de soutenir différemment les femmes des pays en voie de développement. Alors que les humanitaires œuvrent dans le cadre de leur bureaucratie, les entre-

1. William Wilberforce (1789-1815) : philanthrope anglais, défenseur de la cause abolitionniste. *(N.d.T.)*

preneurs sociaux créent leur propre cadre en fondant des organisations, des entreprises ou des mouvements destinés à s'attaquer avec créativité à un problème social précis. Ils partagent rarement la méfiance que vouent généralement les libéraux au capitalisme et sont nombreux à facturer leurs services et à suivre un modèle économique afin d'atteindre le seuil de viabilité.

« Les entrepreneurs sociaux ne se contentent pas de donner du poisson ou d'apprendre à pêcher aux populations », explique Bill Drayton, à l'origine de la popularisation du concept d'entrepreneuriat social. « Ils ne cesseront le combat que lorsqu'ils auront révolutionné l'industrie de la pêche. » Cet ancien consultant en management et haut fonctionnaire est le fondateur d'Ashoka, une organisation qui soutient et forme les entrepreneurs sociaux à travers le monde. Ses membres, les Ashoka Fellows, sont désormais plus de deux mille – très souvent engagés dans les campagnes en faveur des droits des femmes. Voici comment Drayton décrit brièvement l'histoire de l'ascension des entrepreneurs sociaux :

> La révolution agricole n'a produit qu'un modeste excédent, de sorte que seule une petite élite a pu s'installer en ville pour générer de la culture et une conscience historique. Ce schéma a persisté depuis : le monopole de l'initiative a été détenu par une minorité, car elle seule possédait les outils sociaux. C'est l'une des raisons pour lesquelles le revenu par habitant en Occident a stagné entre la chute de l'Empire romain et la fin du XVIe siècle. Mais, à partir de 1700, une architecture nouvelle, plus ouverte, s'est développée dans le nord de l'Europe : le commerce entrepreneurial et compétitif facilité par une politique plus tolérante… Résultat : l'Occident a rompu avec mille deux cents ans de stagnation et a connu rapidement une expansion jusque-là inédite. Le revenu moyen par habitant a augmenté de 20 % au XVIIIe siècle, de 200 % au XIXe siècle et de 740 % au cours du siècle dernier… Pourtant, jusque vers 1980, cette transformation a laissé de côté la moitié sociale des opérations mondiales… Ce n'est que vers 1980 que la glace a commencé à se briser et que l'ensemble de l'arène sociale a consenti à réaliser un plongeon structural dans cette architecture entrepreneuriale

> compétitive. En revanche, une fois la glace brisée, le rattrapage a été très rapide – et a touché presque le monde entier, à l'exception notable des régions où les gouvernements étaient timorés. Parce qu'elle a l'avantage de ne pas ouvrir la voie, mais d'emboîter le pas au commerce, cette seconde transformation majeure a fait régulièrement progresser la productivité à un rythme accéléré. À cet égard, elle rappelle le succès de pays en voie de développement tels que la Thaïlande. Selon la meilleure estimation d'Ashoka, tous les dix ou douze ans, le secteur citoyen réduit de moitié l'écart entre son niveau de productivité et celui du commerce.

Imaginez combien le mouvement des droits des femmes serait plus efficace s'il était soutenu par une armée d'entrepreneurs sociaux. Les Nations unies et les bureaucrates humanitaires se sont lancés dans une quête effrénée de solutions techniques – y compris de vaccins améliorés et de nouveaux procédés destinés à creuser des puits – dont l'importance n'est pas remise en cause. Mais le progrès dépend également de remèdes politiques et culturels, et, pour être honnêtes, de dirigeants charismatiques. La clé est souvent une personnalité de meneur : Martin Luther King aux États-Unis, le Mahatma Gandhi en Inde et William Wilberforce en Grande-Bretagne. Il est important d'investir dans ces leaders émergents autant que dans les procédés. Malheureusement, c'est un domaine où les organisations humanitaires ont un bon train de retard sur Drayton et Ashoka.

« Il semble en effet qu'il s'agisse du point faible des efforts de développement et gouvernementaux », note David Bornstein, auteur de *Comment changer le monde*, un excellent ouvrage sur les entrepreneurs sociaux. Les donateurs les plus importants, qu'il s'agisse d'organisations humanitaires gouvernementales ou philanthropiques, réclament des interventions systématiques et gradables, ce qui est parfaitement compréhensible. En revanche, faute de parvenir à constituer des réseaux susceptibles d'identifier et de soutenir les leaders individuels capables de faire une différence sur le terrain, ils manquent des occasions de favoriser le changement social. Le plus souvent, les donateurs n'ont pas de structure leur permettant d'accorder de petites subventions ciblées à l'échelle de la communauté – alors que ces dernières peuvent devenir un outil essentiel du changement. Seuls quelques organismes interviennent en tant que fournisseurs de capitaux d'entreprise pour soutenir des petits programmes à l'étranger, c'est d'ailleurs précisément le rôle que joue Ashoka à travers le soutien de ses Fellows. De même, depuis 1987, le Fonds international pour les femmes, dirigé par Kavita Ramdas, une ancienne camarade d'université de Sheryl, apporte son aide à plus de trois mille huit cents organisations féminines dans cent soixante-sept pays. La Coalition internationale pour la santé des femmes, basée à New York, plus connue comme groupe d'influence, accorde également des subventions à de petites organisations qui défendent les droits des femmes à travers le monde.

Zach est un brillant entrepreneur social. Tout comme Ruchira Gupta et Usha Narayane. Bien que les femmes de la planète soient généralement peu nombreuses à s'être élevées au rang de leaders politiques, elles dominent souvent les rangs des entrepreneurs sociaux. Même dans les pays où les hommes monopolisent le pouvoir, les femmes ont créé leurs propres groupes d'influence et enregistrent des succès considérables en matière de changement. Beaucoup ont rejoint avec succès les rangs des entrepreneurs sociaux pour mener le nouveau mouvement abolitionniste contre la traite sexuelle. L'une d'elles, l'Indienne Sunitha Krishnan, Fellow d'Ashoka, est une véritable légende pour ceux qui combattent les trafiquants. Nous avions tellement entendu parler d'elle que nous ne nous attendions pas à rencontrer une personne si petite par la taille – moins d'un mètre quarante – d'autant que l'impression est accentuée par un pied fendu qui la fait boiter.

Quand elle était en moyenne section à l'école maternelle, Sunitha, munie de son ardoise, allait enseigner à un groupe d'enfants pauvres ce qu'elle avait appris dans la journée. Elle fut tellement émue par cette expérience qu'elle décida de devenir travailleuse sociale. Elle fit des études universitaires, qu'elle compléta par un troisième cycle, en se concentrant sur l'alphabétisation. Et puis, un jour, elle se retrouva avec un groupe d'étudiants Fellow,

Sunitha discutant avec des enfants dans son centre d'hébergement indien.

en train d'aider les pauvres d'un village à s'organiser. Un groupe des hommes du village n'apprécia pas cette ingérence.

« Ça ne leur a pas plu, et ils ont décidé de nous donner une leçon », nous expliqua Sunitha dans son bureau, aussi petit que vide, au centre d'hébergement qu'elle dirige dans la ville d'Hyderabad, à près de mille cinq cents kilomètres au sud-est du village du Bihar où Ruchira Gupta se bat pour maintenir Meena en vie. Sunitha, qui s'exprime dans un anglais aussi soigné que distingué, ressemble davantage à un professeur d'université qu'à une activiste. Elle est détachée et analytique, mais éprouve toujours une colère sourde quand elle explique ce qui se passa ensuite : les hommes opposés à ses efforts la violèrent. Sunitha n'alla pas se plaindre à la police. « Je savais que c'était vain », se justifia-t-elle. Mais elle subit des reproches, et sa famille fut stigmatisée. « Le viol en soi a eu peu d'incidence sur moi, ajouta-t-elle. Ce qui m'a le plus affectée, c'est la manière dont la société m'a traitée, la manière dont les gens m'ont regardée. Personne ne s'est demandé pourquoi ces types avaient fait ça. Ils se sont demandé pourquoi j'étais allée là-bas, pourquoi mes parents m'avaient laissée libre. Et j'ai pris conscience que ce qui m'était arrivé ne s'était produit qu'une seule fois. Alors que c'est le sort quotidien de nombreuses femmes. »

C'est à ce moment-là que Sunitha décida de changer de trajectoire professionnelle, renonçant à l'alphabétisation pour se concentrer sur la traite sexuelle. Elle parcourut le pays pour rencontrer autant de prostituées que possible, tout en tâchant de comprendre l'univers du commerce sexuel. Elle s'installa à Hyderabad, peu avant que la police ne sévisse contre un des quartiers chauds de la ville – les propriétaires de bordel n'avaient peut-être pas versé suffisamment de pots-de-vin, à moins qu'ils n'aient eu besoin d'un rappel. L'opération fut une catastrophe. En l'espace d'une nuit, les établissements de la zone furent fermés, sans qu'aucune disposition n'ait été prise pour les filles qui y travaillaient : elles étaient tellement stigmatisées qu'elles n'avaient nulle part où aller ni aucun autre moyen de gagner leur vie.

« Beaucoup se sont suicidées, se rappela Sunitha. J'ai même aidé à incinérer les cadavres. Mais les gens étaient unis face à la mort. Je suis retournée vers les femmes et je leur ai demandé : "Dites-moi exactement ce que vous voulez qu'on fasse." Et elles m'ont répondu : "Il n'y a rien à faire pour nous, faites plutôt quelque chose pour nos enfants." »

Sunitha travaillait en étroite collaboration avec un missionnaire catholique, le frère Joe Vetticatil. Il est mort depuis, mais sa photo est toujours accrochée dans le bureau de Sunitha, et sa foi l'a marquée durablement. « Je suis une fervente hindouiste, précisa-t-elle, mais la voie du Christ m'inspire. » Sunitha et le frère Joe fondèrent une école dans un ancien bordel. Au début, sur les cinq mille enfants de prostituées susceptibles d'en bénéficier, seuls cinq s'inscrivirent. Mais l'établissement se développa. Par ailleurs, Sunitha se mit très vite à monter des centres d'hébergement, pour accueillir les enfants, mais également les filles et les femmes qui étaient délivrées des bordels. Elle baptisa son organisation Prajwala, c'est-à-dire « flamme éternelle » (www.prajwalaindia.org).

Bien qu'un quartier chaud eût été fermé, il en restait d'autres à Hyderabad, et Sunitha se mit à organiser des opérations de libération de prostituées. Elle arpentait les quartiers les plus sordides et les plus immondes de la ville, sans craindre de les interpeller et de les inciter à s'unir et à dénoncer les proxénètes. Elle affrontait les propriétaires de bordel et rassemblait des preuves qu'elle apportait aux autorités, en faisant pression pour qu'elles organisent des raids. Autant de gestes qui exaspéraient les tenanciers de bordel, qui ne comprenaient pas pourquoi une femme aussi frêle qu'un moineau – *une fille !* – leur tenait tête et nuisait à leurs affaires. Ils s'organisèrent et ripostèrent. Des voyous s'en prirent à Sunitha et aux membres de son équipe : elle dit qu'elle a eu le tympan droit brisé, ce qui l'a laissée sourde d'une oreille, et un bras cassé.

Le premier employé de Sunitha se prénommait Akbar. C'était un ancien proxénète repenti. Il travaillait vaillamment pour aider les filles prisonnières du quartier chaud. Mais les propriétaires de bordel réagirent en le poignardant. Quand Sunitha dut dire à la famille d'Akbar qu'il avait été tué, elle prit un moment de réflexion, reconnaît-elle.

« Au fil du temps, nous avons compris que nous ne pouvions pas continuer ainsi, dit-elle en parlant de sa première approche. J'ai compris que, si je voulais passer un certain temps ici, je devais rendre des comptes à mes collaborateurs, à leur famille. Je ne peux pas demander à tout le monde d'être aussi fou que moi. »

Prajwala se mit à travailler de plus en plus avec le gouvernement et les organisations humanitaires, notamment pour réinsérer et conseiller les prostituées. Sunitha forma les anciennes prostituées à l'artisanat et à la reliure – le genre d'activités que proposent d'autres organisations de secours –, mais également à la soudure ou à la menuiserie. À ce jour, Prajwala a réinséré environ mille cinq cents jeunes femmes grâce à un programme d'apprentissage de six à huit semaines en entreprise, qui leur permet de commencer un nouveau métier. Ces centres de réinsertion offrent un spectacle singulier en Inde : ils résonnent de coups de marteau et de cris, et fourmillent de jeunes femmes enfonçant des clous, trimbalant des barres d'acier ou actionnant des machines. Prajwala aide également les femmes à retourner dans leurs familles, à se marier ou à vivre seules. À ce jour, 85 % ne sont pas retournées à la prostitution, précisa Sunitha.

Mais Sunitha était la première à minimiser ce succès. « Il y a plus de prostituées aujourd'hui que quand nous avons commencé, nous confia-t-elle d'un air grave. Je dirais plutôt que nous avons échoué. Quand nous en sauvons dix, vingt autres entrent dans les bordels. » Mais ce bilan est bien trop pessimiste.

Quand, par une chaude journée ensoleillée, Sunitha quitte son bureau, elle laisse derrière elle son personnage alerte et efficace.

La rudesse et la sévérité qu'elle affiche face aux hauts fonctionnaires s'évaporent pour laisser place à de la tendresse quand les enfants de son école l'entourent, parmi les rires et les cris. Elle les appelle par leur prénom et leur demande s'ils ont bien fait leur travail.

Un déjeuner frugal composé de dal et de chapati est servi à chacun dans des assiettes en étain cabossées. Tout en grignotant son chapati, Sunitha fait le point avec une de ses bénévoles, Abbas Be, une jeune femme dont les cheveux noirs et le teint chocolat au lait contrastent avec ses dents blanches. Lorsqu'elle n'était qu'une jeune adolescente, Abbas se rendit à Delhi pour faire des ménages, mais fut vendue à un bordel, où elle fut rouée de coups de batte de cricket jusqu'à ce qu'elle se soumette. Trois jours plus tard, les soixante-dix filles que comptait l'établissement avaient été regroupées autour d'une autre adolescente dont les proxénètes voulaient faire un exemple, car elle avait résisté aux clients et tenté d'inciter ses compagnes à se rebeller. La récalcitrante avait été déshabillée et ligotée. Elle avait subi des humiliations et des railleries, puis avait été battue sauvagement et poignardée au ventre jusqu'à ce qu'elle se vide de son sang sous les yeux d'Abbas et des autres filles.

Après qu'Abbas eut été libérée grâce à une descente de police, Sunitha l'encouragea à rejoindre Prajwala pour suivre un enseignement professionnel. Aujourd'hui, elle apprend à relier des livres et fait également de la prévention auprès des autres filles pour éviter qu'elles ne tombent dans les pièges de la traite. Sunitha lui a fait passer le test du VIH, qui s'est avéré positif, et essaie à présent de lui trouver un mari également séropositif.

Sunitha, dont la voix porte de plus en plus dans la région, réclame la fermeture, plutôt que la régulation, de tous les bordels. Il y a une douzaine d'années, il aurait été absurde de penser qu'une jeune travailleuse sociale, de petite taille et affligée d'un pied-bot, puisse avoir un impact quelconque sur les réseaux criminels qui dirigent les bordels d'Hyderabad. Les organisations humanitaires étaient trop raisonnables pour s'attaquer à ce problème. Mais Sunitha s'imposa sans complexe dans les quartiers chauds et créa sa propre association, incarnant en quelque sorte tous les entrepreneurs sociaux. Bien qu'ils puissent être difficiles et en apparence déraisonnables, ces caractéristiques sont parfois précisément leurs meilleurs atouts pour réussir.

Seule, Sunitha n'aurait pas eu les moyens de faire campagne contre les bordels, mais des donateurs américains l'ont soutenue, amplifiant considérablement son impact. Le Secours catholique américain apporte un soutien exemplaire à Sunitha et aux programmes de Prajwala. Les réseaux et les contacts qu'elle a pu établir grâce à Bill Drayton et à Ashoka lui ont également permis d'être mieux entendue. C'est le genre d'alliance entre les pays du premier et du tiers-monde dont a besoin le mouvement abolitionniste.

Abbas travaille désormais dans ce centre d'hébergement et aimerait épouser un homme séropositif, comme elle.

CHAPITRE 4

Quand le viol fait la loi

Le mécanisme de la violence détruit les femmes, contrôle les femmes, rabaisse les femmes et maintient les femmes à « leur place ».

Ève ENSLER,
Des mots pour agir. Contre les violences faites aux femmes : souvenirs, monologues, pamphlets et prières.

En Afrique du Sud, où le viol est un mal endémique, Sinette Ehlers, une technicienne de laboratoire, a développé un produit qui a immédiatement retenu l'attention du pays. Ehlers avait gardé en mémoire les paroles désespérées d'une victime de viol : « Si seulement j'avais eu des dents à cet endroit. » Quelque temps après, un homme se présenta à l'hôpital où elle travaillait, le sexe coincé dans la fermeture éclair de son pantalon. Il souffrait le martyre. Ehlers rapprocha ces deux images et inventa un objet qu'elle baptisa Rapex[1], une sorte de tube tapissé de pointes, qui, tel un tampon, s'introduit à l'aide d'un applicateur. Tout homme qui tente d'imposer un rapport sexuel à une femme porteuse d'un Rapex s'empale sur les pointes et doit se rendre aux urgences pour en être débarrassé. À ceux qui lui reprochent d'avoir conçu un instrument de torture médiévale, Ehlers rétorque laconiquement : « À pratique médiévale, procédé médiéval. »

Le Rapex reflète l'omniprésence de la violence sexiste dans une grande partie des pays en voie de développement, une violence

1. Rapex : *rape* signifie « viol » en anglais. *(N.d.T.)*

qui fait beaucoup plus de victimes que n'importe quelle guerre. Les études laissent penser qu'environ un tiers des femmes de la planète sont victimes de violence domestique. Les femmes qui ont entre quinze et quarante-quatre ans ont plus de risques de se voir mutilées ou tuées par des hommes que par le cancer, la malaria, les accidents de la route et les guerres réunis. Une importante étude de l'Organisation mondiale de la santé révèle que, dans la plupart des pays, entre 30 % et 60 % des femmes ont déjà subi des actes de violence physique ou sexuelle de la part de leur mari ou de leur petit ami. « La violence exercée contre les femmes par des partenaires intimes est un facteur majeur de morbidité chez les femmes », déclara Lee Jong-wook, ancien directeur général de l'OMS.

Le viol est tellement infamant que de nombreuses femmes préfèrent le cacher, rendant ainsi difficile la collecte de données précises. Mais certains signes suggèrent qu'il s'agit d'une pratique largement répandue : des études révèlent que 21 % des Ghanéennes ont eu leur premier rapport sexuel dans le cadre d'un viol, que 17 % des Nigérianes ont subi un viol ou une tentative de viol avant l'âge de dix-neuf ans et que 21 % des Sud-Africaines ont été violées avant l'âge de quinze ans.

En outre, la violence à l'égard des femmes revêt en permanence de nouvelles formes. C'est en 1967 que fut décrite la première attaque à l'acide, dans l'actuel Bangladesh. Aujourd'hui, les hommes de l'Asie du Sud ou du Sud-Est sont de plus en plus nombreux à jeter de l'acide sulfurique au visage des filles ou des femmes qui les ont éconduits. L'acide ronge la peau et parfois les os : s'il touche les yeux, la victime devient aveugle. Dans l'univers de la misogynie, il s'agit d'une innovation technique.

Cette violence vise souvent à empêcher l'ascension des femmes. Ainsi, un des obstacles à la participation des femmes à la vie politique au Kenya est le coût d'un dispositif de sécurité permanent. Cette protection est nécessaire pour éviter que leurs opposants ne les fassent violer – les gangsters savent très bien qu'il s'agit d'un moyen particulièrement efficace d'humilier et de discréditer les candidates, qui portent systématiquement des couteaux sur elles et enfilent plusieurs paires de bas, afin de dissuader, compliquer et retarder toute tentative de viol.

Woineshet et son père, Zebene, à Addis-Abeba.

En revanche, dans de nombreux pays pauvres, c'est toute une culture de la prédation sexuelle qui est en cause, plutôt que des malfrats et des violeurs isolés. C'est l'univers dans lequel vit Woineshet Zebene.

Woineshet est une Éthiopienne à la peau claire. Ses longs cheveux brossés en arrière encadrent un visage presque toujours sérieux, déterminé et studieux. Elle a grandi dans une zone rurale où kidnapper et violer les filles est une tradition consacrée. Dans la campagne éthiopienne, si un jeune homme a jeté son dévolu sur une fille mais n'a pas les moyens de s'acquitter du prix de la fiancée (l'équivalent de la dot, mais dû par le marié), ou s'il doute d'être accepté par sa famille, il la kidnappe, aidé de plusieurs amis, et la viole. Il se trouve alors d'emblée dans une position plus favorable pour négocier : la réputation de la jeune femme étant ruinée, il est peu probable qu'elle épouse quelqu'un d'autre. Les risques courus par le garçon sont minimes, puisque la famille de la victime ne porte jamais plainte – la réputation de leur fille n'en serait que ternie, et la communauté y verrait une atteinte à la tradition. En effet, à l'époque du viol de Woineshet, le droit éthiopien stipulait explicitement qu'un homme ne pouvait être poursuivi pour le viol d'une femme ou d'une fille qu'il a par la suite épousée.

« Ce genre de cas était courant dans notre village », nous explique Zebene, le père de Woineshet, qui depuis plusieurs années travaille comme colporteur dans la capitale éthiopienne tout en revenant régulièrement rendre visite à sa famille. « Je savais que c'était très mauvais pour la fille, mais il n'y avait rien à faire. Elles épousaient toutes l'homme en question… Les gens voyaient qu'il n'était pas inquiété, et ça continuait, encore et encore. »

Nous sommes assis dans la cabane du père de Woineshet, qui tente d'expliquer ce qui s'est passé. La cahute se trouve à la limite d'Addis-Abeba, et avec les klaxons des voitures et les pots d'échappement des bus, le fond sonore est assourdissant. De chaque côté, séparés par une mince cloison, il y a des voisins. Si bien que Woineshet et son père s'expriment à voix basse afin que personne ne puisse entendre l'histoire du viol. Woineshet est réservée. Elle a les yeux le plus souvent fixés sur ses mains et de temps en temps sur son père, qui tâche de nous faire comprendre que les villageois ne sont pas des gens mauvais. « Le vol est un acte particulièrement honteux dans les villages, explique-t-il. Si quelqu'un volait une chèvre, il serait battu. »

Et kidnapper une fille ?

« Aujourd'hui encore, voler un objet est un crime plus grave que voler une personne », répond tristement Zebene. Il regarde en direction de Woineshet, puis ajoute : « Je n'aurais jamais pensé que cela arriverait à ma famille. »

Puis Woineshet reprend l'histoire. Tout en gardant le plus souvent les yeux baissés, elle reste assise dans la cabane sombre et, avec une dignité empreinte de retenue, raconte ce qui s'était passé lorsqu'elle avait treize ans, à l'époque où elle était en cinquième et vivait encore au village.

« Nous étions profondément endormis quand ils sont arrivés, commence-t-elle calmement. Il devait être 23 h 30. Je crois qu'ils étaient plus de quatre. Il n'y avait pas d'électricité, mais ils avaient une torche électrique. Ils ont enfoncé la porte et m'ont enlevée. On a crié, mais personne ne nous a entendus. En tout cas, personne n'est venu. »

Woineshet ne connaissait pas son kidnappeur, Aberew Jemma, et ne lui avait jamais adressé la parole, mais Aberew l'avait remarquée. Pendant deux jours, ses agresseurs la battirent et la violèrent. Sa famille et un professeur allèrent à la police et exigèrent sa libération. Alors que les policiers s'approchaient, Woineshet s'échappa – dévalant le chemin du village, couverte de sang et d'ecchymoses.

Zebene revint au village dès que la nouvelle du kidnapping lui parvint, peu disposé à accepter que sa fille, particulièrement affectueuse et studieuse, épouse son violeur. À Addis-Abeba, il avait souvent entendu des publicités sur les droits des femmes diffusées à la radio par l'Association des avocates éthiopiennes. À la capitale, il avait vu des femmes travailler avec assurance, exercer des emplois importants et bénéficier de droits et d'une certaine égalité. Zebene s'entretint donc avec sa fille et ils décidèrent qu'elle refuserait d'épouser Aberew. Zebene comme Woineshet sont discrets et modestes mais possèdent un caractère bien trempé : tous deux sont peu enclins à plier. Ils étaient écœurés par ce qui s'était passé et refusaient de s'apaiser comme l'exigeait la tradition. Ils conclurent que Woineshet porterait plainte pour viol.

Elle marcha huit kilomètres jusqu'à l'arrêt d'autobus le plus proche, attendit un bus pendant deux jours, puis endura l'épuisant voyage qui devait la conduire à une ville équipée d'un centre médical. Une fois sur place, une infirmière lui fit passer un examen pelvien, puis inscrivit dans son dossier : « Elle n'est plus vierge... Nombreuses ecchymoses et égratignures. »

Quand Woineshet revint au village, les anciens incitèrent sa famille à mettre un terme au conflit avec Aberew. Afin d'éviter toute vendetta, ils firent pression sur Zebene pour qu'il accepte les deux vaches proposées par Aberew en échange de la main de sa fille. Zebene ne voulut même pas entendre parler de la transaction. Face à cette impasse, Aberew et sa famille, qui craignaient de plus en plus d'être poursuivis en justice, imaginèrent un stratagème : Aberew kidnappa de nouveau Woineshet, l'emmena loin, puis reprit ses violences et ses viols, en exigeant qu'elle consente à l'épouser.

Mais Woineshet parvint une nouvelle fois à s'échapper, avant d'être rattrapée au cours des trois jours de marche qui la séparaient de chez elle. Étonnamment, après l'avoir kidnappée, Aberew n'hésita pas à la conduire au tribunal local afin de l'obliger à admettre devant les fonctionnaires de justice qu'elle voulait le prendre comme époux. Au lieu de quoi, Woineshet – un tout petit bout de femme, battue et entourée d'hommes menaçants – déclara qu'elle avait été enlevée et supplia qu'on l'autorise à rentrer chez elle. Le fonctionnaire, qui ne voulait pas écouter une fille, demanda à Woineshet d'en finir et d'accepter la proposition de mariage d'Aberew.

« Même si tu rentres chez toi, Aberew te poursuivra de nouveau, conclut-il. À quoi bon résister ? »

Woineshet était convaincue qu'il était trop tôt pour épouser qui que ce soit, sans parler de son kidnappeur. « Je voulais rester à l'école », se souvient-elle, en s'exprimant d'une voix douce mais déterminée. Aberew l'enferma dans une maison appartenant à une concession, dont elle parvint un jour à escalader le mur avant de prendre la fuite. Tout le monde la vit et l'entendit hurler, mais personne ne lui vint en aide.

« Les gens disaient que j'avais enfreint la tradition, explique amèrement Woineshet tout en levant un instant les yeux de ses mains. Ils me critiquaient, disaient que je m'étais enfuie. Cette attitude me rendait furieuse. » Craignant pour sa vie, elle alla au commissariat où elle fut hébergée dans une cellule – la victime se trouvait donc en prison et l'agresseur en liberté. La police se mit tardivement à rassembler des preuves, y compris la porte fracassée de la maison de Woineshet et ses vêtements déchirés et maculés de sang. Ils recueillirent également des témoignages d'un grand nombre de villageois. Mais le juge à qui l'affaire fut présentée estima que poursuivre Aberew était une erreur. « Il veut t'épouser. Pourquoi est-ce que tu refuses ? » lui lança-t-il au cours d'une audience du tribunal.

En définitive, il condamna Aberew à dix ans de prison. Mais, un mois plus tard, pour des raisons incertaines, il fut relâché. De son côté, Woineshet s'enfuit à Addis-Abeba, où elle emménagea dans la cabane de son père et reprit ses études.

« J'ai décidé de m'en aller et de m'installer là où personne ne me reconnaîtrait », explique-t-elle. Puis, elle ajoute, lentement mais fermement. « Je n'épouserai jamais personne. Je ne veux plus avoir affaire à aucun homme. »

Ce type de culture peut sembler fermé à tout changement. Mais Woineshet trouva de l'aide auprès d'improbables citoyens :

des Américains, essentiellement des femmes, qui exigèrent la modification du droit éthiopien dans des lettres empreintes de colère. Elles ne pouvaient réparer le traumatisme subi par Woineshet, mais leur soutien moral fut important, pour la jeune fille comme pour son père – ils s'étaient sentis rassurés à un moment où presque tout le monde reprochait à la famille d'avoir manqué à la tradition. Les Américains offrirent également un appui financier et une allocation destinée à permettre à Woineshet de poursuivre sa scolarité à Addis-Abeba.

Les auteurs des lettres avaient été mobilisés par Égalité Maintenant, un groupe d'intérêt basé à New York, qui lutte contre les violences faites aux femmes à travers le monde. Sa fondatrice, Jessica Neuwirth, qui avait travaillé pour Amnesty International, avait pu constater l'efficacité des campagnes épistolaires sur la libération des prisonniers politiques. Aussi, en 1992, avait-elle fondé Égalité Maintenant. Elle peine toujours à rassembler les dons nécessaires à son travail, mais est parvenue jusqu'à présent à maintenir le cap grâce au soutien d'un certain nombre d'anges gardiens, dont Gloria Steinem et Meryl Streep. Aujourd'hui, l'organisation compte quinze employés à New York, Londres et Nairobi, et affiche un budget annuel de 2 millions de dollars – une pacotille dans le monde de la philanthropie.

Égalité Maintenant a lancé des appels en faveur de Woineshet, bien qu'il semble improbable qu'Aberew retourne un jour en prison. En revanche, son armée d'épistoliers a suffisamment braqué les projecteurs sur l'Éthiopie pour que le pays, embarrassé, modifie ses lois. Aujourd'hui, un Éthiopien peut être poursuivi pour viol, même si sa victime consent ensuite à l'épouser.

Bien entendu, dans les pays pauvres, le droit est peu respecté à l'extérieur des capitales. Nous pensons parfois que les Occidentaux consacrent trop d'efforts à changer des lois injustes et pas assez à changer les cultures, en bâtissant des écoles ou en aidant les mouvements de citoyens locaux. Après tout, même aux États-Unis, ce ne sont pas les Treizième, Quatorzième et Quinzième Amendements votés après la Guerre civile qui apportèrent l'égalité aux Noirs, mais les mouvements citoyens des droits civiques, presque un siècle plus tard. Bien que la loi soit importante, se contenter de la modifier est le plus souvent sans grand effet. C'est un avis que partage Mahdere Paulos, la dynamique directrice de l'Association des avocates éthiopiennes. L'essentiel du travail de l'association consiste à intenter des procès ou à faire pression pour changer le droit, mais Mahdere admet que le changement doit être perceptible dans la culture autant que dans le code.

« L'autonomisation des femmes commence par l'éducation », dit-elle. Autour d'elle, le noyau de femmes éduquées commence à s'élargir. Quelque douze mille femmes par an s'engagent désormais aux côtés de l'Association des avocates éthiopiennes, lui donnant ainsi un vrai poids politique, mais également juridique. L'exemple d'Égalité Maintenant, qui collabore étroitement avec Mahdere Paulos, est particulièrement utile : l'Occident n'est jamais aussi efficace que lorsqu'il apporte son aide aux citoyens locaux. D'ailleurs, il se pourrait bien qu'une autre bénévole rejoigne bientôt les rangs de l'Association des avocates éthiopiennes, car Woineshet est à présent au lycée, et ses bons résultats lui permettent d'envisager de suivre des études de droit à l'université.

« Si Dieu le veut, j'aimerais m'occuper d'affaires de kidnapping, dit-elle simplement. À défaut d'obtenir justice pour moi-même, je l'obtiendrai pour les autres. »

On peut difficilement réduire les viols et les multiples autres sévices infligés aux femmes dans de nombreux pays à un simple problème de libido ou d'opportunisme lubrique, sans percevoir les éléments plus sinistres qu'ils dissimulent, c'est-à-dire le sexisme et la misogynie.

Comment expliquer autrement qu'on ait brûlé bien plus de sorcières que de sorciers ? Pourquoi les femmes sont-elles attaquées à l'acide et non les hommes ? Pourquoi les femmes ont-elles beaucoup plus de risques d'être dénudées et humiliées sexuellement que les hommes ? Pourquoi, dans de nombreuses cultures, les vieillards sont-ils respectés comme des patriarches, alors que les femmes sont emmenées hors du village pour mourir de soif ou être dévorées par les bêtes sauvages ? Certes, dans ces sociétés, les hommes sont également soumis à une plus grande violence qu'ils ne le sont en Occident – mais la sauvagerie que subissent les femmes est particulièrement courante, cruelle et fatale.

Ces attitudes sont ancrées dans les cultures et ne peuvent être changées que par l'éducation et les initiatives locales. Mais les étrangers ont également un rôle de soutien à jouer, notamment en braquant les projecteurs sur ces comportements régressifs afin de tenter de briser le tabou qui les frappe souvent. En 2007, Joseph Biden et Richard Lugar présentèrent pour la première fois au Sénat la Loi internationale sur la violence contre les femmes, qui sera réintroduite chaque année jusqu'à ce qu'elle soit acceptée. Ce projet de loi prévoit d'attribuer une aide étrangère de 175 millions de dollars par an à la lutte contre les crimes d'honneur, l'immolation des mariées, les mutilations génitales, les attaques à l'acide, les viols collectifs et les violences domestiques. Il propose également de créer un Bureau d'initiatives féminines mondiales sous l'autorité directe du secrétaire d'État, et un Bureau de développement mondial des femmes au sein de l'Agence des États-Unis pour le développement international (USAID). Les deux bureaux s'attacheraient à faire de la violence sexiste une priorité diplomatique. En dépit de notre profond scepticisme envers les lois, celle-ci – tout comme le texte marquant de 2000 commandant des rapports annuels sur la traite des êtres humains à l'étranger – aurait un impact réel, bien que progressif, à travers le monde. Elle ne résoudrait complètement aucun problème, mais pourrait changer la donne pour les filles comme Woineshet.

Lorsqu'on évoque la misogynie et la violence sexiste, on pourrait être tenté de croire que les hommes sont les seuls en cause. Mais c'est faux. Certes, les hommes se montrent souvent cruels envers les femmes. Mais ce sont généralement des femmes qui dirigent les bordels dans les pays pauvres, qui s'assurent que les excisions sont pratiquées, qui nourrissent leurs fils avant leurs filles, qui emmènent leurs fils et non leurs filles se faire vacciner. Selon une étude, au cours de la guerre civile qui ébranla la Sierra Leone, des femmes auraient été impliquées dans un quart des viols collectifs. Des combattantes attiraient leur victime jusqu'au lieu du viol, puis la retenaient pendant que des hommes la violaient. « On aidait à les capturer et à les maintenir au sol », explique l'une d'elles.

Zoya Najabi dans un centre d'hébergement afghan, après avoir fui sa belle-famille.

L'auteur de l'étude, Dara Kay Cohen, reprend suffisamment de témoignages en Haïti, en Irak et au Rwanda pour laisser penser que la participation des femmes à la violence sexuelle en Sierra Leone n'était pas une exception. Selon elle, le viol collectif n'est pas une quête de gratification sexuelle, mais une façon pour les unités armées – y compris leurs membres féminins – de se souder, en se livrant parfois à une violence misogyne barbare.

Le meurtre de petites filles persiste dans de nombreux pays et est souvent le fait des mères. Le Dr Michael H. Stone, professeur de psychiatrie clinique à l'université Columbia et expert en infanticide, a recueilli des données au Pakistan. Il a découvert que les mères agissent en général sous la pression de leur mari. C'est ainsi qu'une femme prénommée Shahnaz empoisonna sa fille pour éviter que son mari ne demande le divorce. Perveen empoisonna également la sienne après que son beau-père l'eut battue pour n'avoir pas mis au monde un garçon. Mais, parfois, Pakistanaises ou Chinoises tuent simplement leurs fillettes parce qu'elles sont moins valorisantes que les garçons. Rehana noya la sienne parce que « les filles portent malheur ».

Quant aux violences domestiques, selon une étude, 62 % des villageoises indiennes y sont favorables. Et nul ne se montre plus cruel envers les femmes que leurs belles-mères, qui font office de matriarche dans de nombreux pays et se chargent de discipliner les plus jeunes. Zoya Najabi, une Afghane de vingt et un ans originaire de Kaboul, en est la parfaite illustration. Issue d'une famille bourgeoise, elle se présenta le jour de l'interview vêtue d'un jeans brodé de fleurs et ressemblait davantage à une Américaine qu'à une Afghane. Scolarisée jusqu'en quatrième, elle avait commencé à subir des châtiments corporels après son mariage, à douze ans, avec un garçon de quatre ans de plus qu'elle.

« Pas seulement de la part de mon mari, mais également de son frère, de sa mère et de sa sœur – ils me battaient tous », se souvint avec indignation Zoya, qui se trouvait dans un centre d'hébergement de Kaboul. Lorsqu'ils estimaient que le ménage avait été mal fait, ils l'attachaient à un seau et la plongeaient dans le puits, la laissant frigorifiée, suffocante et à moitié noyée. Mais le pire survint lorsque sa belle-mère se mit à la battre et que Zoya, sans réfléchir, lui rendit un coup de pied. Résister à une belle-mère est un péché impardonnable. Le mari de Zoya commença par déterrer un câble électrique et la flagella jusqu'à ce qu'elle perde connaissance. Puis, le lendemain, son beau-père la ligota, la suspendit tête en bas et tendit un bâton à sa femme, qui lui frappa la plante des pieds.

« Elle m'a frappée jusqu'à ce que mes pieds soient réduits à du yaourt, expliqua la jeune femme. J'ai été malheureuse chaque jour que j'ai passé là-bas, mais celui-là a été le pire. »

« La plupart du temps, ces violences sont le fait de maris illettrés et sans instruction, ajouta-t-elle. Mais il arrive aussi que l'épouse ne s'occupe pas de son époux ou qu'elle ne soit pas obéissante. Dans ce cas, il est justifié de la battre. »

Zoya eut un léger sourire lorsqu'elle perçut le choc sur notre visage. « Ils n'auraient pas dû me battre, expliqua-t-elle patiemment, parce que j'ai toujours obéi et que j'ai toujours fait ce que me demandait mon mari. Mais si l'épouse est vraiment désobéissante, alors, bien sûr, son mari doit la battre. »

En résumé, les femmes, autant que les hommes, assimilent et transmettent des valeurs misogynes. Nous ne sommes pas confrontés à un monde parfaitement ordonné où se trouveraient d'un côté les hommes tyranniques et de l'autre les femmes maltraitées, mais à un univers plus complexe de coutumes sociales oppressantes auxquelles adhèrent les hommes comme les femmes. Comme nous l'avons fait remarquer, la loi peut être utile, mais le plus grand défi consiste à changer ces modes de penser. Et le moyen le plus efficace de combattre des traditions suffocantes reste peut-être l'éducation – transmise dans des écoles similaires à celle que nous allons vous présenter, une de nos préférées. Située dans un village reculé du Pendjab pakistanais, elle est dirigée par une des femmes les plus extraordinaires du monde.

L'école de Mukhtar

Les acteurs les plus efficaces du changement ne sont pas les étrangers, mais les citoyennes (et parfois les citoyens) des pays concernés, qui entraînent un mouvement. Les citoyennes à l'image de Mukhtar Mai.

Mukhtar a grandi à Meerwala, un village du sud du Pendjab, au sein d'une famille de paysans. Quand on lui demande son âge, elle lance un chiffre au hasard, n'ayant aucune idée de son année de naissance. Mukhtar n'est jamais allée à l'école, car il n'y avait pas d'établissement réservé aux filles à Meerwala dans son enfance, et elle passait ses journées à aider sa mère à la maison.

En juillet 2002, Shakur, son frère cadet, fut kidnappé et violé par plusieurs membres d'un clan plus important, les Mastoi. (Au Pakistan, le viol de garçons par des hétérosexuels n'est pas rare et est moins stigmatisé que celui des filles.) Shakur avait douze ou treize ans à l'époque. Craignant d'être sanctionnés, ses agresseurs refusèrent de le libérer et justifièrent leur crime en l'accusant à tort d'avoir eu des rapports sexuels avec une des leurs, une jeune fille prénommée Salma. La gravité de l'accusation entraîna une réunion de l'assemblée tribale du village, dominée par les Mastoi. Mukhtar y assista au nom de sa famille et présenta ses excuses tout en tentant d'apaiser les esprits. Une foule l'entoura, dont plusieurs Mastoi armés de fusils, et le conseil conclut que les excuses de Mukhtar étaient insuffisantes. Afin de punir Shakur et les siens, il condamna Mukhtar à subir un viol collectif. Tandis qu'elle hurlait et implorait, quatre hommes la traînèrent jusqu'à une écurie déserte située à proximité. Et tandis que la foule attendait à l'extérieur, ils la dénudèrent et la violèrent à même la terre battue.

« Ils savent qu'une femme qui a subi une telle humiliation n'a d'autre choix que de se suicider, écrivit plus tard Mukhtar. Ils n'ont même pas besoin de se servir de leurs armes. C'est le viol qui la tue. »

Après lui avoir infligé le châtiment, les violeurs poussèrent Mukhtar hors de l'écurie et l'obligèrent à chanceler jusque chez elle, à moitié nue, sous les huées de la foule. Une fois parvenue à sa maison, elle s'apprêtait à faire ce que toute paysanne pakistanaise aurait fait dans cette situation : se tuer. Bien que le suicide soit le moyen habituel de laver sa honte et celle de sa famille, les parents de Mukhtar, qui la gardaient à l'œil, lui interdirent cette option. En outre, un leader musulman du coin – un des héros de cette histoire – s'exprima en sa faveur lors des prières du vendredi et dénonça le viol comme un outrage à l'Islam.

Au fil des jours, l'humiliation de Mukhtar se mua en fureur, si bien qu'elle finit par avoir un geste révolutionnaire : elle alla trouver la police et dénonça le viol, exigeant que des poursuites soient engagées. Étonnamment, les autorités arrêtèrent les agresseurs. Le président Pervez Musharraf, qui eut vent de l'affaire, lui témoigna sa sympathie et lui fit parvenir l'équivalent de 8 300 dollars à titre de dédommagement. Mais, au lieu de garder l'argent pour elle, Mukhtar décida de l'investir dans ce qui manquait le plus cruellement à son village – une école.

« Pourquoi aurais-je dû garder l'argent pour moi ? s'exclama-t-elle à la première visite de Nick à Meerwala. Il vaut mieux que l'argent aide toutes les filles, tous les enfants. » Au cours de cette première visite, il fut difficile d'approcher Mukhtar. Quand Nick fut accueilli par son père et invité à entrer dans la maison, il lui fallut un certain temps pour savoir qui était Mukhtar. Son père et ses frères monopolisaient la parole, tandis qu'elle demeurait parmi un groupe de femmes qui écoutaient au fond de la pièce. Elle avait le visage recouvert d'un foulard et Nick ne distinguait que ses yeux, qui brillaient d'intensité. Chaque fois qu'il lui posait une question, c'est son frère aîné qui répondait à sa place.

« Dites-moi, Mukhtar, pourquoi avez-vous utilisé votre argent pour créer une école ?

– Elle a créé une école parce qu'elle croit à l'éducation. »

Mukhtar Mai et des élèves de son école, lors de notre première rencontre.

Au bout de deux heures, la présence d'un Américain à la maison sembla moins singulière, si bien que les hommes se mirent à bouger et à vaquer à leurs occupations. Mukhtar finit par prendre elle-même la parole, la voix assourdie par le foulard. Elle expliqua avec passion combien elle croyait à la vertu rédemptrice de l'éducation, combien elle espérait que les hommes et les femmes des villages puissent vivre un jour en harmonie grâce à l'éducation. La meilleure façon de changer les attitudes responsables de son viol était de diffuser l'éducation, insista-t-elle.

Des policiers censés la protéger étaient postés chez elle et écoutèrent l'intégralité de l'interview. Ensuite, Mukhtar dirigea Nick vers l'extérieur et le supplia de lui venir en aide. « La police ne fait que voler ma famille, déclara-t-elle avec colère. Elle ne nous aide pas. Et le gouvernement m'a oubliée. Il a promis de soutenir l'école, mais il ne fait rien. » La nouvelle école de filles Mukhtar Mai se trouvait à côté de sa maison, et Mukhtar s'y était elle-même inscrite. Assise aux côtés des élèves les plus jeunes, elle apprenait à lire et à écrire en leur compagnie. Mais le bâtiment n'était pas terminé, et le budget de fonctionnement commençait à s'épuiser.

Les articles que Nick consacra à Mukhtar (qui, à l'époque, se faisait appeler Mukhtaran Bibi, une variante de son nom) lui permirent de recevoir 430 000 dollars de la part des lecteurs, collectés par Mercy Corps, une organisation humanitaire présente au Pakistan. Mais ils lui valurent également d'être harcelée par le gouvernement. Bien que le président Musharraf ait d'abord admiré le courage de Mukhtar, il aurait préféré que le Pakistan soit connu pour son économie florissante plutôt que pour ses viols barbares. Les commentaires publics de Mukhtar – y compris lorsqu'elle affirmait que le viol des femmes défavorisées était un problème général – l'embarrassaient. Les services de renseignement se mirent à faire pression sur Mukhtar pour qu'elle garde le silence. Puis, devant son obstination, le gouvernement tira un coup de semonce et ordonna la libération de ses agresseurs. Mukhtar s'effondra en larmes.

«Je crains pour ma vie», nous avoua-t-elle au téléphone cette nuit-là. Pour autant, elle ne recula pas, préférant appeler le gouvernement pakistanais à accorder davantage d'attention aux droits des femmes. Mukhtar maintint également son projet de se rendre aux États-Unis pour s'exprimer lors d'une conférence sur les femmes. Le président Musharraf répliqua, selon ses propres dires, en la mettant sur la «liste des sorties contrôlées», une liste noire de Pakistanais non autorisés à quitter le territoire national. Mukhtar dénonça la manœuvre et refusa de se laisser intimider, si bien que les services de renseignement l'assignèrent à résidence et coupèrent sa ligne téléphonique. Mais elle put encore monter sur son toit et bénéficier d'une médiocre connexion avec son portable, dont elle se servit pour nous décrire comment les policiers censés veiller à sa protection avaient désormais leurs fusils braqués sur elle.

Furieux de constater que Mukhtar persistait à le défier, Musharraf ordonna qu'elle soit kidnappée (ou, comme il le dit par euphémisme, «conduite à la capitale»). Des agents des renseignements poussèrent Mukhtar dans un véhicule et l'escortèrent jusqu'à Islamabad, où elle fut admonestée.

«Tu as trahi ton pays et aidé nos ennemis! lui reprocha un fonctionnaire. Tu as humilié le Pakistan devant le monde entier.» Puis, sanglotant amèrement, elle fut conduite en lieu sûr, sans pouvoir entrer en contact avec qui que ce soit. Ces événements se passaient alors que le ministre des Affaires étrangères pakistanais se trouvait en visite à la Maison Blanche et que le président George W. Bush qualifiait publiquement Musharraf de «dirigeant courageux».

Mais la publicité autour du harcèlement subi par Mukhtar devint si embarrassante pour l'administration Bush que la Secrétaire d'État Condoleezza Rice finit par demander au ministre des Affaires étrangères pakistanais d'y mettre un terme. Mukhtar fut libérée. Les conseillers de Musharraf suggérèrent alors d'attendre que les choses se calment, puis d'organiser un voyage aux États-Unis, au cours duquel Mukhtar, étroitement surveillée, insisterait sur la qualité du travail accompli par le gouvernement de son pays. Elle refusa. « Je ne veux y aller que de ma propre volonté », précisa-t-elle. En revanche, elle se plaignit publiquement de la saisie de son passeport. Musharraf le lui rendit sans tarder et l'autorisa à se rendre toute seule aux États-Unis.

Bien malgré lui, Musharraf avait fait de Mukhtar une célébrité. Elle fut invitée à la Maison Blanche et au Département d'État, et le ministre des Affaires étrangères français s'entretint avec elle de questions internationales. Le magazine *Glamour*, qui la nomma « femme de l'année », lui offrit un billet en première classe pour lui permettre d'assister à un banquet organisé en son honneur à New York, où elle fut présentée par une personnalité dont elle n'avait jamais entendu parler – Brooke Shields. Laura Bush lui rendit un hommage filmé : « Je vous prie de croire que son histoire n'est pas qu'un conte déchirant. Mukhtaran prouve qu'une femme peut à elle seule changer le monde », fit-elle remarquer.

Installée dans sa magnifique suite d'un hôtel de Central Park West, Mukhtar se sentait étourdie par l'attention et le luxe qui l'entouraient, mais également profondément nostalgique de Meerwala. Elle s'inquiétait de ce qu'il pouvait advenir aux filles de son école pendant son absence. Elle trouvait les interviews fatigantes, notamment parce que les journalistes n'étaient pas intéressés par son école mais par son viol. Ils n'avaient qu'une question en tête : *Alors, qu'est-ce que ça fait d'être victime d'un viol collectif?* Mukhtar participa à un direct catastrophique au journal du matin de CBS. Lorsqu'on l'interrogea pour la énième fois sur le sujet, elle répliqua avec indignation : *Je ne veux pas vraiment parler de ça...*, provoquant un silence embarrassé.

Au cours de son voyage en Amérique, Mukhtar fut à plusieurs reprises invitée à dîner dans des restaurants de luxe par d'importantes personnalités – mais elle réclama sans cesse des plats à emporter pakistanais. Des hauts fonctionnaires lui expliquaient combien leur gouvernement ou leurs organisations humanitaires étaient actifs au Pakistan, et elle leur demandait en retour : « Où exactement agissez-vous au Pakistan ? » La réponse était inévitablement : Islamabad, Karachi, Lahore. Mukhtar hochait la tête et rétorquait : « C'est à la campagne que nous avons besoin d'aide. Je vous en prie, allez dans les villages et faites votre travail là-bas. »

Mukhtar était la première à s'appliquer ce credo. Des humanitaires bien intentionnés la pressaient en permanence de s'installer à Islamabad, où elle serait plus en sécurité. Mais elle refusait cette idée. « Mon travail est dans mon village, nous dit-elle. C'est là que sont les besoins. J'ai peur, mais je ferai face à mon destin. Je m'en remets à Dieu. »

À chaque événement organisé en son honneur, elle apparaissait, timide et le visage dissimulé derrière un foulard, déclenchant les ovations répétées du public (jamais le magazine *Glamour* n'avait ouvert ses pages à une femme aussi peu dénudée). Mais la passion de Mukhtar demeurait son école et son village, et l'essentiel de son travail n'avait rien de glamour.

À deux reprises, Nick prononça le discours de remise des diplômes de l'école de Mukhtar – un spectacle extraordinaire. Plus d'un millier d'élèves, de parents et de proches rassemblés sous une immense tente plantée au milieu d'un champ regardaient les enfants chanter et jouer des sketches dénonçant la violence domestique à l'égard des femmes ou les mariages précoces. Il régnait une ambiance festive, et certains enfants des violeurs emprisonnés de Mukhtar étaient même présents. Les filles ne pouvaient s'empêcher d'être prises de fous rires tout en faisant semblant d'être battues par leurs maris. Mais le message adressé en permanence aux parents était clair : laissez vos filles à l'école – c'est l'obsession de Mukhtar.

Halima Hamir, une de ses élèves de CM1, illustre parfaitement la difficulté de ce combat. À douze ans, Halima était grande et mince et avait de longs cheveux noirs. À sept ans, elle avait été fiancée à un garçon âgé de cinq ans de plus qu'elle, mais illettré.

« Je l'ai vu une fois, expliquait Halima en parlant d'As-Salam, son fiancé. Je ne lui ai jamais parlé. Je ne le reconnaîtrais pas si on se croisait de nouveau. Je ne veux pas me marier maintenant. » Halima avait été première de sa classe l'année précédente et sa matière préférée était l'anglais. Mais ses parents étaient inquiets à l'idée qu'elle atteigne bientôt l'âge de la puberté et voulaient la marier avant qu'elle ne s'éprenne de quelqu'un d'autre et que les gens ne se mettent à parler – ou qu'elle n'abîme son bien le plus précieux : son hymen. À plusieurs reprises, Mukhtar se rendit chez Halima, suppliant ses parents de la maintenir à l'école. Le drame s'étant déroulé au cours d'un des voyages de Nick, lorsqu'il revint à Meerwala, il demanda des nouvelles de Halima.

« Elle n'est plus là, expliqua une autre élève. Ses parents l'ont mariée. Ils ont attendu que Mukhtar parte en voyage pour retirer Halima de l'école et la marier. Maintenant, elle vit très loin d'ici. » Toutes les batailles ne se soldent pas par une victoire.

Grâce aux contributions des uns et des autres, Mukhtar a développé ses activités. Elle a fait construire un lycée pour filles et a lancé également une école pour garçons. Elle a obtenu un troupeau de vaches laitières, dont le revenu permet de financer ses écoles. Elle a acheté un bus scolaire, qui fait également office d'ambulance et permet de conduire les femmes enceintes à l'hôpital quand elles sont prêtes à accoucher. Elle a fait bâtir une autre école dans une zone infestée de gangs, où le gouvernement même n'ose s'aventurer. Plutôt que de cambrioler l'établissement, les gangsters y inscrivirent leurs enfants. Enfin, elle a convaincu la province de construire une université féminine pour accueillir ses lycéennes à la fin de leur scolarité.

Mukhtar accueille volontiers les bénévoles qui souhaitent enseigner l'anglais dans ses établissements et leur offre le vivre et le couvert dès lors qu'ils s'engagent à rester quelques mois. On peut difficilement imaginer expérience d'enseignement plus enrichissante.

Elle a également fondé sa propre association humanitaire, l'Organisation Mukhtar Mai pour le bien-être des femmes, qui gère une ligne téléphonique ouverte vingt-quatre heures sur vingt-quatre aux femmes battues, un centre d'aide juridique gratuit, une bibliothèque publique et un centre d'hébergement pour les victimes de violence – une structure dont la nécessité se fit sentir à mesure que Mukhtar devenait célèbre (grâce, notamment, à l'émission de télévision hebdomadaire qu'elle lança) et que les femmes de tout le pays se mirent à affluer à sa porte. Elles arrivaient en bus, à pied, en taxi ou en rickshaw – et souvent n'avaient même pas de quoi payer le chauffeur. Mais les conducteurs de rickshaw comprirent rapidement que leur course leur serait réglée s'ils se présentaient chez Mukhtar avec une femme en sanglots. Puis Mukhtar se servit de sa notoriété pour inciter la police, les journalistes et les juristes à venir en aide aux victimes. Elle ne s'exprimait pas avec sophistication et érudition, mais elle était déterminée et efficace. Et, quand les femmes venaient à elle avec le visage détruit par l'acide ou le nez coupé – un châtiment courant infligé aux femmes considérées comme « mauvaises » ou « faciles » –, Mukhtar montait une opération pour qu'elles aient accès à la chirurgie esthétique.

Elle-même changea avec le temps. Elle apprit l'ourdou, qu'elle parle désormais couramment. La première fois que nous l'avons rencontrée à Meerwala, elle ne quittait pas sa maison sans l'autorisation de son père ou de son frère aîné. Mais cette coutume devint difficile à respecter lorsqu'elle commença à recevoir des ambassadeurs. Son frère aîné en fut offensé (son père et son frère cadet lui vouent une trop grande admiration pour en prendre ombrage). Un jour, il menaça même de la tuer si elle ne se montrait pas plus obéissante. La présence de toutes ces femmes désespérées qui engloutissaient les provisions familiales et s'appropriaient la remise ajoutait également à la tension. Mais il finit par s'adoucir, car lui aussi était touché par l'histoire de leurs hôtes. Un peu à contrecœur, il a admis que sa sœur accomplit un travail extraordinaire et que les temps changent.

Mukhtar s'était toujours entièrement couvert le visage et les cheveux, en dehors d'une fente qui laissait entrevoir ses yeux. Aux banquets organisés en son honneur aux États-Unis, on mettait en garde les hommes contre la tentation de lui serrer la main, de l'étreindre ou, pire, de l'embrasser sur la joue. Mais, au bout d'environ un an, Mukhtar devint moins stricte sur son foulard et se mit à serrer la main des hommes. Sa religion revêt toujours une immense importance à ses yeux, mais elle a compris que la Terre ne s'arrêterait pas de tourner si son foulard venait à tomber.

Plus Mukhtar devint célèbre, plus le gouvernement tenta de riposter. Le président Musharraf lui reprochait toujours d'« embarrasser » le Pakistan, et les services de renseignement la harcelaient, elle et ses partisans. Un mandat d'arrêt fut délivré – manifestement à tort – contre un des frères de Mukhtar. Pendant un certain temps, le gouvernement pakistanais nous refusa des visas parce que nous avions soutenu sa cause et que nous étions proches d'elle. Les renseignements firent publier des articles dans des journaux ourdous accusant Mukhtar de mener grand train (ce qui est totalement faux) ou d'être un pion des Indiens et de Nick, dont l'objectif aurait été de nuire au Pakistan. Certains Pakistanais de la haute bourgeoisie, bien qu'à l'origine favorables à Mukhtar, la qualifiaient désormais de paysanne sans instruction et n'appréciaient guère qu'elle soit portée aux nues à l'étranger. Ils ne remettaient pas en cause les calomnies qui la présentaient comme une personne avide d'argent et de publicité, et nous exhortaient à nous concentrer davantage sur le travail qu'effectuaient médecins et avocats en ville. « Mukhtar est pleine de bonnes intentions, mais ce n'est qu'une paysanne », nous déclara avec mépris un Pakistanais. Tous ces mensonges laissèrent Mukhtar profondément meurtrie.

« Ma vie et ma mort sont entre les mains de Dieu, nous dit-elle une fois de plus. Ça ne me dérange pas. Mais pourquoi le gouvernement continue-t-il de me traiter comme une voleuse ou une criminelle ? »

« Pour la première fois, j'ai l'impression que le gouvernement prépare quelque chose contre moi », ajouta-t-elle. Selon elle, il projetait de l'éliminer, de l'emprisonner ou de monter un scandale pour la discréditer.

En effet, un haut responsable de la police l'avertit que le gouvernement l'arrêterait pour fornication si elle ne se montrait pas plus coopérative. Fornication ? Chaque nuit, près d'une douzaine de femmes dormaient aux côtés de Mukhtar à même le sol dans sa chambre (elle laissait son lit à Naseem Akhtar, sa chef du personnel). Le président Musharraf fit même parvenir une mise en

Mukhtar aujourd'hui, dans son école qui ne cesse de s'agrandir.

garde à Amna Buttar, une doctoresse pakistano-américaine qui prévoyait d'accompagner Mukhtar à New York : Mukhtar devait surveiller ses paroles car le gouvernement pouvait faire appel à la pègre locale pour l'éliminer et maquiller son assassinat en accident. Buttar nous transmit l'avertissement.

« Je veux que vous sachiez, nous déclara Naseem, que, si nous mourons, ce ne sera pas un accident, malgré les apparences. Si nous sommes tuées dans un accident de train ou de bus, ou dans un incendie – dites au monde que ce n'était pas réellement un accident. »

Mukhtar, dont le courage porte ses fruits, a démontré que les grands entrepreneurs sociaux ne sont pas exclusivement issus des rangs des privilégiés. Le viol était courant dans les campagnes pakistanaises parce qu'il n'existait aucune forme de dissuasion. Mais Mukhtar a changé la donne, incitant les femmes et les filles à se défendre et à aller à la police.

En 2007, une affaire similaire à celle de Mukhtar eut lieu dans un village baptisé Habib Labano. Un jeune homme qui souhaitait épouser sa petite amie, membre d'une haute caste, s'enfuit avec elle. Un conseil décida de se venger sur une de ses cousines, une adolescente de seize ans prénommée Saima. Onze hommes la kidnappèrent et la firent défiler nue dans le village, puis, sur les ordres du conseil, deux d'entre eux la violèrent.

Inspirée par Mukhtar, Saima ne se donna pas la mort. En revanche, sa famille porta plainte. Une expertise médicale confirma le viol, et des organisations humanitaires lui apportèrent leur aide. Après une manifestation qui bloqua une route, les autorités renvoyèrent deux agents de police et arrêtèrent cinq suspects secondaires. On ne peut pas vraiment dire que justice ait été faite, mais c'était déjà un progrès. Depuis que violer des filles des milieux défavorisés n'est plus un sport totalement dénué de risques, le nombre d'agressions a considérablement baissé dans le sud du Pendjab. Aucune donnée n'est disponible, mais les habitants d'un grand nombre de villages affirment que les viols y étaient courants et qu'ils sont désormais rares.

Mukhtar inspire également d'autres porteurs de changement, générant ainsi son propre écho. Bâti comme un taureau, Farooq Leghari est un flic endurci, aguerri par des années de service dans les zones les plus dures du Pakistan. Au cours d'une longue conversation au poste de police qu'il commande, il nous a décrit l'époque où il faisait régner la terreur, où les suspects étaient passés à tabac quand ils refusaient d'avouer. Avant qu'il ne soit envoyé à Meerwala pour diriger l'équipe chargée de surveiller Mukhtar, il ne croyait qu'en la loi de la jungle. Il fut déconcerté par Mukhtar et son engagement envers les pauvres et les démunis, et finit malgré lui par l'admirer profondément.

« C'est un sentiment spirituel, se souvient-il. Je suis très heureux de voir Mukhtaran Bibi voyager à l'étranger, ouvrir des écoles ou des centres d'hébergement. » Plus Farooq tombait sous le charme de Mukhtar, plus les ordres de ses supérieurs, qui lui demandaient de l'espionner et de la harceler, le rendaient mal à l'aise. Quand sa hiérarchie lui reprocha de la protéger, il évoqua le travail extraordinaire qu'elle accomplissait – et fut brusquement muté à un poste éloigné. Mais Farooq continua de dénoncer publiquement la persécution dont était victime Mukhtar. Nous lui avons demandé pourquoi il avait accepté de mettre en jeu sa carrière pour défendre une femme qu'il était censé punir.

« J'ai été un mauvais flic, répondit-il. Envers des gens mauvais, certes, mais j'ai été mauvais. Un jour, je me suis demandé s'il m'était déjà arrivé de faire le bien dans ma vie. Aujourd'hui, voyez-vous, Dieu m'a accordé une chance d'accomplir le bien. C'est pourquoi, malgré tous les risques pour ma vie et ma carrière, je soutiens Mukhtaran Bibi. »

Farooq précisa que ses rapports de service étaient désormais extrêmement négatifs et que sa carrière dans la police était de fait terminée. Il craignait d'être assassiné. Mais, en observant Mukhtar, il avait trouvé un nouveau sens à sa vie : protéger et défendre les intérêts des femmes indigentes des villages.

En 2008, après la chute du gouvernement Musharraf, le ciel s'éclaircit au-dessus de Mukhtar. Les services de renseignement se mirent à surveiller les terroristes. Les espions pakistanais cessèrent de nous filer quand Mukhtar nous faisait visiter les villages alentour. Le gouvernement mit un terme à son harcèlement, et les dangers se firent un peu moins pressants, lui permettant d'accroître ses activités. En 2009, elle épousa un policier qui la suppliait depuis longtemps de devenir sa femme. Elle devint sa seconde épouse, ce qui fit d'elle un singulier symbole des droits des femmes –, mais le mariage n'eut lieu qu'après que la première épouse eut convaincu Mukhtar que c'était ce qu'elle désirait sincèrement. Un autre chapitre peu commun s'ouvrait dans une vie peu commune. Cette femme sans instruction originaire d'un minuscule village avait tenu tête au président et chef des armées de son pays, et après des années de menaces et de harcèlements, était toujours fidèle au poste, contrairement à lui. De victime d'un conte sordide, elle était devenue – grâce à son courage et à sa vision extraordinaires – une source d'inspiration pour nous tous.

CHAPITRE 5

Crimes d'honneur

Si un homme épouse une femme et, qu'après être allé vers elle, il éprouve de l'aversion, la calomnie et porte atteinte à sa réputation, en disant : «J'ai épousé cette femme, mais quand je me suis approché d'elle, je n'ai pas trouvé la preuve de sa virginité», alors le père et la mère de la jeune femme… présenteront l'étoffe [sur laquelle le couple a dormi] aux anciens de la ville… Mais, si l'accusation est vraie et qu'aucune preuve de la virginité de la jeune femme ne puisse être trouvée, elle sera conduite au seuil de la demeure de son père, où elle mourra lapidée par les hommes de sa ville.

Deutéronome 22 :13-21

Parmi tout ce qu'un individu est capable de commettre au nom de Dieu, tuer une fille parce qu'elle ne saigne pas lors de sa nuit de noces est un acte particulièrement cruel. Pourtant, l'hymen – fragile, rarement vu et relativement inutile – demeure un objet de culte dans de nombreuses religions et sociétés à travers le monde, le simulacre de l'honneur. L'hymen a infiniment plus de valeur que tout l'or contre lequel il pourrait s'échanger. Souvent, il vaut même plus qu'une vie humaine.

Le culte de la virginité est extraordinairement répandu. Si la Bible préconise la lapidation des filles qui n'auraient pas saigné pendant leur nuit de noces, Solon, le grand législateur de la Grèce antique, précise qu'aucun Athénien ne peut être vendu en esclave, à l'exception des femmes qui ont perdu leur virginité avant le mariage. En Chine, selon un proverbe néoconfucéen de la dynastie Song, « il est beaucoup moins grave pour une femme de mourir de faim que de perdre sa chasteté ».

Cette vision austère s'est édulcorée dans la plupart des pays du monde, mais survit au Moyen-Orient, où l'honneur sexuel est encore aujourd'hui une cause majeure de la violence à l'égard des femmes. Parfois, elle prend la forme du viol, car – comme pour Mukhtar – la manière la plus simple de sanctionner une famille rivale est de déshonorer sa fille. Ou la forme du crime d'honneur, lorsqu'une fille est tuée par les siens parce qu'elle a manqué de pudeur ou s'est éprise d'un homme (bien que l'existence de rapports sexuels soit rarement avérée et que l'autopsie des victimes révèle fréquemment un hymen intact). Le paradoxe du crime d'honneur, c'est que ce sont les sociétés dotées des codes moraux les plus stricts qui finissent par approuver un comportement suprêmement immoral : le meurtre.

Du'a Aswad était une belle Kurde originaire du nord de l'Irak. Elle avait dix-sept ans quand elle tomba amoureuse d'un jeune Arabe sunnite. Un soir, elle passa la nuit avec lui. Personne ne sait s'ils ont réellement couché ensemble, mais sa famille présuma que c'était le cas. Le lendemain matin, quand, de retour chez elle, Du'a fut confrontée à la fureur de ses proches, elle courut se réfugier chez un ancien du village. Mais les dirigeants religieux et des membres de sa propre famille insistèrent pour qu'elle soit mise à mort. Huit hommes s'engouffrèrent alors dans la demeure de l'ancien et la traînèrent dans la rue, tandis qu'une foule importante se rassemblait autour d'eux.

Du'a fut jetée au sol, et sa jupe noire, arrachée. Ses longs cheveux noirs tombèrent en cascade sur ses épaules. Elle tenta de se relever, mais les hommes lui décochèrent des coups de pied comme si c'était un ballon de football. Affolée, elle essaya de parer les coups, de se relever, de se couvrir, de croiser un regard compatissant parmi la foule. Puis les hommes rassemblèrent des pierres et des blocs de béton, qu'ils lâchèrent sur elle. La plupart roulèrent par terre, mais elle commença à saigner. Du'a agonisa pendant trente minutes avant de mourir.

Une fois morte et bien qu'elle fût alors incapable d'éprouver le moindre sentiment de pudeur, quelques hommes lui recouvrirent les jambes et les fesses. Un geste moralisateur apparemment accompli au nom de la décence, comme si c'était la chair nue d'une adolescente qui était obscène, et non son corps ensanglanté.

Le Fonds des Nations unies pour la population estime que cinq mille crimes d'honneur sont commis chaque année, presque tous dans le monde musulman (le gouvernement pakistanais en révéla mille deux cent soixante et un au cours de la seule année 2003). Mais cette estimation est sans doute trop basse, un grand nombre d'exécutions étant maquillées en accidents ou en suicides. Selon notre estimation, chaque année, on dénombre au moins six mille crimes d'honneur, et probablement davantage, à travers le monde.

Quoi qu'il en soit, ce chiffre est loin de traduire l'ampleur du problème, car il n'inclut pas ce que l'on pourrait appeler les viols d'honneur – destinés à déshonorer la victime ou à rabaisser son clan. Au cours des récents génocides, le recours au viol a été systématique pour terroriser certains groupes ethniques. Le viol collectif est aussi efficace que les massacres, sans pour autant laisser de cadavres susceptibles d'entraîner des poursuites pour violations des droits de l'homme. Et il tend à saper les structures tribales des groupes auxquels appartiennent les victimes, les dirigeants perdant toute autorité lorsqu'ils sont incapables de protéger les femmes. Bref, si le viol devient un outil de guerre dans les sociétés conservatrices, c'est précisément parce que la sexualité féminine est extrêmement sacrée. Bien que les codes de l'honneur sexuel soient censés protéger les femmes (en valorisant la chasteté), en réalité, ils créent un environnement dans lequel elles sont systématiquement déshonorées.

Au Darfour, il est devenu peu à peu évident que les milices janjawid soutenues par le Soudan recherchaient et violaient collectivement les femmes de trois tribus africaines, avant de leur couper les oreilles ou de leur infliger d'autres mutilations destinées à les marquer à jamais du stigmate du viol. Pour éviter que le monde extérieur n'en ait connaissance, le gouvernement soudanais punissait les femmes qui portaient plainte pour viol ou cherchaient à se faire soigner. Quand Hawa, une étudiante, fut violée et battue par des Janjawid à l'extérieur du camp de Kalma, ses amies la transportèrent à une clinique dirigée par Médecins du monde. Deux infirmières françaises se mirent immédiatement à la soigner, mais plusieurs camions de policiers pénétrèrent dans l'établissement, écartèrent le personnel soignant (qui tenta vaillamment de résister) et se jetèrent sur Hawa. Ils la traînèrent hors du bâtiment et la conduisirent en prison, où ils l'enchaînèrent à un lit de camp par un bras et une jambe.

Son crime ? La fornication – car en cherchant à se faire soigner, elle admettait avoir eu des rapports sexuels avant le mariage, d'autant qu'elle ne pouvait fournir les quatre témoignages d'hommes musulmans nécessaires pour prouver qu'il s'agissait d'un viol. Le Soudan empêcha également les organisations humanitaires d'entrer au Darfour avec des kits de prophylaxie post-exposition susceptibles de réduire considérablement le risque de contamination par le HIV.

Le nombre de viols collectifs rapporté au cours des récents conflits est stupéfiant. La moitié des femmes de la Sierra Leone ont subi des violences ou des menaces sexuelles au cours des troubles qui ont secoué ce pays. Dans certaines régions du Liberia, selon un rapport des Nations unies, 90 % des femmes et des filles âgées de plus de trois ans ont été victimes de sévices sexuels pendant la guerre civile. Dans des pays comme le Pakistan, qui ne connaît ni génocide ni guerre totale, les viols d'honneur résultent d'une obsession de la virginité et de l'indifférence des autorités face aux injustices subies par les populations pauvres et sans instruction. Shershah Syed, un important gynécologue de Karachi, admet qu'il soigne fréquemment des jeunes femmes violées des bidonvilles. À moins que la victime ne se suicide, ses proches doivent ensuite déménager, afin d'éviter que les agresseurs – généralement riches et bien placés – ne les terrorisent et ne les éliminent comme témoins. Parler de l'indifférence de la police est un euphémisme.

« Quand je reçois des victimes de viol, je leur conseille de ne pas porter plainte, conclut le Dr Syed. Car elles se feraient violer par les policiers. »

L'est du Congo détient le record mondial des viols. Les milices, qui connaissent les risques des combats armés, préfèrent s'en prendre aux civils. Elles savent pertinemment que le moyen de terroriser les populations civiles à moindre coût est d'organiser des viols d'une stupéfiante sauvagerie. C'est ainsi que les miliciens congolais violent fréquemment les femmes en se servant de bâtons, de couteaux ou de baïonnettes, quand ils ne déchargent pas leurs revolvers dans le vagin de leurs victimes. C'est le traitement que firent subir des soldats à une fillette de trois ans. Quand elle fut présentée aux chirurgiens, plus aucun tissu n'était réparable. Accablé de douleur, son père se donna la mort.

« Ici, toutes les milices violent les femmes, pour montrer qu'elles sont fortes et que vous êtes faibles, nous expliqua Julienne Chakupewa, spécialiste du soutien aux victimes de viol à Goma. Ailleurs, les soldats violent parce qu'ils veulent une femme. Ici, il y a en plus une malveillance, une haine, dont les femmes font les frais. »

« Nous parlons de "femmes", ajouta rapidement Julienne, mais ces victimes ne sont pas des adultes. Ce sont des filles de quatorze ans, parfois même des enfants de six ans. »

En 2008, quand l'ONU reconnut formellement le viol comme « arme de guerre », le Congo revint constamment dans les discussions. Le major général Patrick Cammaert, ancien commandant de division de l'ONU, décrivit la généralisation du viol comme une stratégie de guerre et eut des paroles obsédantes : « Actuellement, il est probablement plus dangereux d'être une femme qu'un soldat dans les conflits armés. »

Dina, une adolescente de dix-sept ans originaire de Kindu, fait partie de ces victimes congolaises. Le jour où nous l'avons rencontrée, elle portait un chemisier bleu et une jupe multicolore éclatante, un foulard orange lui recouvrant pudiquement la tête. Timide, elle s'exprimait d'une voix douce et souriait souvent avec nervosité.

Issue d'une famille de six enfants, Dina a grandi sur la ferme de ses parents, des producteurs de bananes, de manioc et de haricots. Deux de ses frères ont fréquenté quelque temps l'école, mais aucune fille. « L'école est plus importante pour les garçons », nous expliqua-t-elle d'un air convaincu.

Tous les habitants de la ville savaient qu'il y avait des soldats de la milice Interahamwe hutue dans la région, et Dina avait peur chaque fois qu'elle sortait travailler aux champs. Mais elle n'avait pas le choix. Il fallait surmonter ses craintes ou se résigner à mourir de faim. Un jour, sentant le danger, Dina écourta son travail dans son champ de haricots et rentra chez elle bien avant le coucher du soleil. Alors qu'elle marchait, cinq membres de la milice hutue l'encerclèrent. Ils portaient des fusils et des couteaux, et la forcèrent à s'allonger au sol. L'un d'eux tenait un bâton.

« Si tu cries, on te tue », l'avertit un autre. Elle garda le silence pendant que les cinq hommes la violèrent. Quand ils eurent terminé, ils la maintinrent au sol tandis que l'un d'eux la pénétrait avec son bâton.

Inquiets de son absence, son père et ses amis retournèrent courageusement aux champs, où ils la trouvèrent, agonisant dans l'herbe. Ils la couvrirent et la transportèrent chez eux. Il y avait un centre médical à Kindu, mais la famille de Dina n'avait pas les moyens de l'y faire admettre, si bien qu'elle dut se contenter de soins prodigués à la maison. Elle gisait paralysée dans son lit, incapable de marcher. Le bâton avait perforé sa vessie et son rectum, entraînant une fistule – une communication anormale entre des organes. De l'urine et des excréments s'écoulaient en permanence de son vagin et le long de ses jambes. Ces lésions, des fistules recto-vaginales et vésico-vaginales, sont des conséquences fréquentes de la violence sexuelle au Congo.

« Il n'y avait aucun conflit tribal entre nous, expliqua Dina en parlant des soldats. Leur but était simplement de me violer, puis de me laisser dans mon sang et mes déjections. » Cette culture de la barbarie s'est répandue de milice en milice et de tribu en tribu. En 2006, selon l'ONU, il y aurait eu vingt-sept mille agressions sexuelles dans la seule province congolaise du Sud-Kivu. D'après un autre rapport, dans certaines régions, les trois quarts des femmes auraient été violées. « La violence sexuelle au Congo est la pire au monde », n'hésite pas à affirmer John Holmes, secrétaire général adjoint aux Affaires humanitaires de l'ONU.

Laurent Nkunda est l'un des chefs militaires dont les troupes sont impliquées dans les viols. Grand, chaleureux, il nous servit à dîner dans sa confortable tanière nichée dans les montagnes. Il prétendit être pasteur pentecôtiste et arborait un badge REBELS

Selon Noel Rwabirinba, un enfant soldat du Congo, les troupes ont le droit de violer les femmes.

FOR CHRIST[1] sur son uniforme – espérant apparemment ainsi s'attirer le soutien des Américains. Avant de nous proposer à boire et à manger, il dit les grâces. Nkunda, qui soutint que ses hommes n'étaient pas des violeurs, ajouta qu'il avait exécuté le seul d'entre eux qui avait effectivement violé une femme. Mais tout le monde sait qu'il s'agit d'une pratique quotidienne. Quand Nkunda nous présenta des prisonniers appartenant à des milices rivales, nous leur posâmes la question.

« Si on voit des filles, c'est notre droit », nous rétorqua Noel Rwabirinba, un adolescent de seize ans qui déclara porter un fusil depuis deux ans. « On peut les violer. »

Les Casques bleus de l'ONU n'ont pas fait pas grand-chose pour mettre un terme aux viols. L'ancien ambassadeur du Canada Stephen Lewis, un des défenseurs les plus éloquents de la cause des femmes à travers le monde, a proposé que le Secrétaire général de l'ONU, Ban Ki-moon, fasse du viol une priorité et qu'il promette de démissionner si les pays membres ne lui apportaient pas leur soutien. « Nous parlons de plus de 50 % de la population mondiale, dont font partie les plus déracinés, les plus déshérités et les plus indigents de la planète, insista Lewis. Si vous êtes incapable de défendre les femmes du monde, vous ne devriez pas être Secrétaire général. »

1. Rebels for Christ : association d'étudiants chrétiens de l'université du Mississippi. *(N.d.T.)*

Les femmes ont énormément souffert pendant les génocides du Rwanda et du Darfour. Les hommes également. Au Rwanda, à la fin du génocide, les femmes représentaient 70 % de la population du pays, car énormément d'hommes avaient été tués. Au Darfour, après avoir interviewé plusieurs femmes qui disaient avoir été violées lorsqu'elles avaient quitté leur camp pour aller chercher du bois, nous leur avons posé une question évidente : « Si les femmes sont violées quand elles vont chercher du bois, pourquoi ne restent-elles pas au camp ? Pourquoi est-ce que ce ne sont pas les hommes qui se chargent de cette tâche ? »

« Quand les hommes quittent le camp, ils se font abattre, nous expliqua patiemment l'une d'elles. Les femmes, elles, ne sont *que* violées. » Dans presque tous les conflits, la mortalité est majoritairement masculine. Mais, bien que les hommes soient les victimes habituelles des guerres, les femmes sont devenues une arme de guerre – vouées à être défigurées ou torturées afin de terroriser le reste de la population. Il suffit de voyager dans l'est du Congo et de parler aux villageois pour mettre au jour un nombre considérable de viols désormais routiniers. Dans un camp de déplacés où nous avions demandé à parler à une victime de viol, on nous a emmené immédiatement l'une d'entre elles. Dans un souci de confidentialité, nous l'avons conduite à l'écart, sous un arbre, mais au bout de dix minutes une longue file de femmes s'était formée à proximité.

« Que faites-vous toutes ici ? leur avons-nous demandé.

– Nous sommes toutes des victimes de viol, a répondu la première d'entre elles. Nous attendons pour raconter notre histoire. »

Pour Dina, qui gisait incontinente et paralysée chez elle, la vie semblait terminée. Puis des voisins parlèrent à sa famille d'un hôpital où les médecins pouvaient réparer ce type de lésions. L'établissement s'appelle HEAL Africa (Guérir l'Afrique) et se trouve à Goma, la plus grande ville de l'est du Congo. La famille contacta son représentant, qui fit évacuer Dina en avion missionnaire, aux frais de HEAL Africa.

Une fois à Goma, Dina fut conduite en ambulance à l'hôpital : c'était la première fois qu'elle montait dans une voiture. Les infirmières lui donnèrent une couche en plastique et la laissèrent en compagnie de dizaines d'autres patientes, toutes incontinentes à cause de fistules. Dina trouva alors le courage de se lever et de marcher. Les infirmières lui donnèrent une béquille et l'aidèrent à se déplacer en boitillant. Elles la nourrirent, entamèrent des séances de kinésithérapie et ajoutèrent son nom à une liste de patientes en attente d'une opération. Le jour J, un chirurgien recousit avec succès sa fistule recto-vaginale. Elle participa à d'autres séances de kinésithérapie pour se préparer à la seconde intervention destinée à refermer la perforation dans sa vessie. Entre-temps, Dina se demanda ce qu'elle allait faire lorsqu'elle serait rétablie. Dans un premier temps, elle décida de rester à Goma.

« Si je retourne à Kindu, expliqua-t-elle, je serai de nouveau violée. » Mais, après la seconde opération, qui fut également un succès, elle décida de rentrer à Kindu. Sa famille lui manquait, et la guerre commençait à toucher Goma. Il lui sembla qu'elle serait tout aussi vulnérable si elle restait. Elle choisit donc de regagner le maelström de Kindu.

Un « programme d'études à l'étranger » au Congo

Dans l'enfer violent et misogyne qu'est l'est du Congo, l'hôpital HEAL Africa où a été soignée Dina est un sanctuaire de dignité. Cette grande enceinte abrite des bâtiments blancs peu élevés où les patients sont respectés. C'est un exemple de projet humanitaire qui améliore radicalement la vie des gens. Une jeune Américaine, Harper McConnell, fait partie de l'équipe qui aide les patientes comme Dina.

Longs cheveux blond cendré, Harper a une peau très blanche qui semble rougir plus que bronzer à la lumière du soleil tropical. Elle est habillée simplement, et, en dehors des colliers africains qui lui pendent au cou, on la croirait sur un campus universitaire américain. Pourtant, la voici au Congo – un pays déchiré par la guerre –, parlant un excellent swahili et plaisantant avec ses nouvelles amies originaires de la brousse. Elle s'est engagée sur une voie à laquelle beaucoup de jeunes Américains devraient songer – partir pour les pays en voie de développement afin de « donner » aux gens qui ont désespérément besoin d'aide.

Les jeunes nous demandent souvent comment ils peuvent contribuer à lutter contre des problèmes tels que la traite sexuelle ou la pauvreté internationale. Le premier conseil que nous leur adressons est d'aller voir le monde. Si ce n'est pas possible, collecter des fonds et attirer l'attention de ses proches est déjà formidable. Mais, pour s'attaquer efficacement à un problème, il faut d'abord le comprendre – et il est impossible de comprendre une question en se contentant de lire des livres. Il faut voir la réalité par soi-même, et même y être directement confronté.

Le fait que des jeunes puissent sortir diplômés d'une université

Harper McConnell avec une amie à l'hôpital HEAL Africa, au Congo.

sans avoir la moindre compréhension de la pauvreté chez eux ou à l'étranger nous semble un des grands échecs du système scolaire américain. Les programmes d'études à l'étranger consistent souvent à envoyer des hordes d'étudiants à Oxford, Florence ou Paris. Nous pensons que les universités devraient exiger que tous leurs diplômés passent un certain temps dans le monde en voie de développement, sous la forme d'une « année sabbatique » ou d'études à l'étranger. Si davantage d'Américains passaient un été à enseigner l'anglais dans une école comme celle de Mukhtar au Pakistan, ou à travailler dans un hôpital tel que HEAL Africa au Congo, l'ensemble de notre société aurait une connaissance plus riche du monde qui nous entoure. Et le monde aurait peut-être également une meilleure opinion des Américains.

Les jeunes, en particulier les femmes, s'inquiètent souvent des conditions de sécurité du volontariat international. Bien entendu, certaines craintes en matière de maladies et de violence sont légitimes, mais la plupart du temps c'est une peur exagérée de l'inconnu qui prévaut – l'image en miroir de la nervosité que les Africains ou les Indiens peuvent éprouver lorsqu'ils viennent faire leurs études aux États-Unis. En réalité, Américains et Européens sont généralement bien accueillis dans les pays en voie de développement et courent beaucoup moins de risques de se faire dévaliser dans un village africain qu'à Paris ou à Rome. La conduite reste sans doute l'élément le plus dangereux, car personne ne porte de ceinture de sécurité, et les feux rouges – quand ils existent – tendent à passer pour de simples suggestions.

Les Américaines suscitent parfois malgré elles l'attention, en particulier lorsqu'elles sont blondes, mais cette curiosité est rarement malsaine. Une fois qu'elles sont installées sur place, elles se sentent en général plus en sécurité qu'elles ne l'imaginaient. Contrairement aux femmes originaires de ces pays, les Occidentales sont peu confrontées aux affronts et au harcèlement des hommes, notamment parce que ces derniers les trouvent intimidantes. En outre, les femmes bénévoles disposent souvent de plus de marge de manœuvre que leurs collègues masculins. Dans les cultures conservatrices, il peut être mal vu d'enseigner à des étudiantes ou même d'adresser la parole à des femmes lorsqu'on est un homme, alors que ces dernières peuvent parfaitement enseigner aux garçons comme aux filles et fréquenter des personnes des deux sexes.

Les possibilités de s'engager comme bénévole auprès des populations locales sont innombrables. La plupart des programmes humanitaires que nous mentionnons dans cet ouvrage reçoivent des volontaires dès lors qu'ils restent quelques mois, afin d'éviter les démarches inutiles. Les coordonnées de ces organisations sont indiquées en appendice. Passer du temps au Congo et au Cambodge n'est peut-être pas aussi agréable qu'à Paris, mais c'est une expérience qui change une vie.

Harper, qui a grandi dans le Michigan et au Kansas, suivait des études de sciences politiques et d'anglais à l'université du Minnesota, sans savoir précisément ce qu'elle voulait faire plus tard. Elle avait étudié la pauvreté et le développement, et se sentait nerveuse et stressée à l'approche de son entrée dans la vie active. Puis, en mai, lors de sa dernière année universitaire, elle apprit que son Église envisageait d'établir des liens avec un hôpital du Congo. L'Église, l'Upper Room d'Edina, dans le Minnesota, avait compris une chose importante : il n'était pas question de demander simplement aux fidèles de rédiger des chèques, mais de s'impliquer activement. Aussi Harper parla-t-elle à son pasteur du programme congolais, et la réunion n'était pas terminée qu'elle avait accepté d'aller vivre à Goma pour gérer les relations avec l'hôpital HEAL Africa.

« Nous voulons faire connaître l'est du Congo à nos fidèles et leur donner l'occasion de venir voir la vie ici, explique-t-elle. J'aide également l'Église à rester en phase avec la réalité du terrain pour que les projets qui voient le jour dans les bureaux américains répondent effectivement aux besoins réels sur place. »

Harper partage une belle maison de style occidental à Goma avec le couple qui a fondé l'hôpital HEAL Africa : un médecin congolais, Jo Lusi, et sa femme, Lyn, originaire d'Angleterre. Jo et Lyn occupent une seule pièce de l'habitation, toujours bondée de visiteurs et d'invités. Et, bien qu'elle demeure un sanctuaire au sein du chaos congolais, le groupe électrogène s'arrête de fonctionner à 22 heures – et il est inutile de compter sur une douche chaude. Et puis, il y a la campagne, qui donne souvent l'impression d'avoir un siècle ou deux de retard sur Goma. Un jour, Harper, toute excitée, nous rapporta : « Une de nos équipes revient tout juste d'un village qui n'avait pas vu de voiture depuis les années 1980. Ils appellent ça "une maison qui marche". »

HEAL Africa est un hôpital important. Officiellement, il offre cent cinquante lits, mais accueille en général deux cent cinquante patients, pris en charge par quatorze médecins sur un total de deux cent dix employés. Tous sont congolais, à l'exception de trois d'entre eux, dont Lyn et Harper. Les draps sont propres, mais on ne compte que deux gynécologues pour une région de cinq millions d'habitants. Assurer l'approvisionnement en électricité, en eau et en pansements relève du cauchemar, d'autant que la corruption est omniprésente. En 2002, lorsqu'un volcan situé non loin entra en éruption, l'essentiel de l'enceinte de l'hôpital se retrouva sous deux mètres cinquante de magma, mais, grâce au soutien de donateurs américains, l'établissement fut reconstruit dès que la lave se fut refroidie.

Pour des jeunes célibataires, vivre dans une ville comme Goma peut être ennuyeux et étouffant. Quand Harper s'installa au Congo, elle se sépara du petit ami qu'elle avait depuis deux ans, et, bien qu'elle reçoive régulièrement des demandes en mariage de la part d'automobilistes, les lieux de rencontres sont inexistants. Elle a fini par contracter la malaria et par se retrouver hospitalisée dans son propre établissement. Mais elle éprouvait une certaine fierté à endurer la maladie de millions d'Africains. Alors qu'elle gisait fiévreuse sur son lit, alimentée par une perfusion intraveineuse, elle s'éveilla en croyant voir Ben Affleck penché au-dessus d'elle. Elle se rendit très vite compte qu'elle ne délirait pas : Affleck, qui séjournait au Congo, était passé lui souhaiter bonne chance.

Par ailleurs, il existe des compensations au manque de centres commerciaux et de loueurs de DVD. Harper a entrepris deux projets importants qui l'incitent tous les matins à bondir hors de son lit. Le premier est une école destinée aux enfants en attente d'un traitement médical. Les petits patients souffrant de problèmes orthopédiques peuvent attendre plusieurs mois avant d'être pris en charge, et ils sont souvent originaires de zones rurales dépourvues d'établissements de qualité. Harper a donc trouvé des professeurs et monté une classe. Ses protégés peuvent désormais suivre des cours six jours par semaine. À vingt-trois ans, Harper est devenue la directrice de sa propre école.

Le second est un programme d'apprentissage destiné aux femmes en attente d'une opération. De nombreuses patientes comme Dina passent des mois à l'hôpital, un temps qu'elles peuvent désormais mettre à profit pour apprendre à coudre, à lire, à tresser des paniers, à fabriquer du savon et du pain. Le plus souvent, les femmes choisissent une de ces activités, puis travaillent avec un formateur jusqu'à ce qu'elles se sentent suffisamment sûres d'elles pour en vivre. Quand l'apprentie s'en va, HEAL Africa lui fournit la matière première nécessaire – y compris une machine à coudre à pédale si elle a appris la couture – afin qu'elle puisse par la suite générer un revenu pour sa famille. Celles qui ont du mal à acquérir des compétences professionnelles reçoivent au minimum un gros bloc de sel qu'elles pourront briser et revendre par petits sacs au marché. Cette aptitude à subvenir à leurs besoins métamorphose leur vie.

« Le programme de Harper suscite beaucoup d'enthousiasme chez les femmes », nous confirma Dada Byamungu, formatrice en couture. Tandis que nous parlions, un groupe de patientes bruyantes entoura Harper et se mit à la taquiner tout en la remerciant. Harper riait et répliquait du tac au tac en swahili. Dada traduisit leurs paroles à notre intention : « Elles disent qu'elles élèveront Harper et qu'elles en feront leur reine ! »

Si vous veniez dîner chez nous, vous verriez de ravissants sets de table en roseau tissés par les patientes de HEAL Africa. Harper a ouvert une petite boutique à l'hôpital afin de vendre ce genre d'articles, qu'elle essaie également de commercialiser sur Internet et dans des grands magasins américains. Mais, si vous êtes étudiant, Harper a peut-être une proposition encore plus adaptée : elle monte un programme d'études à l'étranger destiné aux Américains qui souhaitent passer un mois à l'ULPGL, une université de Goma. Les Américains suivront des cours aux côtés des Congolais, passeront du temps en classe et sur le terrain, et rédigeront des articles en petits groupes.

Harper tente également d'encourager les dons aux États-Unis. L'hôpital a un budget annuel de 1,4 million de dollars, dont plus d'un tiers provient de contributions individuelles américaines (pour plus d'informations, consultez www.healafrica.org). Seuls 2 % de ces dons sont consacrés aux frais généraux et administratifs. Le reste est directement investi dans l'établissement, qui accepte même les miles acquis avec les programmes de fidélité des compagnies aériennes pour pouvoir acheminer son personnel, et accueille chaleureusement bénévoles et visiteurs.

« Je préfère que les gens viennent voir ce qui se passe ici plutôt qu'ils envoient un chèque de quelques milliers de dollars, parce que ce voyage va changer leur vie, explique Harper. J'ai le privilège d'entendre des membres de l'Église et d'autres visiteurs me dire combien le moment qu'ils ont passé à HEAL Africa a complètement bouleversé leur vision du monde et changé leur façon de vivre chez eux. »

Il suffit de voir Harper bavarder en swahili avec ses amies africaines pour comprendre qu'elle reçoit autant qu'elle donne. Elle-même en convient :

> Parfois, je rêve d'une connexion Internet à haut débit, d'un café *latte* et d'autoroutes. Mais l'accueil que me réservent chaque jour mes collègues suffit à me faire rester ici. J'ai la chance de porter un sac à main cousu par une femme qui attend d'être

opérée d'une fistule à l'hôpital – et de voir combien ces compétences lui ont donné de l'aplomb et de l'assurance –, de faire la fête avec mon ami congolais qui a trouvé un emploi à sa sortie de l'université, de voir des enfants scolarisés alors qu'ils n'avaient jamais eu cette chance auparavant, de me réjouir avec une famille de sa récolte plus abondante, de danser avec mes collègues pour fêter une subvention accordée à un programme. Ce qui me distingue avant tout de mes amis ici, ce sont les opportunités qui m'ont été données en tant que citoyenne du monde occidental, et je crois qu'il est de ma responsabilité d'œuvrer pour que ces opportunités soient accessibles à tous.

CHAPITRE 6

Mortalité maternelle : une femme toutes les minutes

La préparation à la mort est la chose la plus raisonnable et la plus opportune à laquelle vous devez désormais vous appliquer.

Cotton MATHER,
s'adressant aux femmes enceintes
lors d'un sermon

Si le sadisme des soldats qui ont déchiré les entrailles de Dina avec un bâton pointu ne laisse probablement personne indifférent, il existe une autre forme de cruauté, plus douce, plus diffuse, qui passe le plus souvent inaperçue – une indifférence générale qui condamne trois millions de femmes et de filles à rester incontinentes dans le monde. Bien que le genre de fistules dont souffrait Dina soit courant dans les pays en voie de développement, ce sont moins les viols que les accouchements prolongés ou sans assistance médicale qui en sont la cause principale en dehors du Congo. Mais ces femmes ont peu accès aux interventions chirurgicales nécessaires à la réparation de ces lésions, car la santé des mères et les complications obstétricales sont rarement prioritaires.

Pour chaque Dina, il y a des centaines de Mahabouba Muhammad. Originaire de l'ouest de l'Éthiopie, Mahabouba a la peau chocolat au lait et des cheveux frisés attachés en arrière. Aujourd'hui, elle n'éprouve plus de difficultés à raconter son histoire – qu'elle ponctue de rires d'autodérision –, mais, parfois, l'ancienne douleur réapparaît brièvement dans ses yeux. Mahabouba a grandi dans un village près de la ville de Jimma. Après le divorce de ses parents, elle fut confiée à une tante, qui ne l'envoya pas à l'école et la traita le plus souvent en domestique. Brimée, elle finit par s'enfuir avec sa sœur en ville, où elles travaillèrent comme femmes de ménage en échange du vivre et du couvert.

« Et puis, un jour, un voisin m'a dit qu'il pouvait me trouver un meilleur travail, se souvient Mahabouba. Il m'a vendue pour quatre-vingts birrs [dix dollars]. Il a empoché l'argent, moi pas. Je pensais que j'allais travailler chez l'homme qui m'avait achetée. Mais il m'a violée et m'a battue. Il m'a prévenue que je lui avais coûté quatre-vingts birrs et qu'il ne me laisserait pas partir. J'avais environ treize ans. »

Son acheteur, Jiad, était âgé d'une soixantaine d'années et voulait faire de Mahabouba sa seconde épouse. Dans la campagne éthiopienne, il arrive encore que des filles soient vendues pour effectuer des travaux manuels ou devenir la deuxième ou troisième épouse d'un homme, bien que ce soit de moins en moins le cas. Mahabouba ne trouva pas le réconfort espéré auprès de la première femme de Jiad, qui prenait un malin plaisir à la fouetter. « Elle devait être jalouse, car elle me battait quand il n'était pas là », rapporte Mahabouba avec colère. Elle marque une pause, gagnée par l'amertume.

Le couple n'autorisait pas Mahabouba à sortir de la maison de crainte qu'elle ne prenne la fuite. Elle tenta d'ailleurs à plusieurs reprises de s'échapper, mais fut chaque fois rattrapée et rouée de coups de bâton et de poing jusqu'à ce que son corps soit couvert d'ecchymoses et de sang. Elle dut attendre de tomber enceinte, ce qui arriva rapidement, pour que Jiad relâche sa surveillance. À sept mois de grossesse, elle finit par réussir à s'enfuir.

« Je me suis dit que si je restais, mon enfant et moi risquions d'être battus à mort. J'ai fui en ville, mais les gens m'ont menacée de me ramener immédiatement chez Jiad. Alors, je me suis de nouveau sauvée et je suis rentrée dans mon village natal. Mais mes proches ne s'y trouvaient plus, et personne ne voulait m'aider, car j'étais enceinte et mariée. Finalement, je suis allée à la rivière pour me noyer, mais un oncle m'a trouvée et ramenée. Il m'a autorisée à rester dans une petite hutte près de sa maison. »

Mahabouba n'avait pas les moyens de payer une sage-femme, si bien qu'elle tenta de mettre au monde son enfant toute seule. Malheureusement, comme souvent chez les jeunes adolescentes, son bassin était trop étroit pour la tête du bébé, qui était bloqué dans le canal utérin. Au bout de sept jours, Mahabouba perdit connaissance, et quelqu'un appela une accoucheuse. Mais le bébé était resté coincé tellement longtemps que les tissus compressés entre sa tête et le bassin de Mahabouba avaient manqué de sang et pourri. Quand Mahabouba reprit conscience, elle découvrit que l'enfant était mort et qu'elle ne contrôlait plus sa vessie ni ses intestins. Comme beaucoup de femmes souffrant de fistules, elle était également atteinte d'une lésion nerveuse qui l'empêchait de marcher et de se mettre debout.

« Les gens parlaient de malédiction. “Si tu es maudite, tu ne devrais pas rester ici. Tu devrais partir”, m'ont-ils dit. » L'oncle de Mahabouba compatissait, mais sa femme craignait que venir en aide à une personne maudite par Dieu soit un sacrilège. Elle exhorta donc son mari à emmener Mahabouba loin du village, où elle serait dévorée par les bêtes sauvages. Tiraillé, il donna à Mahabouba de quoi boire et manger, mais ne s'opposa pas à ce que les villageois la transportent dans une hutte à l'écart du village.

« Et puis, ils ont enlevé la porte, ajoute-t-elle d'un ton détaché, pour permettre aux hyènes de m'attaquer. » En effet, dès la nuit tombée, les hyènes firent leur apparition. Mahabouba était incapable de bouger les jambes, mais elle tenait un bâton, dont elle menaçait violemment les bêtes sans cesser de hurler. Toute la nuit, les hyènes l'entourèrent, toute la nuit Mahabouba les repoussa.

Elle avait quatorze ans.

Quand apparurent les premiers rayons du jour, Mahabouba, plus que jamais attachée à la vie, comprit que son seul espoir était de trouver de l'aide en dehors du village. Elle avait entendu parler d'un missionnaire occidental qui vivait à proximité, si bien qu'elle se mit à ramper, en traînant son corps à la force de ses bras. Le lendemain, lorsqu'elle parvint à la porte de l'homme, elle était à moitié morte.

Horrifié, il s'empressa de la porter à l'intérieur, la soigna et lui sauva la vie. Et puis, à l'occasion d'un voyage à Addis-Abeba, il emmena Mahabouba jusqu'à une enceinte abritant des bâtiments blancs de plain-pied, située à la limite de la ville : l'Hôpital de la fistule d'Addis-Abeba.

Mahabouba y rencontra des douzaines de filles et de femmes souffrant comme elle de fistules. À son arrivée, elle fut examinée et lavée. Puis on lui donna de nouveaux vêtements et on lui apprit à faire sa toilette. Les victimes de fistules présentent souvent des plaies aux jambes, provoquées par l'acidité de l'urine, mais des lavages fréquents permettent de venir à bout de ces ulcérations. Les patientes se déplacent en savates et bavardent entre elles tout en perdant régulièrement de l'urine – le personnel soignant parle de « cité des flaques » en plaisantant –, mais les sols sont nettoyés plusieurs fois par heure et les filles trop occupées à discuter pour se sentir gênées.

L'établissement est dirigé par Catherine Hamlin, une vraie sainte. Gynécologue de formation, elle a consacré l'essentiel de sa vie aux femmes indigentes en Éthiopie, affrontant les dangers et les difficultés pour métamorphoser la vie d'innombrables patientes comme Mahabouba. Grande, mince et les cheveux blancs, Catherine est tonique, chaleureuse et extraordinairement douce – sauf quand on lui dit qu'elle est une sainte.

« J'adore ce travail, nous rétorqua-t-elle avec exaspération la première fois que nous l'avons rencontrée. Je ne suis pas ici parce que je suis une sainte ou que j'accomplis quelque chose de noble. Ma vie me plaît énormément... Je suis ici parce que j'ai le sentiment que Dieu me veut ici. J'ai l'impression de faire du bien et d'aider ces femmes. C'est un travail très satisfaisant. » C'est en 1959 que Catherine et Reg Hamlin, son époux aujourd'hui décédé, quittèrent leur Australie natale pour s'installer en Éthiopie et travailler comme gynécologues-obstétriciens. Chez eux, ils n'avaient jamais été confrontés à un cas de fistule. En Éthiopie, ils en rencontrèrent constamment. « Ces femmes sont les plus à plaindre au monde, affirme Catherine. Elles sont seules, honteuses de leurs lésions. Les malades de la lèpre ou du sida bénéficient du soutien d'organisations. Mais personne n'a connaissance de ces femmes ni ne leur vient en aide. »

Mahabouba dans le parc de l'Hôpital de la fistule d'Addis-Abeba, en Éthiopie.

Autrefois, les fistules étaient courantes en Occident. Il existait d'ailleurs un Hôpital de la fistule à Manhattan, à l'emplacement actuel de l'hôtel Waldorf-Astoria. Mais l'amélioration des soins médicaux a permis d'éliminer ce problème, si bien qu'aujourd'hui, dans les pays riches, les femmes qui passent quatre jours en salle de travail sont très rares – elles bénéficient bien avant d'une césarienne.

En 1975, Catherine et Reg fondèrent l'Hôpital de la fistule d'Addis-Abeba, une ravissante propriété à flanc de coteau abritant des bâtiments blancs et des jardins verdoyants. Catherine, qui occupe une maison confortable au centre du complexe hospitalier, dirige l'établissement et souhaite être enterrée à Addis-Abeba, à côté de son époux. Elle a opéré plus de vingt-cinq mille fistules et a formé d'innombrables praticiens à cette spécialité. C'est une chirurgienne exceptionnellement douée, mais, face aux patientes qui n'ont plus suffisamment de tissus sains à réparer, elle ne peut que pratiquer des colostomies, qui permettent aux excréments de s'évacuer par un orifice dans l'abdomen et de tomber dans une poche changée régulièrement. Les patientes qui subissent ce genre d'intervention requièrent des soins continus et vivent dans un village situé à proximité de l'hôpital.

C'est le cas de Mahabouba. Des séances de kinésithérapie l'aidèrent à remarcher, mais elle dut se résigner à une colostomie.

Cependant, dès qu'elle retrouva sa mobilité, Catherine la mit au travail à l'hôpital. Au début, Mahabouba se contenta de changer les draps ou d'aider les patientes à faire leur toilette, mais, peu à peu, les médecins se rendirent compte qu'elle était intelligente et désireuse d'en faire plus, si bien qu'ils lui confièrent davantage de responsabilités. Elle apprit à lire et à écrire, et s'épanouit. Elle trouva un sens à sa vie. Si vous vous arrêtez un jour à l'hôpital, vous tomberez peut-être sur Mahabouba – dans sa blouse blanche. Elle a été promue aide-soignante en chef.

Refermer une fistule coûte à peu près 300 dollars et environ 90 % d'entre elles sont opérables. Mais la très grande majorité des femmes qui en souffrent sont des paysannes indigentes que l'on n'emmène jamais chez le médecin et qui ne bénéficient donc pas de soins médicaux. Selon L. Lewis Wall, professeur d'obstétrique à la faculté de médecine de Washington, entre trente mille et cent trente mille nouveaux cas apparaissent chaque année sur le seul continent africain[1].

Faute de traitement, ces jeunes femmes – souvent des adolescentes de quinze ou seize ans – voient généralement leur vie s'arrêter. Leur mari demande le divorce, et, comme elles dégagent une terrible odeur d'excréments et d'urine, elles sont souvent obligées de vivre seule, à l'écart du village, comme Mahabouba. Finalement, elles meurent de faim ou d'une infection qui progresse le long du canal utérin.

« Les patientes qui souffrent de fistules sont les lépreuses des temps modernes », note Ruth Kennedy, une sage-femme britannique qui a travaillé avec Catherine à l'Hôpital de la fistule. « Elles sont sans défense, sans voix… C'est parce qu'elles sont des femmes qu'elles sont des parias. S'il arrivait la même chose à des hommes, des humanitaires et du matériel afflueraient du monde entier. »

1. Dans les années 1990, c'est la campagne du professeur Wall qui nous sensibilisa au problème de la fistule. Le Dr Wall dirige le Fonds mondial pour la fistule (www.worldwidefistulafund.org), et son vieux rêve de voir bâtir un jour un Hôpital de la fistule en Afrique de l'Ouest se réalise enfin. Grâce au soutien de Merrill Lynch et de donateurs américains privés, l'établissement est en cours de construction au Niger, bien qu'une partie du financement soit encore incertaine. Le professeur Wall est un vrai héros de la lutte en faveur de ces femmes oubliées. (*N.d.A.*)

Oprah Winfrey qui interviewa Catherine fut tellement impressionnée qu'elle visita l'Hôpital de la fistule, dont elle finança la construction d'une nouvelle aile. Mais la santé maternelle bénéficie généralement d'une attention minimale, car celles qui meurent ou souffrent de lésions disposent le plus souvent de trois éléments en leur défaveur : ce sont des femmes, elles sont pauvres et elles vivent à la campagne. « Les femmes sont marginalisées dans les pays en voie de développement, déplore Catherine. Elles sont un bien remplaçable. »

Certes, le système de santé est déficient dans les pays pauvres, y compris pour les hommes. L'Afrique subsaharienne totalise moins de 1 % des dépenses de santé mondiales pour 11 % de la population et 24 % des maladies. Mais la santé maternelle, qui ne bénéficie jamais des financements adéquats, est particulièrement négligée. En 2009, le président George W. Bush proposa même de réduire de 18 % les dépenses de l'USAID consacrées aux soins maternels et infantiles, en les ramenant à 370 millions de dollars, soit environ 1,20 dollar par Américain et par an.

Les conservateurs se battent contre les avortements forcés en Chine, et les libéraux mènent une lutte acharnée en faveur du droit à l'avortement à l'étranger. En revanche, relever le défi de la mortalité maternelle n'a jamais vraiment été un enjeu électoral. Les journalistes que nous sommes peuvent considérer le manque d'attention accordé à cette question comme un échec supplémentaire. Bien que presque aucun média ne s'en fasse l'écho, les femmes qui meurent chaque jour en couches pourraient remplir cinq gros-porteurs. Le remède ? Une campagne internationale pour sauver ces mères. Aujourd'hui, le montant que l'Amérique dépense pour la santé maternelle est égal à moins de 0,05 % du budget de la Défense.

Selon l'Organisation mondiale de la santé, en 2005, cinq cent trente-six mille femmes sont décédées au cours de leur grossesse ou de leur accouchement, un chiffre qui a à peine bougé en trente ans. La mortalité infantile a plongé, la longévité, augmenté. Pourtant, avec une victime toutes les minutes, donner la vie est presque toujours aussi fatal.

Environ 99 % de ces décès surviennent dans les pays pauvres. Le Rapport de mortalité maternelle (RMM) est l'indice le plus usité pour mesurer ce phénomène. Il indique le nombre de décès maternels pour cent mille naissances vivantes, bien que la collecte des données soit généralement si médiocre que les chiffres proposés ne sont que de grossières estimations. En Irlande, le pays le plus sûr au monde pour accoucher, le RMM est de un pour cent mille naissances vivantes. Aux États-Unis, où beaucoup plus de femmes échappent au système médical, il est de onze. En revanche, il est de quatre cent quatre-vingt-dix en Asie du Sud (y compris en Inde et au Pakistan) et de neuf cents en Afrique subsaharienne, avec un record mondial de deux mille cent pour la Sierra Leone.

Comme le RMM mesure le risque au cours d'une seule grossesse et que les femmes des pays pauvres ont beaucoup d'enfants, les statisticiens évaluent également le risque de mortalité maternelle sur la durée de vie adulte. Le Niger, où une mère a un risque sur sept de mourir en couches, présente les plus mauvais résultats du monde. Globalement, en Afrique subsaharienne, le risque de mortalité maternelle sur la durée de vie adulte est de un sur vingt-deux. Le cas de l'Inde est honteux, car, en dépit de ses nouveaux gratte-ciel étincelants, les Indiennes ont toujours un risque sur soixante-dix de mourir en couches au cours de leur vie. À l'opposé, aux États-Unis, le risque sur la durée de vie adulte est de un sur quatre mille huit cents, en Italie de un sur vingt-six mille six cents et en Irlande de un sur quarante-sept mille six cents.

Le risque de mortalité maternelle sur la durée de vie adulte est un millier de fois supérieur dans les pays pauvres qu'en Occident. Ce devrait être un scandale international. En outre, le fossé qui nous sépare continue de s'élargir. Selon l'OMS, entre 1990 et 2005, les pays développés et à revenu intermédiaire ont réduit de manière significative leur mortalité maternelle, alors qu'elle n'a guère baissé en Afrique. En effet, en raison de la croissance démographique, le nombre d'Africaines décédées en couches a même enregistré une hausse, passant de deux cent cinq mille en 1990 à deux cent soixante et un mille en 2005.

La morbidité maternelle (l'ensemble des maladies et des lésions liées à la grossesse ou à l'accouchement) est encore plus élevée que la mortalité maternelle. Pour chaque femme qui meurt en couches, au moins dix autres sont victimes de lésions importantes, comme les fistules ou les déchirures. Chaque année, les avortements sauvages provoquent le décès de soixante-dix mille femmes et entraînent de graves lésions chez cinq millions d'entre elles. Le coût des soins apportés à ces cinq millions de femmes est évalué à 750 millions de dollars par an. Et, lorsqu'une femme meurt en couches, les enfants qui lui survivent ont également plus de risques de mourir jeunes, car ils n'ont plus de mère pour s'occuper d'eux.

Pour être franc, nous hésitons à cumuler davantage de données, car même les chiffres les plus convaincants sont peu mobilisateurs. Un corpus d'études psychologiques toujours plus important montre que les statistiques ont un effet soporifique, alors que les histoires individuelles incitent les gens à agir. Au cours d'une de ces expériences, des sujets divisés en plusieurs groupes étaient invités à donner 5 dollars pour soulager la faim dans le monde. Un des groupes fut informé que l'argent était destiné à Rokia, une Malienne de sept ans. Un autre, qu'il serait consacré à la lutte contre la malnutrition de vingt et un millions d'Africains. Et le troisième, qu'il irait à Rokia, comme précédemment, bien que son cas fût cette fois présentée dans le cadre plus général de la faim dans le monde et étayé de quelques statistiques. Les participants eurent bien plus envie de faire un don à Rokia qu'aux vingt et un millions d'Africains affamés, et le fait même d'évoquer plus largement la question de la faim les rendit moins sensibles à son sort.

Au cours d'une autre expérience, on demanda à des gens de donner 300 000 dollars pour la lutte contre le cancer. Un des groupes fut informé que l'argent servirait à sauver la vie d'un enfant précis, et un autre, qu'il sauverait huit enfants. Les sujets donnèrent deux fois plus d'argent pour un enfant que pour huit. Selon les psychologues, ces résultats montrent que notre conscience et notre système moral sont basés sur des histoires individuelles et qu'ils sont distincts d'autres parties de notre cerveau concernées par la logique et la rationalité. En effet, les sujets à qui l'on demande de résoudre des problèmes mathématiques – et donc de faire appel aux zones cérébrales qui régissent la logique – avant de faire un don se montrent moins généreux envers les nécessiteux.

Aussi aimerions-nous mettre de côté les statistiques pour nous concentrer sur une personne : Simeesh Segaye. Si davantage de gens pouvaient connaître cette chaleureuse paysanne de vingt et un ans à la voix douce, il y a de grandes chances que la « santé maternelle » deviendrait soudain une priorité. Quand nous avons fait sa connaissance, elle gisait dans un lit installé au bout du pavillon principal de l'Hôpital de la fistule d'Addis-Abeba. Ruth Kennedy, la sage-femme de l'établissement, nous a traduit les paroles de Simeesh, qui a expliqué qu'elle était allée au collège jusqu'en quatrième – un niveau scolaire particulièrement impressionnant pour une paysanne éthiopienne. Mariée à dix-neuf ans, elle fut ravie lorsqu'elle tomba enceinte. Toutes ses amies la félicitèrent et prièrent pour qu'un fils lui soit accordé.

Mais, quand les contractions se déclenchèrent, aucun bébé n'apparut. Après deux jours de travail, Simeesh était à peine consciente. Ses voisins la portèrent jusqu'à la route la plus proche, à plusieurs heures de son village, et la mirent dans un bus, quand l'un d'eux finit par se présenter. Il fallut deux jours de trajet supplémentaires pour rejoindre l'hôpital le plus proche. Entre-temps, son bébé était mort.

De retour dans son village, Simeesh commençait à se rétablir lorsqu'elle se rendit compte qu'elle était infirme et qu'elle perdait ses excréments et son urine. Elle était à la fois effondrée et humiliée par l'odeur tenace de ses déjections. Ses parents et son mari économisèrent dix dollars pour la ramener à l'hôpital, en espérant que sa fistule puisse être réparée. Quand le bus public censé l'y conduire se présenta, les passagers froncèrent les narines et se plaignirent avec véhémence : *On ne devrait pas avoir à voyager à côté de quelqu'un qui pue autant ! On a payé notre place – vous ne pouvez pas nous imposer cette puanteur ! Faites-la descendre !*

Le chauffeur rendit à Simeesh ses dix dollars et lui ordonna de quitter le véhicule. Tout espoir de guérison s'évanouit, et le mari de Simeesh finit par l'abandonner. Ses parents restèrent à ses côtés, mais ils lui construisirent une hutte séparée, car même eux ne pouvaient supporter l'odeur. Chaque jour, ils lui apportaient de la nourriture et de l'eau, et tentaient de la rassurer. Simeesh restait dans la hutte – seule, honteuse et impuissante. Selon une

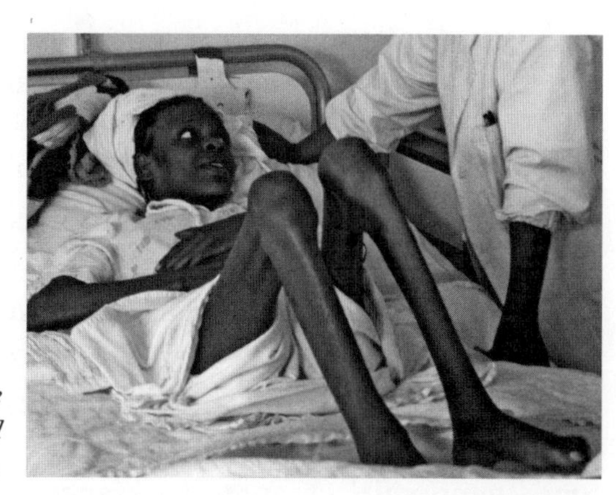

Simeesh Segaye, incapable de tendre les jambes, à l'Hôpital de la fistule d'Addis-Abeba.

étude, 90 % des femmes atteintes de fistule ont songé au suicide. Simeesh envisagea également d'en finir avec la vie. La dépression la submergea. Engourdie et presque catatonique, elle reprit la position fœtale – et ne bougea quasiment plus.

« Je suis restée recroquevillée pendant deux ans », dit-elle. Une ou deux fois par an, ses parents la sortaient de la hutte, mais le reste du temps elle gisait simplement par terre, à l'abri des regards, espérant que la mort vienne la délivrer. Elle s'alimentait à peine, car plus elle mangeait et buvait, plus les déjections s'écoulaient le long de ses jambes. Elle préférait se laisser mourir de faim.

Les parents de Simeesh adoraient leur fille, mais ils ignoraient que les médecins pouvaient les aider, et de toute façon ils n'avaient pas d'argent. Elle ne demandait rien, parlait à peine, gisait juste dans sa hutte en désirant la mort. Mais, après avoir regardé leur fille souffrir pendant deux horribles années, ils vendirent leur bétail – tout leur capital – pour tenter de lui venir en aide. Ils savaient qu'aucun bus n'accepterait de la transporter, si bien qu'ils payèrent 250 dollars pour rejoindre en voiture privée l'hôpital de Yirga Alem, à une journée de route de leur village. Les médecins, qui trouvèrent le cas de Simeesh trop complexe, l'adressèrent à l'Hôpital de la fistule, où on lui apprit qu'elle pouvait être traitée. Rassurée, elle commença à émerger de la dépression. Bien qu'elle n'émît que des murmures furtifs les premiers jours, elle renoua peu à peu le contact avec les gens autour d'elle.

Avant d'essayer de réparer sa fistule, les chirurgiens durent régler d'autres problèmes. Après deux années passées en position fœtale, Simeesh ne pouvait plus tenir sur ses jambes, qui s'étaient atrophiées : elle était incapable de les bouger, encore moins de les tendre, et était trop faible et trop décharnée pour être opérée. Catherine et ses collègues tentèrent de lui redonner des forces en la nourrissant convenablement et lui prescrivirent des séances de kinésithérapie pour lui déplier les jambes. Les médecins constatèrent qu'il lui manquait sept centimètres d'articulation pubienne, la conséquence probable d'une infection. Ils réalisèrent une colostomie temporaire et, après des séances aussi longues que douloureuses de kinésithérapie – auxquelles Simeesh prit de plus en plus goût à mesure qu'elle sortait de sa dépression –, elle put de nouveau se mettre debout.

Elle présenta ensuite des fractures de fatigue aux pieds, qui nécessitèrent des séances de physiothérapie intensive. D'anciennes patientes la massèrent et travaillèrent avec elle, en prenant toujours soin de s'arrêter quand la douleur devenait insupportable. Finalement, après des mois de travail exténuant, Simeesh parvint à tendre les jambes et à se tenir debout. Elle finit même par pouvoir marcher sans aide. Mais, surtout, elle retrouva sa dignité et le goût de vivre. Dès qu'elle eut repris suffisamment de force, les chirurgiens opérèrent sa fistule, et elle se rétablit complètement.

Les femmes comme Simeesh ont été abandonnées par presque tout le monde. Pourtant, pendant des décennies, un médecin américain s'est battu pour attirer l'attention sur la santé maternelle. Même lorsqu'il a perdu du terrain contre une maladie dégénérative mortelle, il a continué, chaque jour, de lutter pour que moins de femmes meurent en couches.

Le médecin qui ne soigne pas les patients, mais les pays

Allan Rosenfield a grandi à Brookline, Massachusetts, dans les années 1930 et 1940. Fils d'un obstétricien reconnu de Boston, il fit ses études de médecine à la faculté de Columbia et travailla quelque temps en Corée du Sud pour l'armée de l'air. Pendant son séjour coréen, il offrit bénévolement ses services à l'hôpital local le week-end – et fut ébranlé par ce qu'il vit en parcourant les services. Les paysannes coréennes souffraient d'effroyables lésions liées aux accouchements, un fait inimaginable aux États-Unis. Allan retourna en Amérique, mais resta hanté par le souvenir de ces femmes stoïques.

Son expérience coréenne l'incita à s'intéresser plus sérieusement aux besoins médicaux des pays pauvres. Plus tard, lorsqu'un poste se libéra à la faculté de médecine de Lagos, il se porta candidat. En 1966, il emmena Clare, qu'il venait d'épouser, dans la capitale nigériane, où ils commencèrent une nouvelle vie ensemble. Allan fut sidéré par ce qu'il vit au Nigeria, notamment par l'absence de planning familial et de soins maternels. Il fut également assailli de doutes.

« J'ai senti que le modèle de soins que nous appliquions n'était pas adapté au Nigeria », se souvient-il. Ce face-à-face avec les réalités de l'Afrique marqua le début d'un intérêt qu'il porta toute sa vie à la santé publique, en cherchant à prévenir les maladies plutôt qu'à soigner simplement les patients lorsqu'ils se présentent. En Occident, la maladie et la mort ont tendance à être considérées comme le domaine exclusif des médecins, alors que les plus grands progrès sanitaires mondiaux sont essentiellement dus à des

Allan Rosenfield à l'École de santé publique Mailman de l'université Columbia, New York.

spécialistes de la santé publique. On pourrait citer pêle-mêle les programmes de vaccination contre la variole, la thérapie par réhydratation orale destinée aux bébés atteints de diarrhée ou les campagnes d'encouragement au port de la ceinture de sécurité et à l'installation d'airbags dans les véhicules. C'est la raison pour laquelle toute tentative sérieuse de réduction de la mortalité maternelle doit être conçue dans une perspective de santé publique – diminuer le nombre de grossesses non désirées et développer les soins prénatals pour limiter les urgences médicales.

Parfois, les approches les plus efficaces n'ont absolument rien de médical. Ainsi, l'un des moyens originaux de réduire le nombre de grossesses est de subventionner les uniformes scolaires des filles. En prolongeant leur scolarité, ils permettent de retarder l'âge du mariage et de la conception jusqu'à ce qu'elles soient plus aptes à accoucher. Une étude sud-africaine montre qu'en offrant aux filles un uniforme à six dollars tous les dix-huit mois on peut augmenter leurs chances de rester à l'école et diminuer significativement le nombre de grossesses. Allan Rosenfield s'efforça d'associer cette approche de santé publique à la médecine pratique – et devint un entrepreneur social du monde de la santé maternelle.

Sa mission au Nigeria ne devait être qu'un intermède – sa propre version du Peace Corps[1]. Mais, confronté à l'étendue des besoins, il se sentit bientôt naître une vocation. Le Population Council, une organisation internationale qui mène des recherches en santé publique, lui proposa un poste en Thaïlande. Les Rosenfield y passèrent six ans. Ils fondèrent une famille, apprirent le thaï et tombèrent littéralement amoureux du pays. Mais la beauté des plages thaïlandaises était à mille lieues des horreurs des services de maternité. D'autant que les stérilets et la pilule n'étaient disponibles que sur ordonnance, ce qui privait 99 % de la population de moyens contraceptifs efficaces. Allan se mit donc à travailler avec le ministère de la Santé sur un projet révolutionnaire : autoriser les sages-femmes agréées à prescrire la pilule. Dans un premier temps, il élabora un questionnaire, afin que les sages-femmes puissent s'entretenir avec les patientes et leur établir une ordonnance, ou, s'il existait des facteurs de risque, les adresser à un médecin. Très vite, le programme fut étendu à trois mille sites à travers le pays, et les sages-femmes finirent même par poser des stérilets. Aujourd'hui, on imagine difficilement à quel point cette approche bousculait les habitudes. Les médecins, qui veillaient jalousement sur leurs prérogatives, considéraient que confier des responsabilités médicales à de simples sages-femmes relevait de l'hérésie.

« C'était une approche tellement différente que j'aurais du mal à la faire approuver aujourd'hui, admet Allan. Mais, comme j'étais seul, j'y suis parvenu. » Sa trajectoire professionnelle était toute tracée : faire avancer la santé publique pour permettre aux femmes d'avoir des bébés en toute sécurité. En 1975, Allan s'installa à New York, où il prit la tête du Centre pour la population et la santé familiale de l'université Columbia. Il développa un réseau mondial de partenaires dans plusieurs pays et, en 1985, cosigna avec sa collègue Deborah Maine un article décisif paru dans *The Lancet*, la revue britannique à la pointe des questions de santé mondiale.

1. Peace Corps, ou Corps de la paix : organisme de développement américain fondé à l'initiative de John F. Kennedy pour promouvoir la paix, l'amitié et la compréhension mutuelle dans le monde. *(N.d.T.)*

Le peu d'attention qu'accordent les professionnels de santé, les stratèges et les politiques à la mortalité maternelle est difficilement compréhensible. Les obstétriciens du monde sont particulièrement négligents à cet égard. Au lieu d'attirer l'attention sur ce problème et de faire pression pour obtenir des programmes et des changements de priorité, la plupart d'entre eux se concentrent sur des sous-spécialités mettant en avant la haute technologie.

L'article suscita un élan mondial en faveur de la santé maternelle au moment même où Allan était nommé doyen de l'École de santé publique Mailman de Columbia. Puis, en 1999, grâce à une subvention de 50 millions de dollars accordée par la fondation Bill & Melinda Gates, il créa une organisation baptisée Prévenir la mortalité et la morbidité maternelle (Averting Maternal Death and Disability, AMDD), destinée à rendre les accouchements plus sûrs dans le monde.

Allan aborda de plus en plus la mortalité maternelle comme une question de droits de l'homme, et non plus seulement de santé publique. Voilà ce qu'il écrit dans un article : « Les solutions techniques destinées à réduire la mortalité maternelle sont insuffisantes. Les femmes devraient avoir le droit élémentaire de mettre un enfant au monde dans la sécurité et en bénéficiant de soins de qualité. Il faut recourir à la "machine" des droits de l'homme – lois, politiques et conventions – pour contraindre les États à respecter les obligations auxquelles ils se sont engagés conformément aux traités. »

Allan était un pionnier lorsqu'il mit le cap pour la première fois sur l'étranger, mais il ne tarda pas à faire des émules. « À mon époque, on ne parlait même pas de santé publique mondiale. J'étais un excentrique. Alors que c'est devenu un domaine qui attire beaucoup de jeunes. » Aujourd'hui, les cours de santé publique sont très demandés dans les facultés de médecine, et les médecins comme Paul Farmer, qui passe plus de temps à gérer des hôpitaux à Haïti et au Rwanda qu'à son bureau de la faculté de médecine de Harvard, sont considérés comme des icônes par les étudiants.

En 2005, la vie d'Allan prit un tour tragique. On lui diagnostiqua une sclérose latérale amyotrophique compliquée d'une myasthénie grave, deux maladies qui affectent les nerfs moteurs. Lui qui avait toujours été sportif et amateur d'activités en plein air était désormais de plus en plus fragile. Il perdit du poids, éprouva des difficultés à marcher et à respirer, avant d'être cloué dans un fauteuil roulant. Il s'inquiétait de devenir un fardeau pour sa famille. Mais il continua à se rendre au travail tous les jours et même à participer à des conférences internationales. En janvier 2008, au banquet de la Coalition internationale pour la santé des femmes, bien qu'il pût à peine bouger, il attira toujours autant l'attention et fut célébré par des admirateurs du monde entier. Il mourut en octobre 2008.

Aujourd'hui, l'AMDD sauve des vies dans cinquante pays pauvres. Le résultat de son action est visible à la clinique de Zinder, dans l'est du Niger, le pays qui affiche le risque de mortalité maternelle sur la durée de vie adulte le plus élevé au monde. Le Niger ne compte au total que dix gynécologues-obstétriciens, et les zones rurales qui bénéficient de la proximité d'un quelconque médecin sont rares. Le personnel de la clinique de Zinder, à la fois étonné et excité de voir deux Américains, se fit un plaisir de nous faire visiter l'établissement – et nous désigna même une femme sur le point d'accoucher, Ramatou Issoufou, allongée sur un brancard, haletante et prise de convulsions. Entre deux halètements, elle se plaignait de perdre la vue.

Le seul médecin de la clinique, le Dr Obende Kayode, était un Nigérian, envoyé à Zinder dans le cadre d'un programme d'aide à l'étranger (si le Nigeria peut se permettre d'envoyer des praticiens chez ses voisins au titre de l'aide à l'étranger, pourquoi pas l'Amérique ?). Le Dr Kayode expliqua qu'il s'agissait probablement d'un cas d'éclampsie, une complication de la grossesse qui tue environ cinquante mille femmes par an dans les pays en voie de développement. Ramatou avait besoin d'une césarienne : une fois le bébé sorti, les convulsions devaient également cesser.

À trente-sept ans, la vie de cette mère de six enfants déclinait dans la salle d'attente du petit hôpital. « Nous sommes en train de contacter son mari, expliqua le Dr Kayode. Lorsqu'il apportera les médicaments et le matériel chirurgical, nous pourrons procéder à l'intervention. »

La clinique de Zinder participait à un programme pilote mis en place au Niger par le Fonds des Nations unies pour la population (UNFPA)[1] et l'AMDD, destiné à lutter contre la mortalité maternelle. Tout le matériel nécessaire à la césarienne était donc gardé dans des sacs en plastique scellés et disponible contre 42 dollars. Il s'agissait déjà d'une grande avancée par rapport à l'approche précédente qui consistait à envoyer les familles chercher des pansements, de la gaze et des scalpels aux quatre coins de la ville, le tout à un prix plus élevé. Mais si le mari de Ramatou n'avait pas 42 dollars ?

Dans ce cas, elle mourrait probablement. « Si la famille nous dit qu'elle n'a pas d'argent, c'est un problème, admit le Dr Kayode. Parfois, on les aide, en espérant être remboursé. Au début, j'ai beaucoup aidé, mais les gens ne me remboursaient pas. » Il haussa les épaules, puis ajouta : « Ça dépend de l'humeur. Si le personnel estime qu'il n'a pas à payer encore une fois, on attend que les choses se passent. Et parfois, la patiente meurt. »

Mais, ce jour-là, personne ne voulait que Ramatou meure sous nos yeux. Les infirmières poussèrent son brancard jusqu'à la salle d'opération et lui nettoyèrent le ventre, tandis qu'une collègue lui faisait une rachianesthésie. Ramatou gisait sur le chariot, apparemment inconsciente, immobile en dehors de sa respiration bruyante et irrégulière. Le Dr Kayode entra, lui incisa rapidement l'abdomen et souleva un gros organe ressemblant un peu à un ballon de basket. Son utérus. Il l'ouvrit délicatement et en sortit un petit garçon, qu'il tendit à l'infirmière. Le bébé ne pleurait pas et, dans un premier temps, ne donna aucun signe de vie. Le Dr Kayode recousit l'utérus de Ramatou – qui semblait dans le coma –, puis le replaça dans son abdomen avant de suturer la peau. Vingt minutes plus tard, Ramatou reprenait connaissance, pâle et épuisée, mais exempte de convulsions et respirant normalement.

1. Les Nations unies sont si lamentables en relations publiques qu'elles ne sont même pas capables de faire correspondre leurs sigles à leurs organisations. Cette agence s'appelait à l'origine le Fonds des Nations unies pour les activités en matière de population (UN Fund for Population Activities), mais conserva son sigle d'origine, UNFPA, lorsqu'elle fut rebaptisée Fonds des Nations unies pour la population. (*N.d.A.*)

« Ça va », parvint-elle à dire avant que l'infirmière ne lui apporte son bébé – qui braillait et gigotait, parfaitement vivant. Le visage de Ramatou s'illumina et elle tendit les mains pour prendre son enfant. C'était un vrai miracle, qui montrait ce qui serait possible si la mortalité maternelle devenait une priorité. Un seul médecin et quelques infirmières dans une salle d'opération médiocrement équipée au beau milieu du désert nigérien avaient ramené une femme à la vie et sauvé son bébé. Grâce à l'héritage d'Allan Rosenfield, deux vies supplémentaires venaient d'être épargnées.

CHAPITRE 7

Pourquoi les femmes meurent-elles en couches ?

Le monde resterait-il les bras croisés si c'étaient les hommes qui mouraient en assurant simplement leurs fonctions reproductives ?

Asha-Rose Migiro,
vice-secrétaire générale de l'ONU, 2007

Si l'on veut sauver des mères, il faut commencer par comprendre l'origine de la mortalité maternelle. La cause immédiate du décès peut être une éclampsie, une hémorragie, la malaria, les complications d'un avortement, un accouchement impossible par les voies naturelles ou une septicémie. Mais derrière ces raisons médicales se profilent des explications sociologiques et biologiques. Examinons par exemple l'enchaînement tragique qui coûta la vie à Prudence Lemokouno.

Nous sommes tombés sur Prudence au petit hôpital de Yokadouma, dans le sud-est du Cameroun, une région sauvage où (d'après des recherches génétiques) le sida aurait pour la première fois été transmis à l'homme dans les années 1920. À vingt-quatre ans, cette mère de trois enfants portait une vieille robe à carreaux rouges qui laissait apparaître un ventre énorme. Un drap recouvrait la moitié inférieure de son corps. Elle souffrait énormément et agrippait de temps en temps le rebord du lit où elle gisait, sans pour autant crier.

Prudence, qui vivait avec sa famille dans un village situé à cent vingt kilomètres, n'avait bénéficié d'aucun soin prénatal. Elle eut ses premières contractions à terme et dut se contenter des ser-

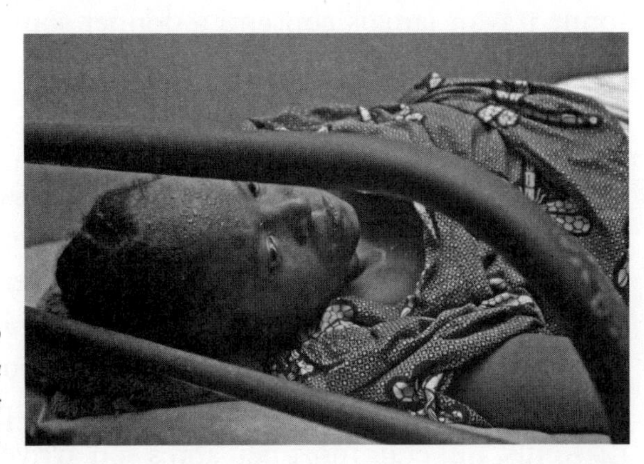

Prudence Lemokouno sur son lit d'hôpital au Cameroun, privée de soins par le personnel médical.

vices d'une accoucheuse dépourvue de formation. Mais le col de Prudence était fermé, et le bébé ne pouvait pas sortir. Après trois jours de travail, la matrone s'assit sur Prudence et se mit à faire des bonds sur son ventre. Elle lui déchira l'utérus. La famille paya quelqu'un pour conduire Prudence à l'hôpital à motocyclette. Le chirurgien, Pascal Pipi, comprit qu'il lui fallait d'urgence une césarienne. Mais il réclama 100 dollars pour l'intervention. L'époux et les parents de Prudence lui rétorquèrent qu'ils ne pouvaient rassembler que 20 dollars. Le Dr Pipi était convaincu qu'ils mentaient et qu'ils avaient les moyens de payer plus. Peut-être avait-il raison, car un des cousins de Prudence possédait un téléphone portable. Si Prudence avait été un homme, la famille aurait probablement vendu suffisamment de biens pour réunir la somme demandée.

Le Dr Pipi était petit, bien bâti et portait des lunettes. Sérieux et intelligent, il parlait un français superbe – et vouait aux paysans du coin un mépris empreint de ressentiment. Il s'appliquait dans son travail et se montra très agréable envers nous, mais critiquait violemment les villageois comme Prudence qui ne prenaient pas suffisamment soin d'eux et ne consultaient les médecins que lorsqu'il était trop tard.

« Même les femmes qui vivent en ville, juste à côté de l'hôpital, mettent leurs enfants au monde chez elles », expliqua-t-il. Au total, il estimait qu'environ 5 % des femmes de la région accouchaient à l'hôpital. Ils manquaient constamment de fournitures, se plaignait-il, et, dans l'histoire de l'établissement, personne n'avait jamais consenti à donner son sang volontairement. Le Dr Pipi semblait amer – en colère contre les femmes, mais également contre lui-même, coincé dans cette province reculée. Il était parfaitement insensible à leurs besoins.

Après avoir découvert la clinique par hasard, nous nous étions arrêtés pour nous renseigner sur la santé maternelle dans la région. Le Dr Pipi nous fit un état des lieux intelligent, puis nous sommes tombés sur Prudence, qui occupait une chambre inutilisée de l'hôpital. Elle n'avait bénéficié d'aucun soin depuis trois jours selon sa famille – seulement deux jours, s'indigna plus tard le Dr Pipi. Le fœtus, qui était mort peu après son arrivée, avait commencé à pourrir et l'empoisonnait lentement.

« S'ils étaient intervenus immédiatement, mon bébé serait encore en vie », expliqua avec colère Alain Awona, l'époux de Prudence, qui faisait les cent pas à côté de sa femme. À vingt-huit ans, cet enseignant de l'école public était suffisamment instruit pour s'indigner ouvertement du sort réservé à sa femme. « Sauvez ma femme ! suppliait-il. Mon bébé est mort. Mais sauvez ma femme ! »

Les protestations d'Alain exaspéraient le Dr Pipi et son équipe, embarrassés qu'une femme puisse mourir sous les yeux d'étrangers. Ils affirmèrent qu'il s'agissait d'un problème de pénurie de matériel, aggravé par le comportement des villageois sans instruction qui refusaient de payer les soins médicaux.

« La plupart du temps, les familles des patients traités aux urgences ne paient pas », expliqua avec mépris Émilienne Mouassa, l'infirmière en chef, qui semblait avoir de l'antigel dans les veines. « Ils partent tout simplement sans payer. »

Le Dr Pipi déclara que, sans intervention, Prudence n'avait que quelques heures à vivre, mais qu'il pouvait l'opérer si on lui donnait les 80 dollars manquants. Nous avons accepté sur-le-champ de lui fournir la somme. Il précisa ensuite que Prudence était probablement anémiée et qu'il lui fallait une transfusion sanguine pour pouvoir pratiquer la césarienne. Une infirmière consulta le dossier de Prudence et revint nous informer qu'elle était du groupe A +.

Nick et Naka Nathaniel, le vidéaste du *New York Times*, échangèrent un regard. « Je suis A +, murmura Nick à Naka.

– Et moi O +, donneur universel», murmura Naka en retour.

Ils se tournèrent vers le Dr Pipi.

« Et si on donnait notre sang ? proposa Nick. Je suis A + et Naka O +. Vous pourriez le lui transfuser ? »

Le Dr Pipi accepta d'un haussement d'épaule.

Nick et Naka donnèrent de l'argent à une infirmière qui alla en ville acheter des aiguilles jetables censées être neuves. Puis le laborantin leur fit à chacun un prélèvement.

Prudence ne semblait pas pleinement consciente de ce qui se passait, mais sa mère pleurait de joie. La famille, qui s'était préparée à voir la jeune femme mourir, pensa soudain qu'elle pouvait être sauvée. Alain nous demanda instamment de rester sur place jusqu'à la fin de l'intervention. « Si vous vous en allez, nous prévint-il sans détours, Prudence mourra. »

Émilienne et d'autres infirmières s'étaient de nouveau disputées avec la famille en tentant de leur soutirer une fois de plus de l'argent, mais nous étions intervenus en payant la somme demandée. Les poches sanguines furent accrochées à un goutte-à-goutte, et le sang de Nick et de Naka se mit à circuler dans les veines de Prudence. Elle reprit immédiatement des forces et, d'une voix faible, nous remercia. On nous annonça que tout était prêt pour l'intervention de Prudence, mais plusieurs heures s'écoulèrent sans que rien ne se passe. À 22 heures, Nick demanda à l'infirmière de garde où se trouvait le Dr Pipi.

« Le docteur ? Il a filé en douce. Il est rentré chez lui. Il opérera demain. Probablement. » Le Dr Pipi et les infirmières, qui considéraient qu'Alain et la famille de Prudence s'étaient montrés arrogants, semblaient avoir décidé de leur donner une leçon.

« Mais demain il sera trop tard ! protesta Nick. Prudence sera morte. Le docteur en personne a dit qu'elle n'en avait peut-être plus que pour quelques heures. »

L'infirmière haussa les épaules. « C'est à Dieu d'en décider, pas à nous, répondit-elle. Si elle meurt, ce sera la volonté de Dieu. » Nous avons failli l'étrangler.

« Où habite le Dr Pipi ? demanda Nick. Nous allons chez lui sur-le-champ. » L'infirmière refusa de nous le dire. Alain observait la scène, sidéré et abasourdi.

« Vous devez bien savoir où vit le docteur. Et s'il arrivait quelque chose dans la nuit ? »

C'est à ce moment-là que notre interprète camerounais nous entraîna à l'écart. « Écoutez, je suis sûr qu'on pourrait trouver où habite le Dr Pipi, nous dit-il. Mais, si on va chez lui et qu'on essaie de le ramener de force ici, il sera furieux. Il fera peut-être l'opération, mais un geste malencontreux est vite arrivé, on ne sait jamais avec les scalpels... Ce ne serait pas bon pour Prudence. Le seul espoir est d'attendre demain matin pour voir si elle est toujours vivante. » Préférant renoncer, nous sommes retournés à notre pension de famille.

« Merci, dit Alain. Vous avez essayé. Vous avez fait de votre mieux. Nous vous remercions. » Mais il était atterré – notamment parce qu'il savait que le personnel de l'hôpital cherchait à le contrarier. La mère de prudence était trop furieuse pour pouvoir parler : ses yeux brillaient de larmes de frustration.

Le lendemain, le Dr Pipi finit par opérer Prudence, mais au moins trois jours s'étaient écoulés depuis son arrivée à l'hôpital, et son abdomen était gravement infecté. Il dut lui retirer vingt centimètres d'intestin grêle, sans pouvoir lui donner d'antibiotiques suffisamment puissants pour combattre l'infection.

Les heures passèrent. Prudence demeura inconsciente, et tout le monde comprit progressivement qu'il ne s'agissait pas simplement de l'anesthésie : elle était dans le coma. Son ventre n'arrêtait pas de gonfler, et les infirmières s'occupaient peu d'elle. Quand la poche d'urine reliée à sa sonde déborda, personne ne se donna la peine de la changer. Elle vomissait légèrement, mais c'était sa mère qui la nettoyait.

Au fil des heures, l'atmosphère ne cessa de s'assombrir dans la chambre. Le Dr Pipi se contentait de critiquer la famille de la jeune femme, en particulier Alain. Le ventre de Prudence était incroyablement dilaté et elle crachait du sang. Puis elle se mit à respirer péniblement, émettant des râles terrifiants. Finalement, ses proches décidèrent de la ramener au village avant qu'il ne soit trop tard. Ils louèrent une voiture et s'en retournèrent chez eux, sombres et amers. Prudence mourut trois jours après l'opération.

Voilà ce qui se passe dans le monde toutes les minutes.

La mort de Prudence n'est pas seulement due à la déchirure de son utérus. Quatre autres éléments importants y ont contribué.

• *La biologie*. Une des causes de la mortalité maternelle est anatomique et résulte de deux compromis évolutifs fondamentaux. La première est la taille du bassin des femmes. Quand nos lointains ancêtres se redressèrent, un bassin trop large rendit la marche et la course peu commodes et épuisantes. En revanche, un bassin étroit facilite la course rapide, mais complique considérablement l'accouchement. Grâce à l'adaptation évolutive, les femmes ont généralement un bassin de taille moyenne qui leur permet de se mouvoir à une vitesse modérément rapide, mais également de survivre aux accouchements – le plus souvent.

La seconde est la taille de la tête. À partir de Cro-Magnon, la taille du crâne de l'être humain augmenta pour pouvoir loger un cerveau plus complexe. Si un cerveau plus grand offre un avantage évolutif à l'enfant qui vient au monde, il accroît également le risque d'obstruction.

Les humains sont les seuls mammifères qui ont besoin d'aide pour accoucher. C'est ce qui pousse certains psychologues et biologistes évolutionnistes à avancer que le premier « métier » de l'époque préhistorique était peut-être celui de sage-femme. Le risque couru par la mère varie selon son anatomie, les bassins humains étant classés selon des formes qui reflètent des compromis évolutifs différents : gynoïde, androïde, anthropoïde et platypelloïde. Les spécialistes ne sont pas tous d'accord sur l'importance de ces distinctions pelviennes qui, selon le *Journal of Reproductive Medicine*, refléteraient autant les facteurs environnementaux de l'enfance que la génétique.

Quoi qu'il en soit, le bassin gynoïde, très adapté au processus de l'accouchement, est le plus courant chez les femmes. Il est rare chez les coureuses de haut niveau, mais particulièrement commun chez les femmes de type caucasien. En revanche, le bassin anthropoïde, de forme allongée, favorise la course rapide mais permet plus difficilement d'accoucher par les voies naturelles. Bien que les données sur les types de bassin soient médiocres, il semble que l'anthropoïde soit nettement majoritaire chez les Africaines.

Certains experts en santé maternelle estiment qu'il s'agit d'une des raisons pour lesquelles les taux de mortalité maternelle sont si élevés en Afrique.

• *Le manque d'instruction.* Si les villageois avaient bénéficié d'une meilleure instruction, les chances de survie de Prudence auraient été accrues, et ce pour plusieurs raisons. L'instruction entraîne généralement un désir de famille plus réduite et un recours plus fréquent à la contraception et aux soins en hôpitaux. Si Prudence avait été scolarisée plus longtemps, elle aurait eu moins de risques de tomber enceinte. Et si elle était tombée enceinte, elle aurait eu plus de chances d'accoucher à l'hôpital. De même, si l'accoucheuse avait été mieux formée, elle aurait adressé sa patiente à un médecin – et ne se serait certainement pas assise sur son ventre.

L'instruction et la planification des naissances tendent également à permettre aux familles de mieux gagner leur vie et d'épargner. Les soins de santé deviennent ainsi plus accessibles, y compris ceux consacrés aux mères. Si la famille de Prudence avait été instruite, elle aurait plus facilement eu les moyens de consacrer 100 dollars à son opération et aurait probablement considéré davantage cette dépense comme une sage nécessité. Selon la Banque mondiale, chaque année de scolarité supplémentaire accordée à mille filles permettrait d'éviter le décès de deux femmes en couches. Comme nous le verrons, ce genre d'études a tendance à surestimer le pouvoir de l'instruction, dont l'impact reste cependant évident, même si son ampleur est parfois exagérée.

• *Le manque de systèmes de santé ruraux.* Si le Cameroun avait eu un meilleur système de santé, l'hôpital aurait opéré Prudence dès son arrivée. Il aurait disposé de puissants antibiotiques pour combattre son infection. Il aurait formé des sages-femmes à la campagne, qui auraient été équipées de téléphones portables pour pouvoir appeler une ambulance. L'un de ces facteurs aurait pu sauver Prudence.

Un des obstacles à la mise en place d'un système de santé demeure la pénurie de médecins dans les campagnes africaines. Le

Dr Pipi était inconciliable, mais c'était également un bosseur, qui croulait littéralement sous la tâche – et le Cameroun ne compte pas suffisamment de médecins pour envisager d'en affecter un second à l'hôpital de Yokadouma. Les médecins et les infirmières de l'Afrique rurale sont tellement accablés par les heures de travail interminables, le manque de matériel et les conditions difficiles (y compris les risques pour leur propre santé) qu'ils aspirent à retourner en ville – quand ils n'émigrent pas en Europe ou en Amérique, ce qui revient en quelque sorte à apporter une aide étrangère à l'Occident et à priver les femmes comme Prudence de praticiens susceptibles de l'opérer.

Le manque de médecins – du moins, de médecins disposés à exercer dans les zones rurales – est un des obstacles à l'investissement massif dans la santé maternelle en Afrique. Il est bien plus facile de construire une salle d'opération dans une zone rurale que de la pourvoir en personnel. Une des réponses pragmatiques à ce problème est de lancer des programmes de formation beaucoup plus vastes en Afrique, mais limités à deux ou trois années, pour éviter que les nouveaux diplômés puissent exercer à l'étranger. L'Afrique gagnerait à former moins de médecins si, en échange, davantage de professionnels de santé étaient obligés de rester dans leur pays. L'objectif de la formation médicale n'est pas d'alimenter l'émigration, mais de répondre aux besoins sur place.

L'absentéisme des médecins et des infirmières est le second problème chronique, en particulier dans les cliniques rurales. Selon une étude approfondie de six pays d'Afrique, d'Asie et d'Amérique latine, le taux d'absence des médecins y est en moyenne de 39 %. Les gouvernements occidentaux donateurs et les agences de l'ONU devraient tenter de soutenir la mise en place d'un système de contrôle basé sur des inspections aléatoires, en plus de construire des cliniques. Des retenues seraient effectuées sur les salaires des professionnels absents sans raison valable, ce qui pourrait être un moyen économique de rendre les cliniques existantes plus efficaces et plus fonctionnelles.

• *Le manque de considération pour les femmes.* Dans une grande partie du monde, les femmes meurent parce qu'elles ne comptent pas. Il existe un lien étroit entre les pays où les femmes sont marginalisées et la mortalité maternelle. En effet, aux États-Unis, la mortalité maternelle est demeurée très importante tout au long du XIXe siècle et au début du XXe siècle, alors même que le revenu s'élevait et que l'accès à la médecine progressait. Pendant la Première Guerre mondiale, plus d'Américaines moururent en couches que de soldats américains au combat. Mais, des années 1920 aux années 1940, les taux de mortalité maternelle chutèrent – la même société qui accordait aux femmes le droit de vote trouva apparemment la volonté politique d'investir dans la santé maternelle. Le droit de vote, qui donna soudain plus d'importance à la vie des femmes, améliora de manière considérable et inattendue leur santé.

Malheureusement, la santé maternelle est constamment réduite à une « question de femmes ». C'est un sujet qui ne préoccupe pas les grandes instances internationales et qui ne bénéficie pas de ressources suffisantes. « La mortalité maternelle dans les pays en voie de développement est souvent le résultat tragique de la négation répétée des droits de la femme », notait la revue *Clinical Obstetrics and Gynecology*. « Les femmes ne meurent pas de maladies incurables. Elles meurent parce que les sociétés doivent encore décider que leurs vies valent la peine d'être sauvées. »

Peut-être serait-il aussi plus facile que les femmes n'aient pas de règles et que les accouchements se fassent par cigognes interposées. Comme le faisait remarquer *The Lancet* :

> Le peu d'attention accordée aux questions féminines… reflète un certain préjugé inconscient valable à tous les niveaux, de la communauté aux décideurs des hautes sphères… Que nous le voulions ou nous, la santé maternelle est liée au sexe et à la sexualité ; elle est sanglante et salissante ; et je crois qu'elle inspire à beaucoup d'hommes (pas tous, bien entendu) une antipathie viscérale.

Dans la plupart des sociétés, des arguments mythologiques ou théologiques ont été avancés pour expliquer que les femmes *devaient* accoucher dans la douleur, barrant ainsi la voie à toute tentative de progrès dans ce domaine. Quand l'anesthésie commença à se développer, elle fut très souvent refusée aux femmes, puisqu'elles étaient « censées » souffrir. La tribu mexicaine des Huichol était une des rares sociétés à penser autrement. Ses membres estimaient que la douleur de l'enfantement devait être partagée, si bien que la mère se cramponnait à une corde reliée aux testicules de son mari et tirait d'un coup sec à chaque contraction douloureuse. Si cette tradition avait été plus répandue, les complications obstétricales attireraient certainement davantage l'attention.

Certes, la pauvreté est également un facteur important. Mais les taux de mortalité maternelle élevés ne sont pas une fatalité dans les pays pauvres. Le Sri Lanka en est la parfaite illustration. Depuis 1935, le nombre de décès maternels y est réduit de moitié tous les six ou douze ans. Au cours de ces cinquante dernières années, le rapport de mortalité maternelle est passé de cinq cent cinquante à cinquante-huit décès pour cent mille naissances vivantes. Les Sri Lankaises ont désormais un risque sur huit cent cinquante de mourir en couches au cours de leur vie.

C'est un résultat stupéfiant, surtout lorsqu'on sait que le Sri Lanka est déchiré par une guerre intermittente depuis plusieurs décennies et qu'il se classe à la cent dix-septième place mondiale du revenu par habitant. Ce n'est pas simplement une question d'argent, car le pays consacre 3 % de son PNB aux dépenses de santé, ce qui est peu, comparé aux 5 % consacrés par son voisin indien – où une femme a huit fois plus de risques de mourir en couches. C'est davantage une question de volonté politique : sauver les mères est une priorité au Sri Lanka, non en Inde.

Plus généralement, le Sri Lanka investit volontiers dans l'éducation et la santé, et porte une attention particulière à l'égalité des sexes. Environ 89 % des Sri Lankaises savent lire et écrire, contre 43 % en Asie du Sud. L'espérance de vie au Sri Lanka est bien plus élevée que dans les pays voisins. Et, depuis 1900, un excellent service d'état civil permet d'enregistrer les décès maternels et de collecter des données fiables, contrairement à d'autres États qui ne peuvent fournir que de vagues estimations. En investissant dans l'éducation des filles, le Sri Lanka leur a accordé davantage de valeur économique et d'influence dans la société. Il semble que ce soit une des raisons pour lesquelles davantage d'énergie ait été consacrée à la réduction de la mortalité maternelle.

Dès les années 1930, le Sri Lanka commença à bâtir un système de santé public national, composé de postes de santé rudimentaires à la base, d'hôpitaux ruraux pour un tiers, d'établissements de district offrant des services plus sophistiqués, et enfin d'hôpitaux de province et de centres de maternité spécialisés. Pour être certain que les femmes puissent se rendre à l'hôpital, le pays fournit des ambulances.

Le Sri Lanka mit également en place un important réseau de sages-femmes formées, qui couvre tout le pays, chaque professionnelle ayant la charge d'une population de trois à cinq mille habitants. Les sages-femmes, qui bénéficient d'une formation de dix-huit mois, assurent les soins prénatals et adressent les cas risqués aux médecins. Aujourd'hui, 97 % des naissances sont assurées par un praticien compétent, et il est d'usage, y compris chez les villageoises, d'accoucher à l'hôpital. Au fil du temps, le gouvernement embaucha de nouveaux obstétriciens pour ses établissements et utilisa ses données pour savoir où les Sri Lankaises étaient le plus désavantagées – comme sur les plantations de thé – et ouvrir des cliniques ciblant ces populations. Une campagne contre la malaria réduisit également les décès, les femmes enceintes étant particulièrement vulnérables à cette maladie.

Le Sri Lanka montre la voie à suivre pour réduire la mortalité maternelle. La planification des naissances et le recul de l'âge du mariage sont utiles, tout comme les moustiquaires. Un système de santé efficace est également essentiel dans les zones rurales.

« La mortalité maternelle est le reflet très fidèle de l'ensemble d'un système de santé, car elle exige un grand nombre de mesures, explique Paul Farmer, le spécialiste de la santé publique de Harvard. Il faut un planning familial, des hôpitaux de district pour pratiquer les césariennes, etc. »

D'autres innovations sont également possibles. Une étude réalisée au Népal a montré que donner de la vitamine A aux femmes enceintes réduisait la mortalité maternelle de 40 % (il semble qu'elle permette de limiter le nombre d'infections chez les sujets mal nourris). Selon des sources non confirmées, au Bangladesh et dans d'autres pays, réglementer moins strictement l'accès aux antibiotiques et encourager les femmes à en prendre en post-partum diminue le nombre de décès par septicémie.

Une des expériences les plus intéressantes est en cours en Inde, où, dans le cadre d'un programme pilote mené dans certaines régions, les femmes indigentes reçoivent 15 dollars pour accoucher dans des centres médicaux. Les personnels de santé des zones rurales perçoivent également une prime de 5 dollars chaque fois qu'ils parviennent à convaincre une future mère de mettre au monde son enfant dans leur établissement, qu'elle peut rejoindre grâce à un bon. Les premiers résultats sont très impressionnants. Le pourcentage d'accouchements dans les centres médicaux est passé de 15 % à 60 %, et la mortalité a chuté. Par la suite, les femmes ont également plus de chances de revenir au centre médical pour bénéficier de moyens contraceptifs ou d'autres services.

« Nous avons ce qu'il faut, disait Allan Rosenfield. Les pays qui se sont penchés sur le problème ont véritablement changé la donne en matière de mortalité maternelle. » La Banque mondiale a résumé ces expériences dans un rapport de 2003 : « La mortalité maternelle peut être réduite de moitié tous les sept ou dix ans dans les pays en voie de développement... indépendamment du niveau de revenu et du taux de croissance. »

Parce que les progrès en termes de mortalité maternelle sont possibles, on a souvent considéré qu'ils étaient quasiment garantis. En 1987, grâce notamment à l'article d'Allan Rosenfield du *Lancet*, les participants d'une conférence organisée à Nairobi lancèrent l'Initiative pour la maternité sans danger, dont l'objectif était de « réduire la mortalité maternelle de 50 % d'ici à l'an 2000 ». Puis, en 2000, dans le cadre des Objectifs du millénaire pour le développement, l'ONU adopta formellement la proposition de réduire la mortalité maternelle de 75 % d'ici à 2015. La première cible ne fut pas atteinte, et la seconde sera largement manquée.

Avec le recul, il faut admettre que les défenseurs de la santé maternelle commirent quelques erreurs stratégiques. Le camp dominant – soutenu par l'Organisation mondiale de la santé – affirmait que la solution résidait dans l'amélioration des soins médicaux de base. L'idée était de créer des programmes à l'image des « médecins aux pieds nus » chinois ou du réseau de sages-femmes sri lankaises – une mesure beaucoup moins onéreuse que la formation de médecins (qui, de toute façon, n'exerceraient que dans les villes). En 1978, après qu'une conférence de l'OMS eut mis l'accent sur le financement d'accoucheuses rurales, certains pays allèrent jusqu'à démanteler des programmes obstétricaux hospitaliers.

Former les accoucheuses contribua probablement à sauver des nouveau-nés – dont le cordon était désormais coupé avec des lames de rasoir stériles – mais eut peu d'impact sur la survie des mères. Au Sri Lanka, la formation des sages-femmes fut un succès parce que ces dernières faisaient partie d'un système de santé global et pouvaient adresser des patientes à l'hôpital, alors que dans la plupart des pays il ne s'agissait que d'un moyen bon marché de compenser l'absence de programme général.

Un des camps minoritaires, mené notamment par Allan Rosenfield, soutenait qu'il était crucial d'assurer des services d'urgences obstétricales si l'on voulait sauver les femmes enceintes. Former des accoucheuses est utile, avançait Allan, mais insuffisant. Environ 10 % des femmes enceintes ont besoin d'une césarienne dans le monde. Dans les pays les plus pauvres, compte tenu du risque plus élevé de malnutrition et de la jeunesse des mères, ce pourcentage est encore plus élevé. S'il est probable que les césariennes sont trop nombreuses en Occident, en revanche, en Afrique, elles sont trop rares. Or la césarienne, que la plupart des accoucheuses ne peuvent pratiquer, est tout simplement le seul moyen de sauver de nombreuses femmes. Si un gynécologue-obstétricien n'est pas forcément indispensable pour réaliser ce type d'intervention, une simple accoucheuse équipée d'une lame de rasoir ne fait pas l'affaire non plus.

Le caractère essentiel de l'obstétrique d'urgence fut souligné par une étude consacrée à une Église chrétienne fondamentaliste de l'Indiana, dont les membres – des Américains aisés, cultivés et bien nourris – évitaient les médecins et les hôpitaux pour des

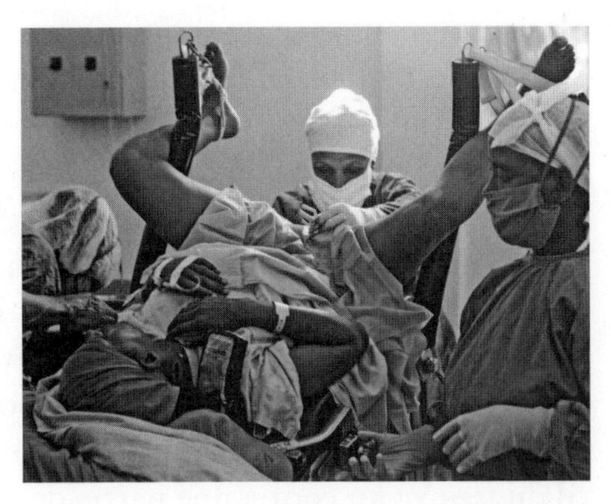

Mamitu Gashe, opérée elle-même d'une fistule obstétricale, pratique désormais régulièrement des interventions chirurgicales, bien qu'elle ne soit jamais allée à l'école – ce qui rappelle que des non-médecins peuvent effectuer des tâches que nous considérons du domaine exclusif des médecins. Sur cette photo, Mamitu répare une fistule à l'Hôpital de la fistule d'Addis-Abeba.

raisons spirituelles. Le rapport de mortalité maternelle du groupe était de huit cent soixante-douze pour cent mille naissances vivantes, c'est-à-dire soixante-dix fois plus que le taux moyen de l'ensemble des États-Unis et presque deux fois plus que celui de l'Inde aujourd'hui. Il est donc difficile de ne pas conclure que l'élément crucial de la lutte contre la mortalité maternelle est l'accès à des médecins en cas d'urgence. Comme le nota dans un de ses éditoriaux l'*International Journal of Gynecology & Obstetrics*, les soins obstétricaux d'urgence sont la « clé d'une maternité sans danger ».

Concrètement, le défi consiste à offrir des services d'urgences obstétricales, bien que ce ne soit ni simple ni bon marché. Il faut une salle d'opération, des anesthésiants et un chirurgien – autant d'éléments que l'Afrique rurale ne possède que rarement. Tout en cherchant une solution, Allan Rosenfield songea à son expérience en Thaïlande, à l'époque où il formait les sages-femmes à accomplir des gestes généralement réservés aux chirurgiens. Compte tenu notamment de l'importante émigration des médecins, pourquoi ne pas former des non-médecins à réaliser des césariennes d'urgence ?

L'Hôpital de la fistule d'Addis-Abeba a souvent recours à du personnel soignant dépourvu de diplômes formels. Comme souvent dans les pays pauvres, les anesthésiants ne sont pas administrés par des médecins mais par des infirmières. L'une d'entre elles est d'ailleurs entrée à l'hôpital comme gardienne. Encore plus surprenant, une de ses plus grandes chirurgiennes, Mamitu Gashe, n'est jamais allée à l'école, sans même parler de la faculté de médecine. Mamitu, qui ne savait ni lire ni écrire quand elle était enfant, grandit dans un village reculé de l'Éthiopie et souffrit d'une fistule dès sa première grossesse. Elle se rendit à l'Hôpital de la fistule d'Addis-Abeba pour se faire opérer, puis proposa son aide pour faire les lits et assister Reg Hamlin pendant les interventions. Elle se tenait à côté de lui et lui tendait le scalpel, tout en observant ses gestes de près. Au bout de deux ans, il la laissa effectuer des tâches simples, comme les points de suture, puis, au fil du temps, lui confia une partie de plus en plus importante des opérations.

Mamitu avait des doigts agiles et d'excellentes compétences techniques et, bien que ses connaissances en biologie fussent limitées, elle acquit une expérience toujours plus grande en réparation des lésions internes. Au bout du compte, elle finit par opérer elle-même des fistules. L'hôpital d'Addis-Abeba traite davantage de fistules que tout autre établissement au monde, et Mamitu était au cœur du tourbillon. Elle se mit ensuite à gérer des programmes de formation, si bien que, lorsque l'élite médicale venait passer quelques mois à Addis-Abeba pour apprendre à opérer des fistules, leur professeur était souvent une femme illettrée qui n'avait jamais mis les pieds à l'école. Mais Mamitu, qui finit par se lasser d'être une pro du scalpel incapable de lire, s'inscrivit à des cours du soir. La dernière fois que nous lui avons rendu visite, elle était en troisième année.

« On peut former des sages-femmes ou des surveillantes à pratiquer des césariennes, et elles sauveront des vies », note Ruth Kennedy. En effet, certaines expériences ont été menées au Mozambique, en Tanzanie et au Malawi, où des non-médecins ont été formés à réaliser des césariennes. Cette approche permettrait de sauver de nombreuses vies. Mais les médecins sont tellement peu disposés à renoncer au contrôle exclusif de ces interventions qu'elle peine à se généraliser.

L'autre obstacle est l'absence d'enjeux électoraux autour de la santé maternelle. Au cours de l'élection présidentielle américaine de 2008, les candidats tentèrent de prouver leur bonne volonté en matière d'aide à l'étranger en appelant à accroître les dépenses en faveur de la lutte contre le sida et la malaria. En revanche, la santé maternelle ne fut mentionnée nulle part, et les États-Unis, comme la plupart des autres pays, y consacrèrent des sommes négligeables. La Norvège et la Grande-Bretagne, qui en 2007 lancèrent un vaste programme d'aide étrangère destiné à lutter contre la mortalité maternelle, sont de rares exceptions. Les États-Unis pourraient faire un bien considérable – et renforcer leur image internationale – s'ils se joignaient aux efforts des Britanniques et des Norvégiens.

Lorsqu'on milite pour une campagne mondiale en faveur de la santé maternelle, il est crucial de rester réaliste. En particulier, il faudrait éviter de répéter qu'investir dans la santé maternelle est très économique. En 2007, à l'occasion d'une conférence consacrée à la santé maternelle à Londres, un haut responsable de la Banque mondiale déclara avec un enthousiasme caractéristique : « Investir dans la santé des femmes et des enfants est tout simplement un moyen intelligent de réaliser des économies. » Bien que ce soit certainement vrai de l'éducation des filles, la triste réalité, c'est que les investissements en matière de santé maternelle sont très probablement supérieurs à ceux d'autres domaines sanitaires. Sauver des femmes est un impératif qui a un prix.

Une étude laissa entendre que l'objectif du millénaire pour le développement, qui prévoyait de réduire le nombre de décès de 75 %, pouvait être atteint à condition de dépenser des sommes croissantes, allant de un milliard de dollars supplémentaires en 2006 à 6 milliards de dollars supplémentaires en 2015. Une autre suggérait qu'il faudrait 9 milliards de dollars de plus par an pour couvrir les besoins de santé de 95 % des mères et des nouveau-nés de la planète. (Un montant colossal comparé aux 530 millions de dollars d'aide internationale au développement consacrés à la santé maternelle et néonatale en 2004 par l'ensemble des pays.)

Supposons que l'estimation de 9 milliards de dollars par an soit exacte. Bien que ce soit dérisoire à côté des 40 milliards de dollars dépensés chaque année dans le monde en nourriture pour animaux domestiques, cela reste une somme importante. Si ces 9 milliards parvenaient à sauver les trois quarts des mères qui meurent aujourd'hui, quatre cent deux mille femmes seraient sauvées tous les ans, sans compter les nombreux nouveau-nés (et de nombreuses complications liées aux grossesses ou aux accouchements seraient également évitées). Le coût de chaque vie épargnée dépasserait les 22 000 dollars. Même si cette estimation s'avérait cinq fois trop élevée, elle serait encore de 4 000 dollars. Alors qu'un vaccin à 1 dollar peut suffire pour sauver un enfant. Comme le dit si bien un responsable du secteur du développement : « Les vaccins sont bon marché. Pas la santé maternelle. »

Restons donc réalistes. La mortalité maternelle est une injustice qui n'est tolérée que parce que ses victimes sont des femmes pauvres des campagnes. Le meilleur argument pour y mettre un terme reste cependant éthique, plutôt qu'économique. Ce qui était effroyable dans la mort de Prudence, ce n'était pas que l'hôpital gère ses ressources médiocrement, mais qu'il néglige un être humain qui lui était confié. Comme le dit Allan Rosenfield, il s'agit avant tout d'une question de droits de l'homme. Et il est grand temps que les organisations des droits de l'homme s'en saisissent.

Un exemple des mesures que nous venons d'évoquer – y compris les urgences obstétricales destinées à sauver des vies dans un environnement difficile – est visible dans un merveilleux hôpital d'un pays lointain qui n'existe même pas…

L'hôpital d'Edna

Edna Adan a commencé par scandaliser son pays en apprenant à lire. Depuis, elle n'a cessé de choquer ses voisins. Aujourd'hui, elle étonne les quelques Occidentaux qui s'aventurent jusqu'à la Corne de l'Afrique et tombent, au beau milieu du chaos, sur une belle maternité.

Les Occidentaux en sont venus à considérer avec un tel cynisme la corruption et l'incompétence qui règnent dans les pays du tiers-monde qu'ils trouvent parfois vain de soutenir les bonnes causes en Afrique. Edna et sa maternité sont la preuve que ces cyniques ont tort. Grâce au soutien de quelques donateurs américains, elle a bâti un monument qui n'aurait jamais vu le jour s'ils n'avaient uni leurs efforts.

Hargeisa, la ville où a grandi Edna, se trouve dans le désert aride de l'ancien protectorat de Somalie britannique, devenu Somalie, puis république séparatiste du Somaliland. La population y est pauvre, et la société, profondément traditionnelle. Les innombrables chameaux y sont souvent plus libres que les femmes.

«Je suis d'une génération où les filles n'allaient pas à l'école, nous explique Edna, assise dans sa salle de séjour moderne à Hargeisa. Il n'était pas souhaitable qu'elles apprennent à lire et à écrire, car les filles instruites finissent par parler d'organes génitaux.» Dans ses yeux, une pointe de malice indique qu'elle plaisante – à moitié.

Edna a grandi au sein d'une famille exceptionnelle. Adan, son père, fut le premier médecin du pays. Il avait rencontré la mère d'Edna, la fille du ministre des Postes, sur le court de tennis du gouverneur britannique du Somaliland. Bien que ses parents appartinssent manifestement à l'élite, Edna perdit un frère, qu'une sage-femme laissa tomber sur la tête. Quand Edna eut huit ans, sa mère l'initia à la tradition somalienne : elle subit le rituel de la circoncision féminine, dont le but est de réduire le désir sexuel des filles, de limiter la promiscuité et de s'assurer qu'elles seront bonnes à marier.

« On ne m'a pas demandé mon avis, précise Edna. On m'a attrapée, maintenue au sol, et ça a été réglé. Ma mère pensait qu'il fallait le faire. Mon père n'était pas en ville. Il n'a appris la nouvelle qu'à son retour. C'est la seule fois de ma vie où je l'ai vu avec des larmes aux yeux. Et je me suis sentie confortée, parce qu'il considérait que c'était mal et que son avis comptait. »

L'excision d'Edna, qui était très proche de son père, provoqua une violente dispute entre ses parents et aigrit leur mariage. C'est une des raisons pour lesquelles Edna devint elle-même une fervente opposante à l'excision génitale. Mais Edna continua de bénéficier d'une éducation éclairée. Quand le professeur particulier de ses frères venait faire cours, ses parents l'autorisaient à traîner au fond de la salle, lui permettant ainsi d'assimiler les leçons. Convaincus par ses capacités, ils l'inscrivirent à une école pour filles de Djibouti, la colonie française voisine. Mais l'absence de lycée féminin l'obligea ensuite à retourner à Hargeisa, où elle travailla comme interprète pour un médecin britannique. « Ça m'a permis d'améliorer mon anglais, de mettre un pied dans la santé, et mon envie de travailler dans ce domaine n'a fait que se renforcer. »

En 1953, une école élémentaire pour filles ouvrit ses portes dans une autre ville, et Edna, âgée de quinze ans, y exerça comme professeur stagiaire. Le matin, elle enseignait aux petites filles et, l'après-midi, elle prenait des cours avec un professeur de lycée (il aurait été inconvenable qu'elle prenne place aux côtés des lycéens). Chaque année, quelques bourses étaient accordées aux Somaliens pour poursuivre leurs études en Grande-Bretagne. Il était admis qu'elles revenaient aux garçons, mais Edna fut autorisée à passer les examens – dans une salle différente de celle de ses concurrents masculins – et devint rapidement la première Somalienne à étudier en Grande-Bretagne. Elle y passa sept années et se forma

Edna devant son hôpital du Somaliland.

aux soins infirmiers et obstétricaux, mais également à la gestion hospitalière.

Edna devint la première infirmière-sage-femme qualifiée de son pays, la première Somalienne à conduire, puis la première dame de Somalie – ni plus ni moins. Elle épousa en effet le Premier ministre du Somaliland, Ibrahim Egal, qui devint Premier ministre de la Somalie en 1967, quand les anciens territoires de Somalie italien et britannique eurent fusionné. Le couple rendit visite au président Lyndon Johnson à la Maison Blanche. Une photo la montre splendide et pleine de vie, toute petite (elle mesure moins d'un mètre soixante) à côté d'un Lyndon Johnson radieux.

Après avoir divorcé, Edna travailla pour l'Organisation mondiale de la santé. Elle mena la vie confortable d'une fonctionnaire de l'ONU et fut affectée aux quatre coins de la planète. Mais elle rêvait de créer un hôpital dans sa patrie – *l'hôpital où mon père aurait aimé travailler* – et, au début des années 1980, se mit à bâtir son propre établissement dans la capitale somalienne, Mogadiscio. Quand la guerre éclata, le projet tomba à l'eau.

Au sein de l'ONU, Edna s'éleva au poste de haut responsable de l'OMS à Djibouti, bénéficiant ainsi d'un ravissant bureau et d'une Mercedes-Benz. Simplement, elle ne voulait pas que l'on ne retienne d'elle que sa Mercedes. Elle rêvait toujours de son hôpital. Ce rêve la tourmentait et elle se sentait frustrée. Elle savait que le Somaliland avait l'un des taux de mortalité maternelle les plus élevés du monde, bien qu'aucun chiffre précis ne fût disponible faute de suivi adéquat. Aussi, en 1997, quand Edna prit sa retraite de l'OMS, elle annonça au gouvernement du Somaliland – qui, entre-temps, avait remporté une guerre civile et s'était séparé de la Somalie – qu'elle allait vendre sa Mercedes et utiliser l'argent qu'elle en retirerait, mais également ses économies et sa retraite, pour faire construire un hôpital.

Tu as déjà essayé ça une fois, lui rétorqua le président du Somaliland, en l'occurrence son ex-mari.

Je dois le faire, répliqua-t-elle. *Je dois le faire aujourd'hui plus que jamais, parce que les rares équipements de santé dont nous disposions ont été détruits pendant la guerre civile.*

Nous pouvons te donner une parcelle à la sortie de la ville, proposa-t-il.

Non, répondit fermement Edna. *Ça n'ira pas aux femmes qui accouchent à deux heures du matin.*

Il n'y avait qu'un terrain disponible au centre de Hargeisa. Utilisé par l'ancien gouvernement pour les défilés militaires, c'était l'endroit où on emprisonnait, fouettait et exécutait les gens. À la fin de la guerre civile, le site avait été abandonné et transformé en décharge par les habitants. Edna eut d'abord un mouvement de recul lorsqu'elle s'y rendit pour la première fois, mais elle y vit également un avantage : il était situé dans la partie pauvre de la ville, à proximité de ceux qui avaient le plus besoin d'elle. Aussi conçut-elle sa propre maternité, en y mettant toutes ses économies – trois cent mille dollars.

C'était un rêve audacieux, voire insensé. Un responsable du petit avant-poste de l'ONU à Hargeisa admit que la vision d'Edna était noble mais il la trouva toutefois trop ambitieuse pour le Somaliland. Il n'avait pas tout à fait tort. Les pays africains sont encombrés de projets inachevés ou abandonnés. Le scepticisme n'était donc pas complètement injustifié face à un projet bâti davantage sur des rêves que sur des bilans financiers. L'autre défi consistait à vaincre la réticence de donateurs potentiels – tels que l'ONU et les organisations humanitaires privées – à investir dans un projet situé dans un pays comme le Somaliland, reconnu par aucun État et donc officiellement inexistant.

Edna se retrouva à court d'argent alors que l'hôpital était

presque terminé mais sans toit. L'ONU et d'autres donateurs compatirent mais refusèrent d'accorder la somme nécessaire à l'achèvement des travaux. C'est alors que Ian Fisher consacra un article du *New York Times* au rêve d'Edna. Anne Gilhuly, une jeune retraitée, fut touchée par le texte de Ian et par la photo montrant Edna à côté de son hôpital inachevé, bien qu'elle ne s'intéressât pas particulièrement à l'Afrique ni à la santé maternelle – après avoir été professeur d'anglais dans un lycée d'une banlieue aisée du Connecticut, elle enseignait désormais les lettres classiques à des adultes en formation continue et se consacrait essentiellement à son intérêt pour Shakespeare et le théâtre. Anne en discuta au téléphone avec une amie, Tara Holbrook.

« Nous étions tellement écœurées par les jouets en plastique que nos petits-enfants nous réclamaient pour Noël que nous avons sauté sur l'occasion de faire mieux pour les enfants du monde : aider quelques-unes de leurs mères à survivre », se souvient Anne. « Ça paraît bébête, je sais », s'empresse-t-elle d'ajouter avec autodérision.

Anne et Tara contactèrent Edna. Elles demandèrent à différents experts si son objectif était raisonnable, s'il était réalisable. Quand l'ancien ambassadeur américain Robert Oakley et d'autres spécialistes répondirent que c'était fort possible, Anne n'eut plus d'hésitations. Très vite, Tara et elle découvrirent des habitants du Minnesota qui avaient également lu l'article de Ian et souhaitaient apporter leur aide. Parmi eux se trouvaient quelques personnes originaires du Somaliland, menées par Mohamed Samatar, un informaticien, et Sandy Peterson, une agente de voyages débordante d'énergie. Sandy, dont la fille avait enchaîné consultations psychiatriques, hospitalisations et tentatives de suicide après avoir été violée à l'âge de six ans par un voisin, prit conscience que beaucoup de jeunes Africaines vivaient des expériences tout aussi traumatisantes, sans bénéficier pour autant d'aucune aide. Les habitants du Minnesota avaient monté une association de soutien, Les Amis de l'hôpital d'Edna, et sollicitèrent le statut d'exemption fiscale. Les deux groupes décidèrent d'unir leurs forces. Puis, en juin, quand ils reçurent une réponse favorable des services fiscaux, Anne lança ses appels.

« Tara et moi avons envoyé nos premières lettres de collecte de fonds – en ciblant essentiellement les femmes de notre génération qui, selon nous, seraient fières de ce qu'Edna avait accompli dans une société patriarcale, se souvient Anne. Et elles ont répondu présent. »

Grâce à l'aide d'Anne et de ses amies, Edna acheva son hôpital, après avoir bousculé tous les protocoles de l'industrie du bâtiment du Somaliland. Elle interdit aux ouvriers de mâcher du khat, une feuille aux effets comparables à ceux des amphétamines, très appréciée des hommes de la région. Les ouvriers ne la prirent pas au sérieux – jusqu'à ce qu'elle renvoie certains d'entre eux pour non-respect des ordres. Ensuite, Edna insista pour que les maçons apprennent aux femmes à fabriquer des briques. Ils commencèrent par refuser, mais c'était elle qui payait les factures : le Somaliland compta donc rapidement ses premières briquetières. Les commerçants de Hargeisa soutinrent également l'hôpital, en prêtant gracieusement à Edna du matériel de construction et en faisant même don de huit cent soixante sacs de ciment.

Le résultat est un bâtiment blanc à deux étages, dont la façade arbore une pancarte rédigée en anglais : EDNA ADAN MATERNITY HOSPITAL. Il ne reste aucune trace de la décharge sordide qu'il remplace. Les habitués des hôpitaux africains délabrés seraient surpris, car il scintille au soleil de l'après-midi et offre les conditions d'hygiène et l'efficacité d'un établissement occidental. Soixante-seize employés ont la charge des soixante lits, et Edna y occupe un appartement pour pouvoir être appelée à tout moment. Elle ne se verse aucun salaire et puise dans sa pension de retraite quand le budget de fonctionnement est insuffisant.

« Ce genre d'objet nous est précieux », dit-elle en brandissant un masque chirurgical impossible à se procurer au Somaliland. L'hôpital importe toutes ses fournitures médicales et survit grâce aux dons et au matériel de seconde main. Le générateur vient du Conseil des réfugiés danois. L'échographe a été offert par un médecin allemand de passage, qui expédia son vieil appareil une fois rentré chez lui. Le réfrigérateur de sang a été offert par un Somalien qui devait un service à Edna. Le haut-commissariat des Nations unies pour les réfugiés a fait don d'une ambulance. Les

Pays-Bas, de deux incubateurs. L'USAID, l'agence d'aide américaine, a financé la construction d'un centre de consultations externes. L'UNICEF donne des vaccins. L'OMS fournit des réactifs pour la détermination des groupes sanguins.

Dans un premier temps, Les Amis de l'hôpital d'Edna rassemblèrent du matériel et des fournitures médicales aux États-Unis, qu'ils expédièrent au Somaliland. Mais ils se concentrèrent peu à peu sur la collecte de fonds destinés à financer les équipements et les fournitures qu'Edna achète plus près de l'hôpital. Le groupe finance également les études de médecine de deux anciennes élèves infirmières d'Edna, qui aimerait que deux « des siennes » puissent exercer à plein temps dans son établissement. Les Amis tentent simultanément de créer un fonds de dotation pour s'assurer que l'hôpital survivrait à la disparition d'Edna.

Contre toute attente, les choses ont fini par se mettre en place. Un soir, à trois heures du matin, un homme arrive, poussant sa femme dans une brouette. Le travail a commencé. L'équipe bondit et la dirige rapidement en salle d'accouchement. Un autre jour, c'est une nomade qui est amenée. Après avoir accouché dans le désert et développé une fistule, elle a été poignardée à la gorge par son mari, qui ne supportait pas son odeur et ses pertes constantes. Le couteau a traversé sa langue et s'est planté dans son palais. Ses proches l'ont recousue avec du fil et une aiguille et l'ont transportée à l'hôpital d'Edna. Un chirurgien de passage spécialiste des fistules la rapièce, de la gorge à la vessie.

Edna parcourt l'hôpital comme le temps en octobre : tantôt orageux, tantôt ensoleillé. Un des rôles essentiels de son établissement est de former un flux permanent de sages-femmes, infirmières et anesthésistes. Elle cuisine sans cesse les stagiaires en anglais, une langue qu'elle veut les entendre parler couramment. Dans le couloir, elle réprimande une élève infirmière qui a commis une erreur, s'assurant ainsi qu'elle ne la refera plus jamais. Un peu plus tard, elle partage la douleur d'une patiente souffrant d'une fistule, qui raconte en sanglotant comment son mari l'a obligée à quitter leur foyer.

« Je suis une femme, moi aussi ! dit Edna à la fille tout en lui tenant la main. J'ai moi-même envie de pleurer. »

Un jour, un homme franchit les grilles de l'hôpital avec sa femme prête à accoucher sur la banquette arrière de sa voiture. Le bébé vint au monde à l'instant même où ils arrivaient, si bien que le père tenta immédiatement de faire demi-tour.

« Non ! Non ! lui cria Edna. Vous allez tuer votre femme. Le placenta n'est pas encore sorti.

– Je ne vous paierai pas, cria-t-il en retour. Je m'en vais.

– Fermez les grilles ! » ordonna Edna au gardien, empêchant le véhicule de repartir. Puis elle se tourna vers l'homme.

« Laissez tomber le paiement », lui dit-elle. Et elle retira le placenta sur la banquette arrière, avant d'ouvrir le portail et de le laisser repartir.

Edna doit sans cesse veiller à ce que les mères ne quittent pas furtivement l'hôpital pour brûler leur bébé à la poitrine, une pratique censée protéger de la tuberculose selon la superstition somalienne. Au moins l'une d'elles parvint malgré tout à brûler son nouveau-né dans les cuisines de l'hôpital.

Les Amis américains d'Edna se sont déjà aventurés au Somaliland pour admirer le fruit de leur travail. Sandy Peterson, l'agente de voyages, a été la première à aller à Hargeisa. D'autres lui ont emboîté le pas, y compris Anne Gilhuly et son époux, Bob, qui s'y sont rendu il y a quelques années, alors qu'Edna assumait également les fonctions de ministre des Affaires étrangères du Somaliland. Anne nous a décrit sa visite dans un mail :

> Nager avec elle, tout habillée bien entendu (à part Bob, qui a pu se mettre en maillot de bain parce qu'il est un homme), dans le golf d'Aden, à Berbera, dans ces eaux chaudes et turquoise, entre le rose des montagnes qui se dessinaient au loin et son garde du corps armé d'une mitraillette qui faisait les cent pas sur la plage par ailleurs déserte, est beaucoup plus intéressant que de jouer au bridge au YMCA du coin.

Mais Anne a également vu un visage plus dur d'Edna. Un jour, une surveillante attendit trop avant d'appeler le médecin pour pratiquer une césarienne. Persuadée que l'infirmière avait mis en danger la vie d'une femme, Edna déboula dans une colère noire et se montra si cinglante qu'Anne et Bob furent bouleversés. Après coup, ils sont convenus qu'Edna avait eu raison : si elle voulait sauver des patientes et changer les comportements, elle devait être cinglante.

« Edna était convaincue que ça ne devait pas se reproduire, qu'elles n'avaient pas été suffisamment sensibles à l'état de santé de la femme, se souvient Anne. Dans son hôpital, chaque individu doit bénéficier d'une attention totale. Ça m'a refroidie. L'incident m'a fait prendre conscience de l'ampleur de la tâche qu'Edna s'est assignée et de notre difficulté à saisir pleinement ce à quoi elle se heurte. »

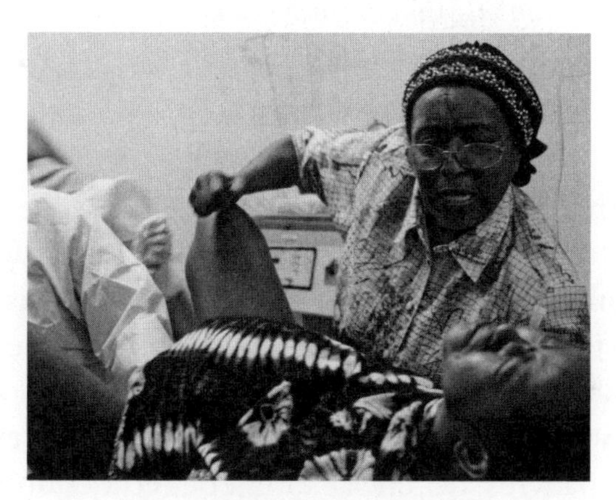

Edna pratiquant un accouchement par le siège à son hôpital.

CHAPITRE 8

Planning familial et « fossé religieux »

Chaque fois que les cannibales sont sur le point de mourir de faim, le Ciel, dans son infinie miséricorde, leur envoie un missionnaire bien dodu.

Oscar WILDE

Un après-midi, Rose Wanjera, une Kenyane de vingt-six ans, se présenta à la porte de la maternité. Elle était accompagnée d'un jeune enfant, et son ventre arrondi indiquait qu'un second était en route. Rose, malade et sans ressources, n'avait bénéficié d'aucun soin prénatal. C'était une patiente inhabituelle pour cet établissement sordide et mal éclairé des quartiers pauvres, car elle avait fait des études universitaires et parlait anglais. Tout en attendant patiemment le médecin, assise dans un coin, elle nous raconta comment des chiens sauvages avaient déchiqueté son mari quelques semaines plus tôt.

Une infirmière finit par l'appeler et l'allongea sur un lit de camp. Le médecin l'examina, ausculta son abdomen, puis annonça qu'elle souffrait d'une infection qui mettait en péril sa vie et celle de son bébé. Il l'inscrivit à un programme de maternité sans danger afin qu'elle bénéficie de soins prénatals et d'une aide à l'accouchement.

La clinique où se trouvait Rose, destinée à offrir des soins de santé génésique[1] aux femmes réfugiées, est un avant-poste singulier, sous la responsabilité de plusieurs organisations humanitaires,

1. La santé génésique s'intéresse aux mécanismes de la procréation et au fonctionnement de l'appareil reproducteur à tous les stades de la vie. *(N.d.T.)*

dont CARE, l'International Rescue Committee et l'AMDD d'Allan Rosenfield. Cet établissement précis était géré par une autre organisation membre, Marie Stopes International – jusqu'à ce que George W. Bush coupe toutes les subventions, ainsi qu'à l'ensemble du groupement, dans le monde entier, sous prétexte que Marie Stopes promouvait l'accès à l'avortement en Chine. On aurait pu comprendre, à la rigueur, que le programme chinois soit sanctionné, mais amputer les fonds destinés à l'Afrique était tout simplement odieux.

L'arrêt des subventions obligea Marie Stopes à abandonner un projet d'assistance aux réfugiés somaliens et rwandais. Deux cliniques durent être fermées au Kenya, et quatre-vingts médecins et infirmières, licenciés – le personnel qui s'occupait précisément de Rose. La jeune Kenyane, privée de la seule structure où elle pouvait se faire soigner, rejoignit les innombrables victimes de la politique américaine sur l'avortement. « C'étaient des cliniques qui ciblaient les plus pauvres, les marginalisés des bidonvilles », confirme Cyprian Awiti, responsable de Marie Stopes Kenya.

Cet incident reflète le « fossé religieux » qui caractérise la politique étrangère américaine. La religion a une telle influence sur les politiques démographiques et sur la planification familiale qu'elle est l'objet d'affrontements réguliers entre libéraux laïques et chrétiens conservateurs. Les deux camps sont animés des meilleures intentions, mais se manifestent une profonde méfiance – compromettant ainsi la création d'une large coalition gauche-droite plus à même de faire face à la traite et de vaincre les pires formes de pauvreté. La question centrale de ces conflits est de savoir s'il faut subventionner des organisations comme Marie Stopes, qui ont un lien avec l'avortement.

Sous la pression des chrétiens conservateurs et d'autres groupes d'influence, les présidents républicains, y compris les Bush père et fils, instituèrent la « règle du bâillon », caractérisée par le gel de toute subvention accordée aux organisations d'aide à l'étranger liées de près ou de loin à l'avortement, même si ces programmes sont financés par d'autres fonds. « Contrairement aux intentions affichées, précisa Eunice Brookman-Amissah, une doctoresse ghanéenne, la règle du bâillon mondiale provoque plus de grossesses non désirées, plus d'avortements risqués et plus de décès de femmes et de filles. »

L'UNFPA, qui encourage la planification familiale et lutte contre la mortalité maternelle et infantile, a été une des cibles privilégiées des conservateurs. Les agences des Nations unies sont souvent inefficaces et bureaucratiques, beaucoup moins réactives et moins économiques que les organisations privées, et œuvrent sans doute davantage en faveur de l'industrie de la photocopie que des défavorisés dans le monde – *mais elles sont irremplaçables*. Souvenez-vous de la salle d'opération de Zinder, au Niger, où Ramatou et son bébé furent sauvés : cet hôpital était équipé par l'UNFPA. À l'inverse, si Prudence est morte, c'est peut-être parce que l'établissement camerounais où elle a été prise en charge ne bénéficiait pas d'un programme de santé maternelle de l'UNFPA.

En 1969, quand l'UNFPA vit le jour, l'administration Nixon était un de ses plus grands défenseurs, et le gouvernement des États-Unis, son plus gros donateur. Mais dans les années 1980, il devint la cible des militants antiavortement américains. Bien que l'UNFPA ne réalise ni ne finance aucun avortement, les critiques firent remarquer qu'il joue un rôle de conseiller démographique auprès de la Chine, un pays doté d'un programme de planification des naissances coercitif. En outre, en 1983, l'UNFPA commit une erreur honteuse en décernant son prix de la Population à Qian Xinzhong, le responsable du programme de planification familiale chinois, qui, à cette époque, menait une politique répressive brutale incluant notamment des avortements forcés. Les dirigeants du parti communiste chinois furent eux-mêmes suffisamment embarrassés par le fanatisme de Qian pour le démettre de ses fonctions un an plus tard.

Le gouvernement des États-Unis, qui ne dispose d'aucun moyen de sanctionner la Chine pour sa politique d'avortements forcés, s'en prit alors à l'UNFPA. En 1985, le président Ronald Reagan réduisit les subventions accordées à l'agence, puis George H. W. Bush et George W. Bush les supprimèrent totalement. C'est le député Chris Smith, un républicain du New Jersey, qui mena le combat contre l'UNFPA. Chris Smith est un brave homme qui se préoccupait sincèrement du sort des Chinoises et était horrifié par les avortements forcés. On peut difficilement le soupçonner d'avoir eu des arrière-pensées politiques, car la plupart des électeurs du New Jersey n'avaient jamais entendu parler de l'UNFPA.

Mais, bien que les abus chinois fussent avérés, l'UNFPA n'en était aucunement complice. Après avoir décerné leur médaille d'or à Qian, les Nations unies firent volte-face et contribuèrent largement à freiner les excès chinois. « Nous n'avons aucune preuve que l'UNFPA ait soutenu ou participé sciemment à la gestion d'un programme d'avortements forcés ou de stérilisations involontaires en république populaire de Chine », conclut une mission d'information du Département d'État nommée par l'administration Bush. Dans les trente-deux comtés chinois où l'UNFPA gère des programmes pilotes, les taux d'avortement, qui ont été réduits de 40 %, sont inférieurs à ceux des États-Unis.

En outre, l'UNFPA est à l'origine d'une avancée majeure pour les femmes en Chine, dont le mérite ne lui a pas été accordé. Par le passé, les Chinoises utilisaient des stérilets en acier dont le coût de fabrication n'était que de 4 cents (moins de 3 centimes d'euro), mais qui, en plus d'être peu fiables, provoquaient une gêne importante. Cet anneau en acier était à l'origine de millions de grossesses non désirées, suivies d'avortements. Sous la pression de l'UNFPA, la Chine accepta avec réticence de changer de stérilet, optant pour un modèle en cuivre plus coûteux à fabriquer – 22 cents pièce (15 centimes d'euro) –, mais également plus confortable et plus efficace. Cet immense progrès pour les soixante millions de Chinoises porteuses d'un stérilet permit d'éviter quelque cinq cent mille avortements par an. En résumé, à ce jour, l'UNFPA a permis d'éviter près de dix millions d'avortements en Chine. Aucune organisation *pro-life* ne peut se prévaloir d'un tel résultat.

Le même phénomène ne cesse de se répéter : armés des meilleures intentions, les conservateurs prennent des positions qui nuisent à celles qu'ils tentent d'aider – et entraînent davantage d'avortements. Malgré leurs divergences, les camps *pro-choice* et *pro-life* devraient pouvoir trouver un terrain d'entente et travailler de concert dans de nombreux domaines, notamment sur la baisse du nombre d'avortements. Il suffit de visiter les cliniques d'Estonie, où l'IVG a beaucoup été utilisée comme moyen de contrôler les naissances (les femmes pouvaient en subir plus de dix), pour constater les dégâts en termes d'infertilité et de complications médicales. Quant aux pays pauvres, les avortements y sont parfois aussi fatals pour les mères que pour les fœtus. En Afrique subsaharienne, les femmes ont un risque sur cent cinquante de mourir lors d'un avortement pratiqué dans des conditions dangereuses. Aux États-Unis, le risque est de moins de un pour cent mille. Libéraux et conservateurs devraient donc pouvoir tomber d'accord sur des mesures destinées à éviter les grossesses non désirées et réduire la fréquence des avortements.

Mais il n'en est rien. Un des scandales du début du XIXe siècle est que cent vingt-deux millions de femmes dans le monde veulent des moyens contraceptifs mais n'y ont pas accès. Peu importe ce que l'on pense de l'avortement, il est tragique que 40 % des grossesses mondiales soient non préparées ou non désirées – et que presque la moitié d'entre elles soient finalement interrompues. D'après certaines estimations, plus d'un quart des décès maternels pourrait être évité si les grossesses étaient préparées et voulues. C'est d'autant plus honteux qu'au cours des douze dernières années les progrès en matière de planification familiale ont été négligeables, en particulier en Afrique. Aujourd'hui encore, seuls 14 % des Éthiopiennes utilisent des formes de contraception modernes.

« Nous avons perdu dix ans », déplorait en 2006 le professeur John Cleland, expert britannique en fertilité, devant une commission d'étude parlementaire. « L'usage de contraceptifs en Afrique a à peine progressé au cours de ces dix dernières années chez les femmes mariées. C'est un désastre. »

Freiner la croissance démographique est beaucoup moins évident que ne le supposent les Occidentaux. Dans les années 1950, un projet de planification familiale pionnier, sponsorisé par la Fondation Rockefeller et l'université Harvard, fut mené à Khanna, en Inde. Huit mille villageois reçurent une aide appuyée en matière de contraception. Au bout de cinq ans, le taux de naissance chez ces sujets s'avéra plus élevé que celui d'un groupe contrôle qui n'avait bénéficié d'aucun moyen contraceptif. Plus souvent qu'on ne le pense, les programmes de contraception ont un effet modeste sur la fertilité – encore plus modeste que ne s'y attendent leurs défenseurs.

Une expérience sérieuse menée à Matlab, au Bangladesh, montra qu'au bout de trois ans les programmes de planification familiale avaient ramené le nombre de naissances moyen à 5,1 dans la zone cible, comparé à 6,7 dans la zone contrôle. Ces résultats n'ont rien de révolutionnaire, mais ils reflètent un impact malgré tout significatif. Selon Peter Donaldson, président du Conseil pour la population, entre 1960 et 1990 au moins 23 % de la baisse de la fertilité dans les pays pauvres était attribuable aux programmes de planification familiale.

La clé de la maîtrise démographique est souvent moins technique (fournir des contraceptifs) que sociologique (encourager les familles de taille plus modeste). Un des moyens d'y parvenir est de réduire la mortalité infantile, de telle sorte que les parents fassent moins d'enfants tout en étant assurés qu'ils survivront. La manière la plus efficace d'encourager des familles plus réduites est peut-être de promouvoir l'éducation, en particulier pour les filles. Si l'Angleterre a considérablement ralenti son taux de fertilité dans les années 1870, c'est probablement grâce à la loi sur l'éducation de 1870, qui rendait l'école obligatoire. L'exemple anglais illustre le lien très fort qui existe entre la hausse du niveau d'éducation et la diminution de la taille des familles. Bien que les moyens techniques de contrôle des naissances soient nécessaires, il semble malgré tout que l'éducation des filles demeure la meilleure contraception.

La décision de concevoir un enfant semble refléter de profondes tensions entre les hommes et les femmes sur les stratégies de transmission de leurs gènes. Les sondages tendent à confirmer ce que les biologistes évolutionnistes laissent parfois entendre. À un niveau génétique, les hommes, proches de Johnny Appleseed[1], estiment que le meilleur moyen d'obtenir une future récolte est de

1. Johnny Chapman (1774-1845), surnommé Johnny Appleseed («Johnny graine-de-pommier»). Botaniste, pionnier et missionnaire qui introduisit de nombreux pommiers dans plusieurs États américains. *(N.d.T.)*

planter autant de graines que possible, sans se donner beaucoup de mal par la suite pour les entretenir. Des différences biologiques incitent les femmes à concevoir moins d'enfants mais à investir beaucoup plus en chacun d'eux. Donner davantage la parole aux femmes au sein de la famille pourrait donc être un moyen de limiter la fertilité.

Hormis leur rôle essentiel dans la mise en place des fondements du développement économique, les programmes de planification familiale sont aujourd'hui cruciaux pour lutter contre le sida. Pour des raisons notamment biologiques, les femmes ont deux fois plus de risques que les hommes d'être contaminées au cours de rapports hétérosexuels avec un partenaire séropositif. En effet, le sperme a une charge virale plus élevée que les sécrétions vaginales, et les muqueuses des femmes sont davantage exposées au cours des rapports sexuels.

L'indifférence qui permit au sida de se propager dans le monde est un des plus grands échecs moraux et politiques de ces trente dernières années. L'hypocrisie des moralisateurs en est en partie responsable. « Les pauvres homosexuels, déclarait le conservateur Patrick Buchanan en 1983, ils ont déclaré la guerre à la nature, et voilà qu'elle leur inflige un horrible châtiment. » Avec le recul, on peut dire que l'immoralité la plus crasse des années 1980 ne s'exprima pas dans les saunas de San Francisco, mais dans les couloirs du pouvoir où des dirigeants pharisiens affichaient une impitoyable indifférence face à la progression de la maladie.

La méfiance que vouent de nombreux conservateurs au préservatif est un des défis de la lutte contre le virus. Beaucoup d'entre eux craignent que le simple fait de discuter de la manière de rendre les rapports sexuels plus sûrs est une incitation à la consommation. Même si ce n'est peut-être pas complètement faux, il n'en reste pas moins que le préservatif sauve des vies. Aujourd'hui, les préservatifs coûtent 2 cents pièce achetés en gros (moins de 2 centimes d'euro) et sont un moyen extrêmement économique de réduire les maladies. Selon une étude de l'université de Californie, le coût d'une vie sauvée pendant un an grâce à un programme de distribution de préservatifs s'élèverait à 3,50 dollars, contre 1 033 dollars pour un programme de traitement contre le sida (même si à l'époque les médicaments contre le sida étaient plus chers). Une autre étude montra que chaque million de dollars dédié à l'achat de préservatifs permettait d'économiser 466 millions de dollars de dépenses liées au sida.

Bien que les préservatifs soient très bon marché, ils ne sont distribués qu'au compte-gouttes. Au Burundi, le pays le plus pauvre de la planète d'après la Banque mondiale, les pays donateurs fournissent moins de trois préservatifs par homme et par an. Les Soudanais reçoivent en moyenne un préservatif tous les cinq ans. Un jour, les gens feront le bilan et se demanderont : à quoi pensaient-ils ?

Certains critiques de la contraception masculine firent circuler des rumeurs pseudo-scientifiques selon lesquelles le diamètre des pores des préservatifs serait plus de dix fois supérieur à celui du virus du sida. C'est faux. L'expérience de couples sérodiscordants (un séropositif et un séronégatif) laisse penser que le préservatif est très efficace en matière de prévention du sida, même s'il ne le sera jamais plus que l'abstinence. Au Salvador, une loi, soutenue par l'Église catholique, exigea que les boîtes de préservatifs soient accompagnées d'une étiquette précisant qu'ils ne protègent pas du sida. Avant que le texte ne soit voté, moins de 4 % des Salvadoriennes utilisaient des préservatifs à leur premier rapport sexuel.

George W. Bush ne souscrivit jamais entièrement à la campagne antipréservatif menée par une grande partie de son administration, si bien que les États-Unis restèrent le premier pays donateur de préservatifs au monde, augmentant même légèrement ses dons d'année en année. Ironiquement, c'est l'administration Clinton (doublée d'un Congrès républicain avare) qui réduisit drastiquement les dons américains de préservatifs. De huit cents millions par an pendant la présidence de George H. W. Bush, ils passèrent à cent quatre-vingt-dix millions en 1999. Au cours du second mandat de George W. Bush, plus de quatre cents millions de préservatifs furent donnés chaque année.

L'administration Bush concentra sa campagne de prévention contre le sida sur des programmes d'abstinence exclusive. Certains éléments tendent à démontrer que l'éducation à l'abstinence sexuelle peut être utile, lorsqu'elle est associée à un débat sur le préservatif, la contraception et la santé génésique. Le programme de Bush ne promut pas seulement l'abstinence auprès des jeunes, mais « l'abstinence exclusive », c'est-à-dire sans aucune discussion sur les préservatifs à l'école (même si des préservatifs étaient par ailleurs distribués aux groupes à risques, comme les prostituées et les routiers en Afrique). En effet, selon la loi, un tiers des dépenses consacrées à la prévention contre le sida devait être dévolu à la promotion de l'abstinence exclusive dans les programmes d'éducation. Une de ces approches, financée par des Américains, consiste à remettre aux filles des sucettes en forme de cœur portant l'inscription : NE SOIS PAS UNE SUCETTE[1] ! PRÉSERVE-TOI POUR TON MARIAGE. Après les avoir invitées à sucer la friandise, un responsable leur fournit les explications suivantes :

> Votre corps est une sucette emballée. Quand vous avez un rapport sexuel avec un homme, il déballe votre sucette et la suce. C'est peut-être une supersensation sur le moment, mais, malheureusement, quand il en aura fini avec vous, tout ce que vous aurez à offrir à votre partenaire suivant, c'est une sucette mal emballée et pleine de bave.

Les études consacrées à l'impact des programmes d'abstinence exclusive ne sont pas concluantes et, dans une certaine mesure, semblent dépendre de l'idéologie de ceux qui les mènent. Mais, dans l'ensemble, il apparaît qu'ils retardent légèrement le début de l'activité sexuelle, bien que les jeunes concernés soient ensuite moins enclins à recourir à la contraception. Les études suggèrent qu'ils entraînent plus de grossesses, plus d'avortements, plus d'infections sexuellement transmissibles et plus de VIH. Des groupes d'influence comme la Coalition internationale pour la santé des femmes luttèrent héroïquement en faveur d'une politique de santé factuelle. De son côté, Carolyn Maloney, membre du Congrès, défendit avec ténacité les programmes de l'UNFPA. Mais la Maison Blanche n'écoutait pas. Finalement, c'est le président

1. En anglais *sucker*, c'est-à-dire « sucette » mais également « nigaude ». *(N.d.T.)*

Barack Obama qui, peu après son investiture, annonça la fin de la « règle du bâillon » et le rétablissement de l'ensemble des subventions des groupes de planification familiale et de l'UNFPA.

Les partisans de l'abstinence exclusive considéraient notamment le problème du sida en Afrique comme une conséquence du vagabondage sexuel. Pourtant, il est possible que ce ne soit pas le cas, notamment en ce qui concerne les femmes. Emily Oster, économiste à l'université de Chicago, fait remarquer que 0,8 % d'adultes américains sont infectés par le VIH, comparé à 6 % en Afrique subsaharienne. Cependant, aucune donnée ne lui a permis de constater que les Africains étaient plus enclins à multiplier les aventures sexuelles. En réalité, Américains et Africains déclarent le même nombre de partenaires (bien qu'ils soient plus concomitants que consécutifs en Afrique, selon des experts). En revanche, comme le souligne Oster, les taux de transmission sont bien plus élevés en Afrique qu'en Amérique. Les Africains ont quatre à cinq fois plus de risques de contracter le VIH au cours d'un rapport sexuel non protégé avec une personne séropositive.

Le fait que les lésions génitales soient mieux soignées en Amérique qu'en Afrique peut contribuer à expliquer ce taux important. 11 % des Africains souffrent d'infections bactériennes génitales non traitées, qui facilitent la transmission du virus. Un grand nombre d'experts en santé publique admettent qu'un des moyens les plus économiques de traiter le VIH serait d'offrir des bilans et des traitements gratuits contre ces IST (infections sexuellement transmissibles). Oster fait remarquer que, lorsque les sommes allouées à la prévention du sida sont consacrées au traitement des IST, le coût par an et par vie sauvée tombe à 3,50 dollars.

Quoi qu'il en soit, pour les femmes, le facteur de risque mortel est moins le vagabondage sexuel que le mariage. Le plus souvent, les Africaines et les Asiatiques se protègent jusqu'au mariage, puis sont contaminées par leur mari. Au Cambodge, une ancienne prostituée de vingt-sept ans nous fit part des difficultés auxquelles elle était confrontée à cause du sida. Nous présumions qu'elle avait été contaminée au bordel.

« Oh, non, nous répondit-elle. J'ai eu le sida plus tard, avec mon mari. Au bordel, j'utilisais toujours des préservatifs. Mais, quand j'étais mariée, je n'en utilisais pas. Une femme est bien plus en danger avec son mari qu'une fille au bordel. »

Cette exagération souligne pourtant une réalité centrale : le sida est souvent une maladie de l'inégalité des sexes. Particulièrement dans le sud de l'Afrique, où les jeunes femmes peuvent rarement refuser des rapports non protégés. Les adolescentes, par exemple, sont souvent les jouets d'hommes d'une cinquantaine d'années, si bien que le VIH progresse inéluctablement. Comme le dit Stephen Lewis, l'ancien envoyé spécial de l'ONU pour le sida : « C'est l'inégalité des sexes qui mène la pandémie. »

Thabang, une adolescente de quatorze ans vivant à KwaMhlanga, dans le nord-est de l'Afrique du Sud, serait un véritable défi pour tout programme de lutte contre le sida. Grande et charmeuse, elle affiche un goût prononcé pour le maquillage. Son père, électricien, décéda après un long combat contre le sida qui assécha les économies familiales. Sa mère, Gertrude Tobela, apparemment contaminée par son mari, infecta également leur dernier enfant, Victor, pendant sa grossesse. Gertrude fut la première de sa famille à aller à l'université et appartenait à la classe moyenne. Mais la maladie l'obligea très vite à renoncer à son travail et elle survivait désormais grâce à une allocation gouvernementale de 22,50 dollars par mois. Le désespoir régnait dans la cabane familiale.

Thabang est vive et talentueuse. Comme tous les adolescents, elle est en quête de plaisir, de chaleur et d'amour. Fuyant la misère de la cabane, elle commença à traîner en ville. Elle se coupa les cheveux à la mode et chercha la compagnie des garçons pour échapper à son foyer étouffant. Elle aspirait à plus d'indépendance, à devenir adulte et n'appréciait pas que sa mère la tienne en bride. Les hommes la flattaient de leur attention, car elle avait également le malheur d'être très séduisante. En Afrique du Sud, les hommes d'un certain âge qui ont réussi entretiennent souvent des jeunes maîtresses, qui considèrent ces « *sugar daddies* », ces « papas gâteaux », comme un tremplin vers une vie meilleure.

Quand Thabang se mit à flirter, Gertrude la battit et lui hurla dessus. Thabang était le seul membre de la famille qui n'avait pas le sida, et sa mère redoutait qu'elle contracte le virus. Mais les coups de Gertrude provoquèrent la colère de Thabang, confirmèrent à ses yeux ce qu'elle soupçonnait déjà – que sa mère la détestait – et la poussèrent à s'enfuir. Thabang semblait également avoir un peu honte de sa mère sidéenne, faible et pauvre, que leurs disputes ne faisaient qu'épuiser et déprimer davantage. Gertrude évoqua posément sa mort imminente et celle de Victor, mais s'effondra complètement quand elle parla de Thabang.

« Ma fille m'a quittée parce qu'elle voulait être libre, expliqua-t-elle à travers les sanglots. Elle est très active sexuellement et passe son temps dans des bars et les chambres de location. » Gertrude était horrifiée par le maquillage et les vêtements moulants qu'appréciait Thabang et ne pouvait supporter l'idée que le cycle du sida se répète à la génération suivante. Quant à Thabang, elle admettait que ses amies couchaient avec des hommes en échange d'argent ou de présents, mais soutenait que ce n'était pas son cas.

« Je suis vierge, quoi qu'en dise ma mère, nous assura-t-elle avant de fondre à son tour en larmes. Elle ne me croit jamais. Elle passe son temps à me hurler dessus.

– Ta mère t'aime, lui rétorqua Nick. Si elle te gronde, c'est uniquement parce qu'elle t'aime et qu'elle se soucie de ce qui pourrait t'arriver.

– Elle ne m'aime pas ! » répliqua violemment Thabang, qui se tenait devant sa maison, à cinq mètres à peine de sa mère également en pleurs. Son visage ruisselait de larmes. « Si c'était le cas, elle me parlerait au lieu de me battre. Elle ne raconterait pas tous ces mensonges sur moi. Elle accepterait mes amis. »

Thabang, une Sud-Africaine, devant la cabane où sa mère se meurt du sida.

Il ne fait aucun doute que les écoles locales devraient inciter les filles comme Thabang à l'abstinence. Mais pas seulement. Elles devraient leur expliquer que les préservatifs peuvent réduire considérablement le risque de transmission du VIH et leur apprendre à s'en servir correctement. Les gouvernements devraient encourager la circoncision masculine – qui réduit de manière significative le risque du VIH – et le dépistage d'infections sexuellement transmissibles. Pour permettre à la majorité des adultes de connaître leur statut sérologique – une condition indispensable à l'endiguement de l'épidémie –, les tests du VIH pourraient être banalisés, basés sur le consentement présumé. Ce genre d'approche préventive est susceptible de protéger efficacement les filles comme Thabang et coûterait bien moins cher que de soigner des malades du sida pendant des années.

La plupart des études consacrées à la prévention du sida manquent souvent de fiabilité, mais des chercheurs du Laboratoire d'action contre la pauvreté de l'Institut de technologie du Massachusetts – qui mènent des recherches remarquables sur le développement – ont testé quatre stratégies de lutte contre le sida en Afrique. Chacune a fait l'objet d'essais rigoureux dans des régions choisies au hasard. Leur succès a été mesuré au nombre de grossesses évitées (par rapport à des régions de contrôle), censé refléter le nombre de rapports sexuels susceptibles de transmettre le sida.

La première approche consistait à former des professeurs des écoles à la prévention du sida. Cette mesure ne coûtait que 2 dollars par élève, mais n'eut aucun impact. Une seconde revenait à encourager les discussions entre élèves et les dissertations sur le préservatif et le sida. Cette mesure, qui ne revenait qu'à 1 dollar par élève, n'eut pas plus d'effet. Une troisième approche consistait à fournir aux élèves des uniformes gratuits pour prolonger leur scolarité. Elle coûtait environ 12 dollars par élève et réduisit les grossesses. Les résultats des régions de contrôle permirent d'établir que chaque grossesse évitée revenait à 750 dollars. La quatrième stratégie, beaucoup plus économique, était également la plus simple : mettre en garde contre les dangers des « *sugar daddies* ». Les élèves visionnaient une courte vidéo illustrant les risques auxquels s'exposaient les adolescentes qui fréquentaient ces

« papas gâteaux ». On les informait ensuite que les taux de séropositivité étaient bien plus élevés chez les hommes mûrs que chez les garçons. Un fait dont peu d'élèves avaient conscience.

La mise en garde n'entraîna pas une baisse de l'activité sexuelle des filles, mais les incita à fréquenter des garçons de leur âge. Ces derniers utilisèrent plus souvent des préservatifs – ils avaient apparemment été choqués d'apprendre que leurs amies avaient beaucoup plus de risques d'être séropositives qu'eux. Ce programme simple connut un grand succès : il coûtait moins de 1 dollar par élève et permettait d'éviter une grossesse pour 91 dollars. Il rappelle également que l'empirisme est crucial en matière de politique de développement. Les conservateurs, persuadés que la clé de la prévention du sida est l'abstinence exclusive, et les libéraux, focalisés sur la distribution de préservatifs, feraient bien de noter qu'aucune de leurs approches n'est la plus économique en Afrique.

Les conservateurs religieux se battent contre la distribution de préservatifs et les fonds accordés à l'UNFPA, mais ils sauvent également un grand nombre de vies en soutenant financièrement et en gérant des cliniques situées dans les régions les plus défavorisées de l'Afrique et de l'Asie. Quand on se trouve dans les capitales ou les grandes villes des pays africains les plus pauvres, on tombe en permanence sur des diplomates, du personnel de l'ONU et des humanitaires. En revanche, dans les villes et les villages les plus isolés, où l'aide occidentale est cruciale, elle se fait soudain beaucoup plus rare. Médecins sans frontières œuvre héroïquement dans les zones reculées, comme quelques autres organisations laïques. Mais ceux que l'on rencontre le plus souvent dans ces régions sont les médecins missionnaires et les représentants d'associations soutenues par des Églises.

Un jour, l'avion de Nick s'écrasa alors qu'il tentait de rejoindre le centre du Congo. Il décida de louer une voiture et, pendant près d'une semaine, traversa une grande partie de ce pays déchiré par la guerre. La seule présence étrangère qu'il croisa fut deux missions catholiques. Le prêtre de la première venait de mourir de la malaria et la seconde était dirigée par un Italien qui distribuait de la nourriture et essayait de faire fonctionner une clinique au beau milieu d'une guerre civile.

Le Secours catholique américain lutte également contre la pauvreté dans le monde entier – notamment en Inde, en soutenant le centre d'hébergement où Sunitha accueille les anciennes prostituées. Au total, environ 25 % des soins aux malades du sida sont assurés par des groupes affiliés à des Églises. « Dans l'essentiel de l'Afrique, elles sont la clé de voûte du système de santé. » Helene Gayle, présidente de CARE, nous parle des cliniques gérées par des catholiques. « Dans certains pays, ils traitent plus de gens que le système de santé gouvernemental. »

D'ailleurs, dans l'ensemble, l'Église catholique a toujours été mieux disposée envers le préservatif que le Vatican. Les prêtres et les religieuses sur le terrain ignorent souvent les décrets de Rome et font discrètement ce qu'ils peuvent pour sauver leurs paroissiens. À Sonsonate, une ville située dans une région défavorisée du sud-ouest du Salvador, l'hôpital catholique conseille les femmes sur les stérilets et la pilule, et les encourage vivement à utiliser des préservatifs pour se protéger du sida. « L'évêque est à San Salvador et ne met jamais les pieds ici. On n'a donc jamais d'ennuis », nous expliqua le Dr Martha Alica De Regalada, qui ne montra aucune inquiétude à l'idée que ses paroles soient rapportées.

Depuis des dizaines d'années, des missionnaires gèrent des réseaux de santé et d'éducation indispensables dans les pays les plus pauvres. Il serait extrêmement bénéfique d'associer leurs écoles et leurs cliniques à un mouvement mondial en faveur de l'autonomisation des femmes et des filles. Ces gens ont une expérience inestimable du terrain. Tandis que les humanitaires et les diplomates vont et viennent, les missionnaires s'enracinent dans les sociétés, apprennent les langues locales, envoient leurs enfants dans les écoles du coin, s'installent parfois pour la vie. Certes, comme dans tout groupe humain, on trouve des hypocrites ou des moralisateurs – mais beaucoup sont à l'image de Harper McConnell au Congo et agissent en fonction d'une doctrine de justice sociale et d'une éthique individuelle.

Le fossé religieux doit être comblé si l'on veut qu'un mouvement en faveur des femmes des pays pauvres soit un succès. Les cœurs tendres, laïques et religieux, devront forger une cause commune. C'est ce qui s'est passé il y a deux siècles pour le mouvement abolitionniste, à l'époque où les déistes libéraux et les évangélistes conservateurs avaient joint leurs forces pour vaincre l'esclavage. Et c'est la seule manière de faire émerger la volonté politique de mettre les femmes aujourd'hui invisibles au cœur des préoccupations des instances internationales.

Il est primordial d'inclure les pentecôtistes au mouvement en faveur des droits des femmes, car ils se développent plus rapidement que tout autre culte, en particulier en Afrique, en Asie et en Amérique latine. Actuellement, l'office dominical le plus fréquenté en Europe est celui de l'église géante[1] de Kiev, en Ukraine, fondée en 1994 par Sunday Adelaja, un Nigérian charismatique. Selon les estimations les plus hautes, une personne sur dix est pentecôtiste aujourd'hui. Les chiffres peuvent toujours être discutés, mais la progression de ce courant religieux dans les pays pauvres est indiscutable. Plusieurs raisons expliquent ce phénomène. Certaines de ses églises suggèrent que ses adeptes seront rétribués par des richesses en ce monde. D'autres enseignent également des variantes de la guérison par la foi ou affirment que Jésus les protégera du sida.

Nous considérons donc le pentecôtisme avec méfiance, mais il est indéniable qu'il a un impact positif sur le rôle des femmes. Les églises pentecôtistes encouragent habituellement les membres de leurs congrégations à prendre la parole et à prêcher pendant l'office. Ainsi, pour la première fois, des femmes ordinaires se retrouvent en position de leader et font part de leur avis sur des questions morales ou religieuses. Le dimanche, elles se rassemblent et réfléchissent ensemble au moyen de ramener les maris volages dans le droit chemin. De même, les pentecôtistes et d'autres groupes évangéliques conservateurs appellent à renoncer à la consommation d'alcool et à l'adultère, deux pratiques qui se sont avérées extrêmement préjudiciables, en particulier pour les femmes africaines.

1. Les églises géantes, ou *megachurches* en anglais, sont des églises évangéliques capables d'attirer des milliers de fidèles pour le même culte. *(N.d.T.)*

Jusqu'à la fin des années 1990, les chrétiens conservateurs étaient essentiellement une force isolationniste, craignant (comme l'a dit Jesse Helms, un de leurs porte-parole) que l'aide à l'étranger ne soit que de l'« argent jeté dans un trou à rats ». Mais, sous l'influence de Franklin Graham (le fils de Billy Graham, désormais président de l'organisation humanitaire Samaritan's Purse [La Bourse du Samaritain], du sénateur Sam Brownback et de beaucoup d'autres, les évangélistes et d'autres chrétiens conservateurs en sont venus à s'intéresser à des questions telles que le sida, la traite sexuelle et la pauvreté. Aujourd'hui, l'Association nationale des évangélistes est un acteur important de l'humanitaire et de l'aide à l'étranger.

C'est grâce aux encouragements des évangélistes, y compris de Michael Gerson, ancien responsable de la rédaction des discours de la Maison Blanche, que George W. Bush présenta son initiative présidentielle contre le sida – la meilleure chose qu'il ait jamais faite – qui aurait sauvé plus de neuf millions de vies. Michael Horowitz, un agitateur de l'humanitaire basé à l'Institut Hudson de Washington, persuada des conservateurs religieux de soutenir un projet de réparation de fistules obstétricales. Aujourd'hui, évangélistes et libéraux au cœur tendre se battent en première ligne pour que des fonds soient consacrés à ces problèmes, ainsi qu'à la malaria. C'est un tournant par rapport à ce qui se voyait il y a dix ou vingt ans.

« C'est très simple, la pauvreté et les maladies n'étaient pas à mon programme », nous avoua Rick Warren, pasteur de l'église géante de Saddleback, en Californie, et auteur de *The Purpose Driven Life (Une vie motivée par l'essentiel)*. « Je suis passé à côté du sida. L'ampleur des enjeux m'a complètement échappé. » Mais, en 2003, Warren se rendit en Afrique du Sud pour former des pasteurs et tomba sur une petite assemblée qui s'occupait de vingt-cinq orphelins du sida sous une tente. « J'ai pris conscience qu'ils œuvraient davantage en faveur des pauvres que l'ensemble de mon église géante, dit-il en exagérant considérablement. Ça m'a fait comme un coup de poignard au cœur. »

Depuis, Warren a motivé son église pour combattre la pauvreté et l'injustice dans soixante-huit pays du monde. Plus de sept mille cinq cents fidèles se sont engagés personnellement comme bénévoles – et ont voulu aller plus loin une fois confrontés à la pauvreté.

Les libéraux pourraient prendre exemple sur les nombreux évangélistes qui acceptent de payer la dîme – en consacrant chaque année 10 % de leurs revenus à des œuvres de bienfaisance. Selon *L'Index de la philanthropie mondiale*, les organisations religieuses américaines donnent tous les ans 5,4 milliards de dollars aux pays en voie de développement, plus de deux fois le montant accordé par les fondations américaines. L'économiste Arthur Brooks a constaté que le tiers des Américains qui assistent à des offices religieux au moins une fois par semaine est « indiscutablement plus charitable » que les deux autres tiers moins pratiquants. En plus de donner davantage, affirme-t-il, ils sont plus enclins à offrir de leur temps aux associations caritatives. En revanche, bien que les libéraux soient moins généreux avec leur propre argent, ils soutiennent plus volontiers le financement de causes humanitaires par le gouvernement.

Les deux groupes pourraient également travailler davantage à ce que leurs contributions aillent réellement aux nécessiteux. Les chrétiens conservateurs participent très volontiers aux causes humanitaires, mais une partie non négligeable de cet argent est consacrée à la construction de magnifiques églises. De même, les dons des libéraux vont souvent à des universités d'élite et à des orchestres symphoniques. Il s'agit sans doute de bonnes causes, mais elles n'ont rien d'humanitaire. Nous aimerions voir les libéraux comme les conservateurs étendre la portée de leurs dons afin que ceux qui en ont réellement besoin en bénéficient davantage.

Pour finir, il serait utile de mettre en place des mécanismes permettant plus facilement aux gens de donner de leur temps. Le Peace Corps est un programme de grande valeur, mais il exige un engagement intimidant de vingt-sept mois et n'est pas calé sur l'année universitaire, ce qui freine les candidatures des étudiants désireux de prendre une année sabbatique après la licence. Teach for America (Enseigner pour l'Amérique) a suscité un immense intérêt chez les jeunes soucieux de l'intérêt général, mais il s'agit d'un programme national. Nous avons besoin de fonds pour Teach the World (Enseigner au monde), sa version internationale. Ces mesures offriraient de nouvelles possibilités de soutenir l'éducation des filles dans les pays pauvres et permettraient aux jeunes Américains de faire des rencontres susceptibles de changer leur vie.

Jane Roberts et ses « 34 millions d'amis »

Au début de son premier mandat, quand George W. Bush annonça que les États-Unis refuseraient de payer l'intégralité des 34 millions de dollars qui avaient été accordés par le Congrès à l'UNFPA, beaucoup de gens se contentèrent de maugréer. Jane Roberts, professeur de français retraitée à Redlands, en Californie, grommela et fonda un mouvement. Elle commença par envoyer une lettre au rédacteur en chef de son journal local, le *San Bernardino Sun* :

> Une semaine s'est écoulée depuis que l'administration Bush a décidé de geler les 34 millions de dollars accordés par le Congrès au Fonds des Nations unies pour la population. Soit. Ce sont les vacances. Les chroniqueurs ont évoqué le sujet, et les journaux s'en sont émus dans leurs éditoriaux. Soit. Plus de femmes meurent en couches en l'espace de quelques jours que les terroristes ne font de victimes en une année. Soit. Une petite fille est excisée avec une épine de cactus. Soit, c'est juste un truc culturel.
>
> Afin d'exprimer notre indignation, trente-quatre millions de mes concitoyens pourraient-ils se joindre à moi pour envoyer un dollar au comité américain pour l'UNFPA ? Ce serait un moyen de réparer une terrible injustice... et de faire taire tous les soit !

Jane a des yeux bleus et des cheveux blonds coupés court. Ses vêtements simples et son allure rappellent un peu les années 1960 : colliers africains et mocassins noirs. Sa lettre écrite, elle se sentit

Jane Roberts.

investie d'une mission. Elle contacta des groupes comme le Sierra Club et la League of Women Voters (Ligue des électrices). Après avoir vu mentionner dans un journal le nom du Conseil national des organisations féminines, elle les harcela de coups de téléphone et de mails. Une semaine plus tard, ses administrateurs approuvaient son initiative.

Dans le même temps, une grand-mère du Nouveau-Mexique, Lois Abraham, se faisait à peu près la même réflexion. Elle avait lu une chronique que Nick avait écrite depuis Khartoum, au Soudan, sur une adolescente souffrant d'une fistule obstétricale. Il soulignait que l'administration paralysait une des rares organisations qui aidaient ce genre de personnes. Lois gribouilla une lettre sur l'UNFPA et la suppression des fonds, qui se terminait sur ces mots :

> Si trente-quatre millions d'Américaines envoient chacune 1 dollar au Fonds de l'ONU pour la population, nous pouvons l'aider à continuer son « précieux travail » tout en confirmant qu'offrir des services de planification familiale et de santé génésique aux femmes qui n'y auraient pas accès autrement n'est pas une question politique, mais humanitaire.
>
> JE VOUS EN PRIE, MAINTENANT : Mettez 1 dollar, emballé dans une simple feuille de papier, dans une enve-

> loppe indiquant « 34 millions d'amis ». (...) Et postez-la aujourd'hui même. ET SURTOUT : envoyez cette lettre au minimum à dix amis – et plus si possible ! – susceptibles de se joindre à ce message.

Lois avait téléphoné à l'improviste à l'UNFPA et prévenu un responsable qu'elle envoyait le mail. L'UNFPA n'avait pas vraiment d'image publique et recevait rarement des dons.

« Certains membres de l'UNFPA doutèrent de l'efficacité d'une telle initiative citoyenne, se souvint Stirling Scruggs, ancien haut responsable de l'agence. Ils pensaient que ça durerait quelques semaines, que les femmes finiraient par se lasser et que ça tournerait court. Enfin... jusqu'à ce que les sacs de courrier commencent à s'entasser à l'UNFPA. »

Le déluge de billets de 1 dollar déclenché par Jane et Lois causèrent rapidement un problème. L'UNFPA avait promis que l'intégralité de l'argent serait allouée à des programmes, mais il fallait que quelqu'un gère toutes les lettres. Au début, les membres du personnel consacrèrent leur pause déjeuner à ouvrir les enveloppes. Puis les défenseurs du Comité américain pour l'UNFPA proposèrent leur aide. Finalement, la Fondation de l'ONU accorda des subventions pour embaucher du personnel destiné à gérer les courriers.

L'essentiel de l'argent se composait de billets de 1 dollar expédiés par des femmes – et quelques hommes – du pays entier. Certains envoyèrent des sommes plus importantes. « Ce billet de 5 dollars est un hommage aux femmes de ma vie : ma mère, ma femme, mes deux filles et ma petite-fille », écrivit un homme. L'UNFPA révéla à Lois et à Jane leur existence mutuelle, si bien qu'elles joignirent leurs efforts, en baptisant formellement leur campagne « 34 millions d'Amis de l'UNFPA » (www.34millionfriends.org). Elles se mirent à donner des conférences à travers tout le pays, et le mouvement prit de l'ampleur. Les gens étaient exaspérés par les campagnes des conservateurs sociaux contre la santé génésique – la suppression des fonds de l'UNFPA, la dénonciation des préservatifs et de l'éducation sexuelle intégrée, les tentatives d'arrêt du financement des programmes de planification familiale gérés par des organisations humanitaires comme Marie Stopes International – et avaient très envie d'apporter une aide concrète. Envoyer un billet de 1 dollar n'était pas la panacée mais, au moins, c'était très facile.

« Personne ne peut dire qu'il n'a pas les moyens de donner 1 dollar, nota Jane. Nous recevons même des dons d'étudiants et de lycéens. On peut prendre position en faveur des femmes du monde pour le prix d'un soda. »

Ellen Goodman et Molly Ivins firent paraître des chroniques élogieuses sur Jane, Lois et leur travail. Les donations s'élevèrent à 2000 dollars par jour. Jane se rendit au Mali et au Sénégal avec l'UNFPA – son premier voyage en Afrique – et se mit à prendre la parole et à faire campagne en permanence.

« Depuis, j'y ai consacré ma vie, déclara-t-elle à Sheryl. J'irai jusqu'au bout du monde pour faire avancer cette cause... Quarante femmes cherchent à se faire avorter dans des conditions risquées toutes les minutes – pour moi, c'est tout simplement un crime contre l'humanité.

Après que le président Obama eut annoncé en janvier 2009 qu'il rétablirait les fonds de l'UNFPA, une question se posa : 34 millions d'amis est-il toujours nécessaire ? Devrait-il disparaître ? Mais, entre-temps, le groupe fondé par deux femmes indignées avait collecté 4 millions de dollars, et les besoins étaient toujours aussi grands. Elles décidèrent donc de poursuivre leur travail en complément du fonds versé par le gouvernement américain à l'UNFPA. « Il y a une immense demande non satisfaite de planification familiale dans le monde, expliqua Jane. Il existe un besoin immense de prévention et de traitement de la fistule. La pression démographique, écologique, mais également économique dans une grande partie du monde entraînera encore plus de violence sexiste à l'égard des femmes. Alors, pour moi, 34 millions d'amis est mon œuvre. C'est ma passion. Je ne pense pas qu'aucune cause soit plus importante à long terme, pour les peuples, la planète et la paix. Alors, pour moi, on continue ! »

CHAPITRE 9

L'islam est-il misogyne ?

« La majorité des occupants de l'enfer seront des femmes, qui jurent trop et sont ingrates envers leur époux. »

Muhammad IMRAN,
La Femme idéale dans l'islam

La première fois que Nick se rendit en Afghanistan, il eut recours aux services d'un interprète qui avait étudié l'anglais à l'université. C'était un homme courageux, qui semblait tout à fait en phase avec son siècle. Jusqu'à cette discussion :

« Ma mère n'a jamais vu un médecin de sa vie, lui confia-t-il, et elle n'en verra jamais.

– Pourquoi donc ? demanda Nick.

– Il n'y a aucune femme médecin par ici, et je ne peux pas l'autoriser à aller voir un homme. Ce serait contraire à l'islam. Et comme mon père est décédé, elle est sous ma responsabilité. Elle n'a pas le droit de quitter la maison sans ma permission.

– Mais si ta mère était mourante et qu'il fallait absolument l'emmener chez un médecin pour la sauver ?

– Ce serait terrible, admit gravement l'interprète. Je la pleurerais. »

Une remarque politiquement incorrecte s'impose ici. Les pays où les femmes sont mises à l'écart et sujettes à des violences systématiques, tels les crimes d'honneurs et les excisions, sont majoritairement musulmans. La plupart des musulmans du monde ne cautionnent pas ces pratiques – contrairement à certains chrétiens –, mais il n'en demeure pas moins que les États où les filles sont excisées, assassinées au nom de l'honneur et privées d'instruction ou d'emplois comportent généralement une forte population musulmane.

En 2008, sur les cent trente pays classés par le Forum économique mondial en fonction du statut des femmes, huit des dix derniers étaient musulmans. Le Yémen occupait la dernière place, talonné par le Tchad, l'Arabie Saoudite et le Pakistan. Les deux premiers États musulmans, le Kazakhstan et l'Ouzbékistan, occupaient respectivement les quarante-cinquième et cinquante-cinquième places.

Bien que l'Amérique latine, avec son héritage machiste, soit souvent considérée comme un monde d'hommes, le Mexique et d'autres pays latino-américains parviennent en réalité assez bien à scolariser leurs filles et à les protéger. La plupart des nations latines comptent des populations majoritairement féminines. Dans les maternités, y compris celles des quartiers pauvres de villes comme Bogotá et Quito, les soins prénatals et les accouchements sont gratuits car, dans ces sociétés, sauver la vie des femmes est une priorité.

En revanche, les sondages d'opinion révèlent que les musulmans de certains pays ne croient absolument pas à l'égalité. Seulement 25 % des Égyptiens considèrent qu'une femme devrait avoir le droit de devenir présidente. Plus de 34 % des Marocains approuvent la polygamie. Et environ 54 % des Afghans estiment que les femmes doivent porter la burqa en dehors de chez elles. Les conservateurs musulmans se rangent souvent du côté de l'autorité religieuse suprême d'Arabie Saoudite, le Grand Mufti Sheikh Abdulaziz, qui, en 2004, a déclaré que « permettre aux femmes de se mélanger aux hommes est la source de tous les maux et de toutes les catastrophes ».

Les musulmans font parfois remarquer que ces attitudes conservatrices n'ont pas grand-chose à voir avec le Coran, mais qu'elles relèvent davantage de la culture. C'est vrai : dans ces pays, même les minorités religieuses ou sans confession se montrent souvent très répressives envers les femmes. Au Pakistan, nous avons rencontré une jeune chrétienne qui avait demandé à sa famille le droit de choisir elle-même son époux. Furieux de cette

Une femme intégralement voilée avec sa fille à Kaboul, Afghanistan.

atteinte à l'honneur familial, ses frères avaient hésité à la tuer ou à la vendre à un bordel. Elle s'était enfuie pendant qu'ils se disputaient. En Afghanistan, après la chute des talibans, le banditisme est monté en flèche, au point qu'un travailleur humanitaire, cité par Amnesty international, a pu dire : « Sous les talibans, une femme qui se rendait au marché en montrant un seul centimètre de peau était flagellée. Aujourd'hui, elle est violée. » En résumé, on reproche souvent aux religions des comportements qui sont peut-être davantage ancrés dans les cultures. Cela dit, si la religion est mise en cause, c'est aussi parce que les oppresseurs s'en servent souvent comme prétexte. Ainsi, dans le monde musulman, les misogynes se réfèrent souvent à Mahomet pour justifier leurs positions.

Posons donc sans détour la question : l'islam est-il misogyne ?

Sur le plan historique, la réponse est non. Au VIIe siècle, quand Mahomet fonda l'islam, il s'agissait d'une avancée pour les femmes. La loi islamique interdit la pratique courante des infanticides féminins et limita la polygamie à quatre femmes, censées être traitées sur un pied d'égalité. Contrairement à la plupart des Européennes, les musulmanes de cette époque possédaient souvent des biens et bénéficiaient de droits à la propriété. Globalement, dans le Coran et les traditions qui lui sont associées, Mahomet apparaît comme un personnage bien plus respectueux de la gent féminine que les premiers Pères chrétiens. Après tout, l'apôtre Paul voulait que les femmes se taisent à l'église, et l'apologiste Tertullien les qualifiait de « portes de l'enfer ».

Toutefois, au fil des siècles, la plupart des chrétiens ont su dépasser cette position. En revanche, l'islam conservateur a très peu bougé. Il est toujours figé dans la vision du monde de l'Arabie du VIIe siècle, attaché à des comportements progressistes pour l'époque, mais qui ont désormais un millénaire de retard. En 2002, quand un collège pour filles a pris feu en Arabie Saoudite, on raconte que la police religieuse aurait contraint les adolescentes à regagner le bâtiment en flammes plutôt que de les laisser sortir sans foulard ni voile intégral. Quatorze d'entre elles auraient péri.

Le Coran légitime explicitement certaines discriminations sexuelles : le témoignage de deux femmes équivaut à celui d'un homme, et la part d'héritage d'une fille est égale à la moitié de celle d'un garçon. Quand ce genre de versets apparaît dans la Bible, la plupart des chrétiens et des juifs n'en tiennent pas compte. Les musulmans dévots ont beaucoup plus de difficultés à ignorer les passages déplaisants et obsolètes du Coran, parce qu'ils pensent que celui-ci n'est pas simplement d'inspiration divine, mais qu'il est la parole de Dieu.

Il n'en reste pas moins que beaucoup de musulmans progressistes militent en faveur d'une plus grande égalité des sexes. Amina Wadud, spécialiste de l'islam aux États-Unis, a proposé une réinterprétation systématique des dispositions phallocratiques du Coran. Ainsi, le verset 4 :34, qui fait référence aux femmes, est généralement traduit de la façon suivante : « Et quant à celles dont vous craignez la désobéissance, exhortez-les, faites-les dormir dans un lit à part et frappez-les. » Les féministes comme Wadud affirment qu'il s'agit d'une erreur de traduction et ne manquent pas d'arguments en faveur de leur thèse. Par exemple, le mot traduit ci-dessus par « frapper » peut avoir de nombreux autres sens, y compris « avoir des rapports sexuels ». Une relecture de ce passage donnerait ceci : « Et quant aux femmes que vous sentez réticentes, parlez-leur de façon convaincante ; laissez-les seules au lit (sans les malmener), et rejoignez-les au lit (quand elles le veulent). »

Les « féministes musulmanes », comme on les appelle, considèrent qu'il est absurde que les femmes n'aient pas le droit de conduire en Arabie Saoudite, alors que Mahomet autorisait ses épouses à monter les chameaux. Elles soulignent que le principe du double témoignage ne s'appliquait qu'aux affaires financières, parce qu'il s'agissait d'un domaine où les femmes avaient peu d'expérience. Cette situation étant désormais caduque, la disposition l'est également. Selon l'exégèse féministe, si le Coran était progressiste à l'origine, il n'y a pas de raisons de faire aujourd'hui une apologie de l'archaïsme.

L'esclavage offre un point de comparaison intéressant. L'islam a amélioré la condition des esclaves par rapport à ce qu'elle était dans les sociétés préislamiques. Le Coran encourage même leur affranchissement, considéré comme un acte méritoire. En revanche, Mahomet en possédait un grand nombre, et la loi islamique accepte sans ambiguïté l'esclavage, qui n'a été aboli qu'en 1962 en Arabie Saoudite et en 1982 en Mauritanie. Au final, en dépit de ces liens culturels profonds, l'intégralité du monde musulman a fini par renoncer à cette pratique. Si le Coran peut être lu différemment aujourd'hui parce que l'attitude vis-à-vis des esclaves a changé, qu'est-ce qui s'oppose à l'émancipation des femmes ?

Contrairement à Mahomet, certains de ses premiers successeurs, tel le calife Omar, étaient des phallocrates convaincus. Leur hostilité envers les femmes de caractère pourrait provenir en partie de conflits avec la plus jeune épouse du Prophète, Aisha, la première féministe du monde islamique.

Aisha était la seule épouse de Mahomet qui fût vierge lorsqu'il l'épousa. Elle se révéla une femme volontaire et il passa beaucoup de temps en sa compagnie. Aisha connaissait pertinemment les dangers d'une société qui considérait les femmes comme un fragile calice d'honneur, puisqu'elle fut elle-même accusée d'adultère. Alors qu'elle traversait le désert en caravane, elle perdit un collier. Elle partit à sa recherche et ne put rejoindre la caravane. Un homme prénommé Safwan la trouva et lui porta secours, mais comme ils étaient restés seuls sans surveillance, ils furent soupçonnés d'avoir eu une liaison. Mahomet se rangea du côté d'Aisha – c'est à ce moment-là qu'il eut la révélation qu'il fallait quatre témoins pour prouver un adultère – et condamna les accusateurs à quarante coups de fouet.

Après la mort de Mahomet dans les bras d'Aisha (selon la doctrine sunnite, contestée par les chiites), sa veuve assuma un rôle actif et public, d'une façon qui dérangea beaucoup d'hommes. Elle contesta vigoureusement les dispositions de l'islam hostiles aux femmes et rapporta deux mille deux cent dix hadiths – ou communications de Mahomet – destinés à compléter et à clarifier les enseignements coraniques. Elle en vint même à prendre les armes contre Ali, son vieil adversaire, lorsqu'il devint calife. Cette insurrection est connue sous le nom de « la bataille du Chameau », parce que Aisha avait pris place sur un chameau pour commander ses troupes. Ali écrasa la rébellion et, pendant des siècles, les érudits islamiques minimisèrent l'importance d'Aisha et rejetèrent ses interprétations féministes. Seuls cent soixante-quatorze de ses hadiths ne furent pas écartés.

Mais, ces dernières décennies, des féministes musulmanes, à l'image de la Marocaine Fatema Mernissi, ont fait d'Aisha le porte-voix des musulmanes en remettant son travail en valeur. Ainsi, une célèbre déclaration attribuée à Mahomet stipule que les prières d'un homme n'ont pas de valeur si une femme, un chien ou un âne passent devant lui. Comme le fait remarquer Mernissi, Aisha trouvait cette idée absurde : « Voilà que vous nous comparez à des ânes et à des chiens. Au nom de Dieu, j'ai vu le Prophète dire ses prières en ma présence. » De même, Aisha démentit que son époux considérait les femmes comme impures lorsqu'elles avaient leurs règles.

Un autre débat porte sur les vierges idylliques aux yeux noirs censées servir les hommes au paradis – les houris –, dont certains théologiens islamiques ont donné une description très détaillée. Un érudit du IXe siècle, Al-Tirmidhi, les décrivit comme des jeunes femmes à la peau très blanche, qui n'urinent pas, ne défèquent pas et n'ont jamais de menstrues. Il ajouta qu'elles avaient des « seins arrondis, éternellement fermes ». Les auteurs d'attentats suicides expriment souvent leur espoir d'être récompensés par une houri. Le 11 septembre, Muhammad Atta rassura ses camarades pirates de l'air en leur déclarant : « Les houris vous appellent. »

Les terroristes pourraient bien en être quittes pour une surprise. La langue arabe, qui n'a accédé au statut de langue écrite qu'avec le Coran, compte un grand nombre de mots énigmatiques. Les spécialistes commencent à se pencher sérieusement sur des exemplaires très anciens du Coran, et certains d'entre eux soutiennent qu'une partie de ces termes pourraient être en réalité du syriaque ou de l'araméen. L'un d'eux, qui se fait appeler Christoph Luxenberg pour des raisons de sécurité, affirme que « houri » fait probablement référence au terme araméen désignant du « raisin blanc ». C'est possible. Les houris sont souvent comparées à des perles et à du cristal, et les descriptions du Paradis datant de l'époque du Coran évoquaient souvent des fruits abondants, en particulier du raisin, destiné à rafraîchir les fidèles fourbus.

Y aurait-il autant d'attentats suicides si les martyrs s'attendaient à être accueillis aux Portes de Perles avec une coupe de raisin ?

Les Occidentaux ont une manière de plaindre les musulmanes qui les met mal à l'aise, voire en colère. Quand Nick interrogea un groupe de doctoresses et d'infirmières saoudiennes de Riyad sur les droits des femmes, elles se hérissèrent. « Pourquoi les étrangers s'intéressent-ils tant à nos vêtements ? s'indigna l'une d'elles. En quoi est-ce essentiel ? À l'échelle des problèmes de la Terre, est-ce vraiment si important ? » « Vous nous considérez comme des victimes parce que nous nous couvrons les cheveux et que nous nous habillons décemment, renchérit une autre. Mais, pour nous, ce sont les Occidentales qui sont opprimées, parce qu'elles doivent montrer leur corps – et parfois même se faire opérer – pour plaire aux hommes. » Devant la surprise de Nick, une troisième tenta d'expliquer leur indignation.

Outre qu'ils paraissent condescendants, les Américains perçoivent rarement la complexité du statut des femmes dans le monde islamique. « Je suis lauréate du prix Nobel de la paix et professeur d'université, mais mon témoignage ne serait pas recevable devant un tribunal parce que je suis une femme, note Shirin Ebadi, avocate iranienne. N'importe quel homme instruit serait pris davantage au sérieux… L'Iran est pétri de contradictions. Les femmes ne peuvent pas témoigner pleinement devant un tribunal, mais elles peuvent le présider. Nous avons des femmes juges. Toute femme qui souhaite se rendre à l'étranger doit obtenir le consentement de son époux. Mais notre vice-présidente est une femme. Ainsi, quand elle se rend à l'étranger, elle doit demander l'autorisation à son mari. Il n'empêche que 65 % des étudiants iraniens sont des filles, parce qu'elles affichent un taux de réussite aux examens d'entrée supérieur à celui des hommes. »

Les attitudes changent au Moyen-Orient. Les droits des femmes y sont de mieux en mieux acceptés, en partie grâce à des personnalités comme la reine Rania de Jordanie et Sheikka Mozah, la première dame du Qatar. Une étude de l'ONU menée en Égypte, en Jordanie, au Liban et au Maroc révèle que plus de 98 % des habitants de ces pays estiment que « les filles ont autant droit à l'éducation que les garçons ». La Jordanie, le Qatar et le Maroc ont montré la voie en accordant aux femmes un rôle plus important. Au Maroc, l'épouse du roi Mohammed VI, une ingénieure informatique, ne porte pas le voile et est devenue un modèle pour beaucoup de Marocaines. Le souverain marocain a réformé le code familial, accordant aux femmes davantage de droits en matière de divorce et de mariage, mais a également soutenu la nomination révolutionnaire de cinquante femmes imams.

Soraya Salti, une Jordanienne de trente-sept ans, est à l'origine d'une des initiatives les plus prometteuses du monde arabe. Le programme qu'elle a créé, Injaz, encourage l'entrepreneuriat dans les collèges et les lycées. L'objectif est d'apprendre aux jeunes à concevoir des projets commerciaux afin de leur permettre ensuite de créer et de gérer de petites entreprises. Beaucoup finissent effectivement par se lancer dans le commerce, et les compétences enseignées sont particulièrement utiles aux filles qui souffrent de discrimination sur le marché du travail formel. En leur offrant la possibilité de faire carrière et de gagner leur vie comme entrepreneuses, Injaz facilite également l'accroissement de la main-d'œuvre et le développement économique global des pays où elle intervient. Soraya a reçu le soutien appuyé de la reine Rania, et les critiques sont dithyrambiques. Aujourd'hui, Injaz est présent dans douze pays arabes et forme cent mille élèves par an. « Si vous parvenez à conquérir les jeunes et à changer leur façon de penser, vous pouvez changer l'avenir », explique Soraya.

En Afghanistan, le Centre de détention des femmes de Kaboul

donne un aperçu du gaspillage des ressources humaines dans les sociétés musulmanes conservatrices. Le bâtiment de plain-pied, dissimulé par un mur élevé, est planté au cœur de la ville, sans mirador ni barbelés. Parmi les détenues se trouvent des adolescentes et des jeunes femmes qui, soupçonnées d'avoir un petit ami, ont été soumises à des « tests de virginité[1] ». Celles dont l'hymen n'était plus intact ont été poursuivies en justice et condamnées, en général, à quelques années de prison.

Âgée d'une cinquantaine d'années, Rana, qui fait fonction de directrice du centre de détention, est en quelque sorte une pionnière du travail féminin. Elle a grimpé les échelons de la police jusqu'à parvenir à la tête de l'établissement. Mais elle estime que ces filles doivent être poursuivies, ne serait-ce que pour les protéger de leur famille. Chaque année, le président afghan gracie certaines prisonnières à l'occasion de la fête de l'Aïd-el-fitr, qui marque la fin du ramadan. Il arrive que les femmes libérées soient abattues par des proches ou, pire, ébouillantées « par accident ». La prison est parfois l'endroit le plus sûr pour les Afghanes audacieuses.

L'une des détenues, Ellaha, nous surprit en venant nous saluer en anglais. Âgée de dix-neuf ans, elle avait des cheveux noirs coupés court et un visage rond et plein d'assurance. Elle s'assit dans la petite cellule sordide et nous raconta sans timidité qu'à l'époque où ses parents étaient réfugiés en Iran elle était allée au lycée et avait passé un an à l'université. Charmante, disciplinée et ambitieuse, Ellaha aurait été à la tête d'une entreprise dans une autre culture. Ses problèmes avaient commencé quand sa famille avait quitté l'Iran pour revenir en Afghanistan. Ellaha rongeait son frein face aux coutumes afghanes plus rigides – du port de la burka au statut des femmes, censées rester à la maison toute leur vie.

« Ma famille a voulu m'obliger à épouser un cousin. J'ai refusé, parce qu'il n'avait pas d'instruction et que je n'aimais pas son métier – il était boucher ! En plus, il avait trois ans de moins que

1. L'hymen est manifestement un indicateur peu fiable de la virginité. Mais il a suffisamment d'importance dans les pays pauvres où les niveaux d'instruction sont peu élevés pour provoquer le malheur des filles chez qui il aurait été rompu. (*N.d.A.*)

moi. Je voulais faire des études et continuer à m'instruire, mais mon père et mon oncle n'étaient pas d'accord. »

Ellaha trouva un emploi dans une entreprise de travaux publics américaine et, très vite, elle impressionna le directeur par son intelligence et son zèle. Mais ses proches étaient déchirés entre l'horreur de la voir travailler avec des infidèles et la joie qu'elle ramène de l'argent à la maison. Puis, Steve, un des responsables américains, entreprit des démarches pour permettre à Ellaha d'obtenir une bourse et de s'inscrire dans une université canadienne. La jeune femme sauta sur cette occasion inespérée, mais ses parents craignaient qu'il soit contraire à l'islam qu'une femme voyage si loin et fasse des études en compagnie d'hommes. Ils tenaient également à ce qu'Ellaha épouse son cousin, car il s'agissait du fils du frère aîné de son père, le patriarche de la famille. La sœur d'Ellaha, de deux ans sa cadette, était quant à elle promise au plus jeune fils de l'oncle, mais elle suivit l'exemple d'Ellaha et tint tête. La famille ne tarda pas à contre-attaquer.

« Alors que mon départ pour le Canada approchait et que je me renseignais sur les vols, ils m'ont attachée et enfermée dans une chambre, explique Ellaha. C'était chez mon oncle. Mon père a dit : "OK, bats-la". Jamais je n'avais reçu une telle correction. Mon oncle et mon cousin se sont acharnés sur moi. Ils m'ont ouvert la tête et je saignais. » La sœur d'Ellaha subit le même sort. Après une semaine de coups, les deux sœurs, pieds et poings liés, acceptèrent d'épouser leurs cousins.

« Ma mère les a assurés que nous ne nous enfuirions pas et nous avons pu rentrer chez nous après avoir promis d'être obéissantes », conclut Ellaha. Elle fut autorisée à reprendre son travail, mais son responsable annula sa proposition d'études à l'étranger lorsqu'il comprit que ses proches étaient résolument opposés au projet. Ellaha avait le cœur brisé mais elle continua à s'investir dans l'entreprise. Pour faciliter son travail, on lui donna un téléphone portable. Sa famille était horrifiée à l'idée qu'elle puisse communiquer librement avec des hommes. Elle exigea qu'Ellaha renonce à l'appareil.

« Et puis, mon père a décidé qu'il était temps qu'on se marie… Ma mère est venue me dire : "Je n'y peux rien." Alors, on s'est enfuies. » Ellaha et sa sœur se cachèrent dans une pension de famille bon marché, en attendant de pouvoir se rendre en Iran, où elles envisageaient d'habiter chez des proches et de reprendre leurs études universitaires. Mais quelqu'un reconnut Ellaha et prévint ses parents. La police arrêta les fugueuses et les soumit à un test de virginité. Leur hymen était intact.

Elles furent emprisonnées « parce que leur vie était en danger, précise Rana. Elles sont ici pour échapper à la colère de leur père ». Ellaha admet que l'inquiétude de la directrice était légitime. « Ils étaient très en colère, dit-elle en parlant de son père et de son oncle. J'avais très peur qu'ils me tuent. » Le père d'Ellaha, un charpentier dénommé Said Jamil, était toujours indigné quand nous l'avons retrouvé à Kaboul. Il a refusé de nous laisser entrer chez lui, préférant parler dans la rue. Il nous a promis de ne faire aucun mal à Ellaha, mais a également juré de ne plus lui laisser « autant de liberté ».

Les problèmes d'Ellaha n'ont rien à voir avec le prophète Mahomet ou l'islam. L'islam en soi n'est pas misogyne. Mais, comme l'ont souligné beaucoup de musulmans, aussi longtemps que les filles intelligentes et audacieuses comme Ellaha finiront en prison ou dans des cercueils, les espoirs de développement de ces pays seront compromis.

L'explosion du terrorisme musulman de ces dernières décennies a de multiples origines, dont la frustration face au retard du monde islamique et le ressentiment à l'égard des dirigeants corrompus. Mais l'excédent de jeunes – dû notamment aux efforts insuffisants en matière de planification familiale – et la marginalisation plus générale des femmes pourraient également être en cause.

Une société qui compte plus d'hommes que de femmes – en particulier de jeunes hommes – est souvent confrontée à la criminalité et à la violence. D'après l'historien David Courtwright, si l'Amérique est relativement violente par rapport à l'Europe, c'est dû à l'héritage d'un excès d'hommes. Jusqu'à la Seconde Guerre mondiale, les États-Unis – en particulier à la limite des terres colonisées – étaient un pays très majoritairement masculin.

Résultat, selon lui : une tradition d'agressivité, d'irascibilité et de violence, dont les taux d'homicides américains assez élevés se font encore l'écho. La même analyse, quoique controversée, pourrait permettre d'expliquer pourquoi les sociétés musulmanes à dominante masculine se caractérisent également par l'indépendance, l'honneur, le courage et le recours rapide à la violence.

Toutes ces tendances sont aggravées quand les hommes sont jeunes. En Occident, 15 % de la population adulte est âgée de quinze à vingt-quatre ans. Dans de nombreux pays musulmans, cette part représente plus de 30 %. « Chaque fois qu'il y a 1 % de jeunes en plus dans la population adulte, dit le chercheur norvégien Henrik Urdal, le risque de conflit augmente de 4 %. »

Cet excédent pourrait être particulièrement déstabilisant dans les pays musulmans conservateurs, où la passivité et le silence des femmes amplifient l'impact du phénomène. En outre, dans d'autres régions du monde, les garçons de quinze à vingt-quatre ans passent une bonne partie de leur temps à courir après les filles. Dans les États musulmans conservateurs, certains jeunes hommes font la guerre, pas l'amour.

Dans des pays comme l'Afghanistan, pour beaucoup de jeunes, l'espoir de trouver un jour une compagne est mince. On compte en général 3 % d'hommes en plus que de femmes, à cause d'un accès inégal aux soins médicaux, mais également en raison de la polygamie, qui permet aux plus riches d'épouser deux ou trois femmes, aux dépens des autres. L'impossibilité de trouver sa place au sein d'un foyer pourrait augmenter le risque que des jeunes hommes sombrent dans la violence.

Les garçons de ces pays grandissent dans un environnement exclusivement masculin, aussi saturé de testostérone qu'un vestiaire de lycéens. On constate que les groupes constitués majoritairement d'hommes jeunes – qu'il s'agisse de gangs, d'écoles de garçons, de prisons ou d'unités militaires – sont souvent extrêmement violents ; on peut supposer qu'à l'échelle d'une nation la règle est la même.

Par ailleurs, les pays qui répriment les femmes tendent à afficher un retard économique qui ne fait qu'accentuer la frustration dont se nourrit le terrorisme. Certains dirigeants musulmans, perspicaces, sont inquiets à l'idée que l'inégalité des sexes puisse les priver de leur ressource économique la plus inexploitée – la moitié féminine de leur population. Au Yémen, les femmes ne représentent que 6 % de la main-d'œuvre non agricole, au Pakistan 9 %. Dans des pays comme la Chine ou les États-Unis, ce chiffre varie entre 40 % et 50 %. Comme l'a précisé un rapport de l'ONU sur le développement humain dans les pays arabes : « L'ascension des femmes est en réalité un prérequis à une renaissance arabe. »

Bill Gates, qui fut invité un jour à donner une conférence en Arabie Saoudite, se retrouva face à un public dans lequel les quatre cinquièmes des auditeurs, assis à gauche, étaient des hommes, et le cinquième restant, assis à droite, des femmes portant toutes un voile noir ou un foulard. Une cloison séparait les deux groupes. À la fin de l'intervention, au cours de la séance de questions-réponses, un membre du public fit remarquer que l'Arabie Saoudite visait à devenir une des dix plus grandes nations technologiques du monde d'ici 2010, et demanda si cet objectif était réaliste. « Eh bien, si vous n'utilisez pas pleinement la moitié des talents de ce pays, répondit Bill Gates, vous aurez du mal à vous approcher des dix premières places. » Le petit groupe de droite se mit à applaudir frénétiquement – celui de gauche plus tièdement.

Il semble que, dans les pays où les familles répriment les femmes, les gouvernements finissent également par réprimer l'ensemble des citoyens. « Plus que d'autres facteurs prédominant dans l'esprit occidental en matière de systèmes religieux et de politique, le statut des femmes lie l'Islam au déficit démocratique », écrit Steven Fish. Peut-être parce qu'un environnement familial autoritaire et patriarcal reflète un système politique autoritaire et patriarcal.

Les conséquences de la répression des femmes pourraient même être plus profondes. Dans un livre magistral, *Richesse et pauvreté des nations*, David Landes, l'éminent historien de Harvard, explique pourquoi c'est en Europe, plutôt qu'en Asie ou au Moyen-Orient, que s'est produite la révolution industrielle. Selon lui, l'un des principaux éléments favorables à l'Europe était l'ouverture aux idées nouvelles, et l'un des meilleurs indicateurs de cette ouverture est la manière dont un pays traite ses femmes.

Les implications économiques de la discrimination sexuelle sont très graves. Renier les femmes revient à priver un pays de main-d'œuvre et de talent, mais aussi – ce qui est pire – *à saper le désir de réussite des garçons et des hommes.* On ne peut pas élever les jeunes gens de sorte que la moitié d'entre eux se croient supérieurs biologiquement sans émousser leur ambition et dévaluer leurs performances. On ne peut appeler les enfants mâles « Pasha », ou, comme en Iran, leur dire qu'ils ont un pénis d'or[1], sans réduire leur besoin d'apprendre et d'agir...

En général, le statut et le rôle des femmes sont les meilleurs indices du potentiel de croissance et de développement d'un pays. Actuellement, c'est le plus grand handicap des sociétés musulmanes du Moyen-Orient, le défaut qui les exclut avant tout de la modernité.

1. Landes a raison de dire que les Iraniens appellent souvent les petits garçons *doudoul tala*, ou « pénis d'or ». Mais il ne s'agit pas nécessairement de la preuve d'un préjugé sexiste, puisque les petites filles y sont également appelées *nanaz tala*, ou « pubis d'or ». *(N.d.A.)*

L'insurgée afghane

En Afghanistan et au Pakistan, le programme humanitaire le plus connu est celui de Greg Mortenson, un alpiniste qui faillit perdre la vie au cours d'une tentative d'escalade du deuxième sommet le plus élevé du monde, le K2. Il fut ramené à la vie par des villageois de l'Himalaya qui partagèrent avec lui le peu qu'ils avaient. Une fois rétabli, il découvrit que le village comptait soixante-dix-huit garçons et quatre filles, et qu'ils étudiaient leurs manuels scolaires en plein air – sans toit ni professeur. Il promit de revenir pour leur bâtir une école. Greg envoya cinq cent quatre-vingts lettres de demande de fonds et reçut un seul chèque en retour, de Tom Brokaw. Il trouva ensuite d'autres donateurs, vendit sa voiture, ses livres et même son cher équipement d'alpinisme pour pouvoir rassembler la somme nécessaire. Depuis, il construit des écoles dans toute la région, en consultant chaque fois les habitants du coin.

Les écoles de Greg, toujours bâties dans des zones reculées et toujours destinées en priorité aux filles, sont devenues célèbres au Pakistan, puis en Afghanistan. « Celui qui éduque un garçon éduque un individu, déclare-t-il en reprenant un proverbe africain. Celui qui éduque une fille éduque tout un village. » Plus récemment, Greg s'est mis à proposer des formations en soins de santé maternelle, ajoutant une composante médicale à ses programmes. Il a décrit son travail dans un livre d'une grande force, *Trois Tasses de thé*. C'est le genre de projet rural d'initiative citoyenne qui connaît souvent un franc succès dans le monde en développement.

Hélas, ils sont peu nombreux, et l'effort humanitaire occidental

Sakena Yacoobi visitant l'une de ses cliniques, à Herat, Afghanistan.

s'est avéré particulièrement inefficace dans les pays musulmans comme l'Afghanistan et le Pakistan. En Afghanistan, après la défaite des talibans fin 2001, des organisations humanitaires bien intentionnées expédièrent des jeunes Américains intrépides à Kaboul. Ils louèrent des maisons et des bureaux – provoquant une flambée des prix de l'immobilier dans la capitale afghane – et achetèrent des multitudes de 4×4. La vie nocturne kaboulaise explosa, des restaurants et des loueurs de DVD surgirent de toutes parts, et les corn flakes de Kellogg's firent leur apparition dans les rayons des épiceries. Les soirs de week-end à Kaboul, on pouvait voir l'équivalent de 1 million de dollars de 4×4 garé devant les restaurants fréquentés par le personnel des ONG.

Un déluge de programmes humanitaires visa les Afghanes et il eut des effets positifs. Mais, comme d'habitude, ces programmes ne touchèrent guère les campagnes, qui en avaient pourtant le plus besoin. Par ailleurs, de nombreux Afghans se sentirent menacés par l'arrivée dans leur pays de chrétiens et de juifs, qui se baladaient nus (selon les critères afghans) et cherchaient à changer les femmes : *Apprenez à lire ! Trouvez du travail ! Soyez plus autonomes ! Rejetez vos burqas !* Une des organisations, qui tentait de répertorier les noms des habitants dans le but de créer une base de données, demanda l'identité des hommes de chaque foyer, mais également celle des femmes et des filles – ce qui parut scandaleusement indiscret.

Une autre ONG occidentale qui voulait améliorer l'hygiène et la santé des Afghanes faillit provoquer une émeute en leur distribuant des savonnettes. En Afghanistan, se laver avec du savon est souvent considéré comme un geste postcoïtal. L'organisation semblait sous-entendre que les femmes avaient la cuisse légère.

Sakena Yacoobi, une force de la nature qui dirige l'Institut de l'apprentissage afghan, est radicalement à l'opposé de tout cela. Petite et corpulente, les cheveux ramassés sous un foulard, Sakena est en mouvement perpétuel. Elle salue les uns d'un geste de la main tout en mitraillant les autres de questions en anglais. Si les fondamentalistes ne l'ont pas encore réduite au silence, c'est peut-être parce qu'elle est elle-même une Afghane musulmane, moins menaçante qu'un étranger. Les organisations américaines auraient un bilan bien plus positif si elles avaient financé et soutenu Sakena au lieu d'expédier leurs propres représentants à Kaboul. De manière générale, les Américains qui veulent aider les musulmanes feraient mieux de signer des chèques et de mettre la main à la pâte, plutôt que de brandir des haut-parleurs à l'avant des manifestations.

Sakena est originaire d'Herat, une ville du nord-ouest de l'Afghanistan, et bien qu'elle eût été admise à l'université de Kaboul, elle ne put assister aux cours à cause de la violence qui régnait à l'époque. Elle fit donc un demi-tour du monde et se retrouva à Stockton, en Californie, où, grâce à une bourse, elle put s'inscrire en première année de médecine à l'université du Pacifique. Elle étudia ensuite les enjeux de santé publique à l'université Linda Loma (tout en mettant treize membres de sa famille à l'abri aux États-Unis). Mais Sakena voulait aider ses compatriotes, si bien qu'elle partit travailler dans des camps de réfugiés afghans au Pakistan, où elle tenta de proposer des services médicaux et scolaires. Elle commença par créer une école pour filles à Peshawar, qui comptait trois cents élèves. Un an après, elles étaient quinze mille. En Afghanistan, où les talibans leur barraient l'accès à l'éducation, Sakena ouvrit plusieurs écoles secrètes.

« C'était difficile et très risqué, se souvient-elle. Les gens fournissaient les locaux et protégeaient les élèves, et en échange nous payions les professeurs et les fournitures. Nous avions trois mille huit cents élèves dans des établissements clandestins. Il était convenu que les enfants arrivent les uns après les autres, qu'aucun homme ne soit autorisé à pénétrer à l'intérieur et qu'il y ait des guetteurs. »

L'opération remporta un immense succès : quatre-vingts écoles secrètes furent protégées et un seul raid taliban fut déploré. « C'était ma faute, reconnaît Sakena. J'ai autorisé une Anglaise à nous rendre visite. Les enfants n'ont pas pu s'empêcher de parler, et le lendemain les talibans ont débarqué. Mais, comme on avait été prévenus, leur professeure a eu le temps de disperser les élèves et de réaménager la classe en pièce habituelle. En fin de compte, ça s'est bien terminé. »

Le projet de Sakena consacré aux Afghanes réfugiées au Pakistan était encore plus ambitieux et comprenait une université féminine et des cours d'alphabétisation pour les adultes. Après la chute des talibans, Sakena rapatria son Institut du savoir afghan à Kaboul. Elle propose désormais des formations et d'autres services à trois cent cinquante mille femmes et enfants en Afghanistan. L'Institut compte quatre cent quatre-vingts employés, dont 80 % de femmes, et il est présent dans sept provinces. Une grande partie des étudiantes de l'université de Kaboul sont des diplômées de ses programmes.

L'institut forme des professeurs, mais propose également des ateliers destinés à sensibiliser les femmes à leurs droits, civils et islamiques. Bien entendu, il s'agit d'une question sensible, mais les religieux préfèrent avoir affaire à des musulmanes en foulard plutôt qu'à des infidèles américains.

« L'école est essentielle pour vaincre la pauvreté, vaincre la guerre, affirme Sakena. Si les gens sont instruits, les femmes ne seront plus maltraitées ou torturées. Ils s'élèveront aussi pour dire : "Mon enfant est trop jeune pour se marier." »

L'institut enseigne également la religion, mais d'une manière propre à horrifier les fondamentalistes. Les passages modérés du Coran sont mis en avant, de sorte que les femmes puissent diriger leur mari vers ceux qui appellent à les respecter. Souvent, c'est la première fois que les femmes, comme les hommes, prennent conscience de l'existence de ces versets du Coran.

Sakena dirige une nuée de cliniques fixes et mobiles offrant aux familles afghanes des services de planification familiale et des préservatifs gratuits. Un autre volet fondamental de son travail comprend des mesures d'autonomisation économique. « Quand les gens ont l'estomac vide, ils ne peuvent rien apprendre », dit-elle. Aussi l'institut propose-t-il de former ses membres à une série de compétences susceptibles de rapporter un revenu, dont la couture, la broderie, la coiffure et l'informatique. Celles qui parviennent à maîtriser l'informatique trouvent un emploi aussitôt leur diplôme obtenu et touchent 250 dollars par mois, c'est-à-dire plusieurs fois le salaire de la plupart des jeunes Afghans.

Sakena est désormais reconnue pour son travail. L'UNFPA et d'autres organisations passent par elle pour distribuer leur aide. Sakena a été la première Ashoka Fellow d'Afghanistan. En effet, elle fait partie des grands entrepreneurs sociaux du pays (un exemple idéal pour Ellaha, la jeune Afghane emprisonnée, si elle n'est pas assassinée par son père d'ici là). Et, bien que sa vie soit en danger, elle hausse les épaules.

« Pas un jour ne passe sans que je ne reçoive une menace de mort. » Elle rit. « Je change sans arrêt de voiture, de gardes du corps. » En tant que fervente musulmane, elle déplore que des fondamentalistes veuillent la tuer au nom de l'islam. Elle se penche en avant et s'anime encore un peu plus. « Du fond de mon cœur, je vous le dis : s'ils étaient instruits, ils ne se comporteraient pas ainsi. Le Coran est rempli de passages qui appellent à traiter les femmes correctement. Ceux qui agissent mal n'ont pas d'instruction. Je suis une musulmane. Mon père était un bon musulman, et il priait tous les jours, mais il n'a pas essayé de me marier. Les propositions ne manquaient pas quand j'étais en sixième, mais il les a toutes refusées. »

« C'est pour ça que ces hommes ont peur des femmes instruites – ils craignent qu'elles ne se mettent à poser des questions, qu'elles ne fassent entendre leur voix... C'est pour ça que je crois à l'instruction. C'est un outil extrêmement puissant pour vaincre la pauvreté et reconstruire le pays. Si nous mettions ne serait-ce qu'un quart de l'aide étrangère qui va à l'achat de fusils et d'armes dans l'éducation, ce pays serait complètement transformé. »

Sakena hoche la tête, avec une certaine exaspération, puis ajoute : « La communauté internationale devrait se concentrer sur l'éducation. Au nom des femmes et des enfants de l'Afghanistan, je vous en supplie ! Pour vaincre le terrorisme et la violence, nous avons besoin d'instruction. C'est notre seul moyen de l'emporter. »

CHAPITRE 10

Investir dans l'instruction

Si vous trouvez que l'instruction coûte cher, essayez donc l'ignorance.

Derek Bok

Il y a presque vingt ans, alors que nous étions de jeunes mariés installés en Chine, nous avons fait la connaissance d'une adolescente efflanquée de treize ans dans les monts Dabie, au centre de la Chine. Dai Manju vivait avec sa mère, son père, ses deux frères et une grand-tante dans une cabane en bois délabrée adossée à une colline, à deux heures à pied de la route la plus proche. La famille n'avait ni électricité, ni eau courante, ni bicyclette, ni montre, ni horloge, ni radio – elle ne possédait presque rien – et partageait son logement avec un gros cochon. Elle pouvait se permettre de manger de la viande une seule fois par an, à l'occasion du nouvel an chinois. La cabane sombre ne contenait presque aucun meuble, hormis un cercueil que le père avait fabriqué pour la grand-tante. « Pour l'instant, je suis en bonne santé, nous expliqua-t-elle gaiement, mais je préfère être prête. »

Les parents de Dai Manju avaient interrompu leur scolarité en primaire et savaient à peine lire et écrire. Ils ne voyaient pas grand intérêt à ce que leur fille soit scolarisée. Pourquoi une femme aurait-elle besoin de savoir lire et écrire alors qu'elle était vouée à passer ses journées à biner les champs et à repriser les chaussettes ? Les frais de scolarité – qui s'élevaient à 13 dollars par an pour l'école primaire – semblaient une dépense inutile, alors que les billets tout déchirés de la famille pouvaient servir par exemple à acheter du riz. Aussi, quand Dai Manju termina l'école primaire, ils lui demandèrent d'abandonner ses études.

Petite, timide et les cheveux noirs filasse, Dai Manju mesurait une tête de moins qu'une adolescente américaine de son âge. Elle n'avait pas d'argent pour acheter de manuels, ni même des crayons et du papier, mais elle était l'élève la plus brillante de sa classe et aspirait à poursuivre sa scolarité.

« Mes parents étaient malades et ils m'ont dit qu'ils n'avaient plus les moyens de m'envoyer à l'école », expliqua-t-elle d'une voix à peine audible en fixant timidement ses pieds. « Comme je suis l'aînée, ils m'ont demandé d'abandonner mes études et d'aider à la maison. » Elle traîna à l'école, espérant glaner quelques connaissances même si ses parents ne s'étaient pas acquittés des frais de scolarité, et rêvait toujours de devenir la première personne de sa famille à obtenir son diplôme de fin d'études élémentaires. Les professeurs, qui aimaient beaucoup Dai Manju, lui donnaient des vieux bouts de crayons et de papier, espérant ainsi l'aider à poursuivre sa scolarité, et nous la présentèrent à notre première visite.

En 1990, après la parution d'un article que nous avions consacré à Dai Manju, un lecteur compatissant de New York nous fit un virement de 10 000 dollars par le biais de sa banque, la Morgan Guaranty Trust Company. Le don fut transmis à l'école, qui exulta. « Tous les enfants d'ici pourront désormais être scolarisés, déclara le directeur. Nous pouvons même construire une école ! » L'argent permit effectivement de bâtir un établissement primaire radicalement amélioré et d'offrir des bourses aux filles de la région. Alors qu'une bonne partie de la somme avait déjà été dépensée, nous avons appelé le donateur pour lui dresser le bilan de l'opération.

« Vous avez été très, très généreux, lui avons-nous dit, sincèrement enthousiastes. Vous ne vous imaginez pas tout ce qu'on peut faire dans un village chinois avec 10 000 dollars. »

Il eut un silence perplexe. « Mais je n'ai pas donné 10 000 dollars, répondit-il. J'en ai donné 100. »

Après quelques recherches, il s'avéra que la banque s'était trompée. Nous avons appelé un responsable de Morgan Guaranty et lui avons demandé officiellement s'il comptait envoyer du per-

Dai Manju, une élève de sixième déterminée à ne pas abandonner ses études, devant son école, en Chine, avec son directeur.

sonnel en Chine pour réparer l'erreur et chasser les enfants de l'école.

« Compte tenu des circonstances, rétorqua-t-il, nous serions heureux de faire un don équivalent à la différence. »

Les villageois furent extrêmement impressionnés par la générosité – et la négligence – américaine. Comme c'était Dai Manju qui avait inspiré le projet, les autorités lui permirent de poursuivre sa scolarité aussi longtemps qu'elle réussirait ses examens. Elle termina ses études à l'école primaire, au collège et au lycée, puis se spécialisa en comptabilité. Elle fut embauchée dans une des usines de la province du Guangdong. Au bout de deux ans, elle y trouva également du travail pour des amis et des proches. Elle envoya des sommes d'argent toujours plus importantes à sa famille, qui devint l'une des plus riches du village. Quelques années plus tard, nous sommes retournés voir ses parents. Leur maison était en dur, raccordée à l'électricité et équipée d'une gazinière, d'une télévision et d'un ventilateur ; ils semblaient perdus dans l'immensité de ses cinq chambres (la grand-tante était morte). Il y avait toujours un cochon, mais il occupait la vieille cabane, transformée en grange.

En 2006, Dai Manju épousa un ouvrier qualifié – un expert en soudure. Elle mit au monde une petite fille l'année suivante, alors qu'elle avait trente ans. Elle occupait un poste de cadre dans une société d'électronique taïwanaise de Dongguan, mais envisageait de monter sa propre entreprise, soutenue par son patron, qui allait peut-être lui offrir la chance de devenir une *dakuan* – une importante femme d'affaires.

Grâce à toutes les bourses financées par Morgan Guaranty, beaucoup d'autres filles de la colline ont bénéficié d'un sérieux coup de pouce et trouvé du travail dans les usines du Guangdong. Elles ont envoyé de l'argent à leur famille et contribué à financer les études de leurs jeunes frères et sœurs, qui ont rejoint à leur tour la côte chinoise pour occuper des emplois qualifiés. La colline a gagné en prospérité et en importance, si bien qu'une route – qui passe juste devant la maison des Dai – a été construite pour relier le village. Un jour, la statue d'un donateur, de Dai Manju, ou même d'un employé de banque mal organisé, pourrait bien s'y dresser.

C'est le pouvoir de l'instruction. Un nombre incalculable d'études montre que la scolarisation des filles est l'un des moyens les plus efficaces de combattre la pauvreté. Souvent, elle est également indispensable pour permettre aux femmes de s'élever contre les injustices et de s'intégrer à l'économie. Aussi longtemps qu'elles ne sauront ni lire ni écrire, il leur sera difficile de créer des entreprises ou de contribuer significativement à l'économie de leur pays.

Malheureusement, l'impact de la scolarisation des filles n'est pas facile à évaluer statistiquement. Bien qu'il s'agisse d'un des domaines de l'humanitaire les plus étudiés, les personnes qui mènent et financent ces recherches sont le plus souvent tellement convaincues des vertus de l'instruction féminine que la rigueur n'est pas toujours au rendez-vous. Les méthodes employées sont généralement discutables et ne distinguent pas suffisamment les causes des effets. « La plupart du temps, les preuves sont entachées de préjugés évidents : les filles instruites sont issues de familles plus aisées et épousent des hommes plus aisés, plus instruits et plus progressistes », note Esther Duflo, du Massachusetts Institute of Technology, l'une des spécialistes les plus consciencieuses des questions de genre et de développement. « En général, il est difficile de rendre compte de tous ces facteurs en soi, et rares sont les études qui s'y sont risquées. » En résumé, corrélation ne rime pas forcément avec causalité[1].

Les défenseurs de l'instruction féminine desservent également leur cause en passant sous silence un certain nombre de données. Ainsi, bien que nous affirmions que la scolarisation des filles stimule la croissance économique et favorise la stabilité, il n'en reste pas moins vrai que le Kerala, l'un des États indiens où les taux d'alphabétisation sont les plus élevés, connaît une stagnation économique. Il en va de même du Liban et de l'Arabie Saoudite, deux des pays arabes où les filles ont été le plus scolarisées : le premier est embourbé dans les conflits, et le second s'avère une pépinière de fondamentalistes violents. Mais nous pensons qu'il s'agit d'exceptions : le Kerala a été victime de sa politique économique marxiste, le Liban, de conflits religieux et de voisins tyranniques, et l'Arabie Saoudite, d'une culture et d'un gouvernement profondément conservateurs. Le monde est complexe, et dès qu'un remède semble miraculeux, nous essayons d'en tester la validité. L'instruction n'est pas toujours la panacée.

En dépit de toutes ces mises en garde, les arguments en faveur de l'instruction féminine restent très convaincants. Nous connaissons beaucoup de femmes qui, grâce à l'école, ont pu obtenir du travail ou créer une entreprise, et transformer leur vie comme celle de leur entourage. Plus généralement, il est admis que la prospérité que connaît l'Asie orientale depuis quelques décennies est due notamment à la scolarisation des filles et à leur intégration à la main-d'œuvre – un phénomène sans équivalent en Inde ou en Afrique.

Les conséquences d'une progression considérable de l'instruction des filles, y compris de celles issues de foyers pauvres ou conservateurs, ont été analysées par quelques chercheurs indiscutables. Selon une étude de Lucia Breierova et du professeur Duflo, la très forte augmentation de la fréquentation scolaire qu'a connue l'Indonésie entre 1973 et 1978 aurait entraîné le recul de

1. Larry Summers propose un exemple pour souligner la différence entre corrélation et causalité : bien qu'il existe une corrélation presque parfaite entre la capacité de lire et d'écrire et la possession de dictionnaires, distribuer davantage de dictionnaires ne fait pas pour autant progresser l'alphabétisation. (*N.d.A.*)

l'âge du mariage chez les femmes, ainsi qu'une baisse du nombre d'enfants. Les filles instruites sont plus sensibles à la question de la fécondité que les garçons.

Una Osili, de l'université de l'Indiana, et Bridget Long, de Harvard, se sont penchées sur la forte progression de l'enseignement primaire au Nigeria à partir de 1976. Elles ont conclu que chaque année de scolarisation supplémentaire entraînait une réduction du nombre de naissances de 0,26 – une baisse considérable. On entend souvent dire que l'enseignement secondaire a un impact crucial sur la fécondité, mais cette étude démontre que le primaire n'est pas moins important.

Les défis sont évidents : 57 % des cent quinze millions d'enfants qui abandonnent l'école primaire sont des filles. En Asie du Sud et de l'Ouest, elles représentent les deux tiers des enfants non scolarisés.

Les Américains s'imaginent souvent que le moyen de faire progresser l'instruction est de bâtir des écoles. Dans certaines régions, c'est en effet le cas : nous avons nous-mêmes fait construire une école au Cambodge récemment – comme les élèves de Seattle sous l'impulsion de Frank Grijalva. Mais les inconvénients ne manquent pas. La construction d'établissements scolaires est coûteuse, et il est impossible de s'assurer que les professeurs font bien leur travail. Selon une étude, 12 % des écoles indiennes sont fermées à cause des absences des enseignants.

Un des moyens les plus économiques de favoriser la fréquentation scolaire est de traiter les élèves contre les vers. Les vers intestinaux affectent le développement physique et intellectuel des enfants. Les vers ordinaires tuent cent trente mille personnes par an. Ils provoquent des anémies – qui touchent en particulier les filles quand elles ont leurs règles – ou des occlusions intestinales. Au début du XXe siècle, une campagne de purge lancée dans le sud des États-Unis eut des résultats stupéfiants : les enfants devinrent soudain beaucoup plus attentifs et plus studieux. Au Kenya, une importante étude a démontré que les purges pouvaient faire baisser l'absentéisme scolaire de 25 %.

« Vermifuger un chien en Amérique coûte en moyenne 50 dollars par an ; en Afrique, on peut purger un enfant pour 50 cents

(35 centimes d'euro) », explique Peter Hotez, du Réseau mondial pour le contrôle des maladies tropicales négligées. Développer l'instruction en bâtissant des écoles coûte environ 100 dollars par an et par enfant supplémentaire scolarisé. Administrer des vermifuges aux enfants ne revient qu'à 4 dollars par an et par enfant.

Aider les filles à gérer leurs règles est une autre manière économique de favoriser l'enseignement secondaire. En général, les Africaines utilisent (et réutilisent) de vieux chiffons et ne disposent souvent que d'un seul sous-vêtement déchiré. Par crainte de fuites ou de taches, elles préfèrent parfois rester chez elles. Des expériences sont menées actuellement par des organisations humanitaires qui fournissent aux adolescentes des serviettes hygiéniques et leur permettent d'accéder à des toilettes pour se changer. Les premiers résultats montrent que cette approche simple permet d'améliorer l'assiduité des filles.

FemCare, la branche de Procter & Gamble qui fabrique les Tampax et les serviettes Always, a voulu monter son propre projet en Afrique. Elle a distribué gratuitement des serviettes, mais s'est très vite retrouvée face à des défis inattendus. Pour commencer, les filles avaient besoin de changer leurs serviettes et de se laver, mais de nombreux établissements scolaires étaient dépourvus de toilettes. FemCare s'est donc mise à en construire – avec l'eau courante –, ce qui a entraîné une hausse considérable des dépenses. Puis s'est posée la question du tabou culturel du sang, qui incitait les adolescentes à ne pas jeter les serviettes usagées aux ordures. FemCare a dû prendre des dispositions particulières, offrant même des incinérateurs dans certaines régions. Le projet a été instructif pour chaque partie, mais le résultat sans grande surprise : les entreprises, qui veulent que leur marque soit associée à ce qu'il y a de mieux, soutiennent souvent des projets grandioses – très impressionnants mais peu économiques.

Le sel iodé est un autre moyen incroyablement simple de favoriser l'instruction des filles. Environ 31 % des foyers des pays en voie de développement n'assimilent pas suffisamment d'iode à travers l'eau ou les aliments qu'ils consomment. Cette carence entraîne parfois des goitres, mais plus souvent des lésions cérébrales affectant les bébés lorsqu'ils sont encore dans le ventre de leur mère. Au cours des trois premiers mois de grossesse, le cerveau des fœtus – en particulier féminins – a besoin d'iode pour se développer normalement. D'après une étude menée en Équateur, une carence en iode prive en moyenne les enfants de dix à quinze points de quotient intellectuel. Dans le monde, la carence en iode réduit à elle seule de plus d'un milliard de points le QI de l'humanité. On estime que 19 millions de dollars suffiraient à financer le coût de l'iodisation du sel dans les pays pauvres qui en ont besoin. Cette mesure permettrait de produire un bénéfice économique neuf fois supérieur à son coût. D'ailleurs, bien qu'il s'agisse de la forme d'assistance la moins glamour qu'il soit, elle suscite un véritable engouement chez les passionnés de développement.

Pour seulement 50 cents (35 centimes d'euro), il est également possible de fournir une capsule d'huile iodée tous les deux ans aux femmes susceptibles de tomber enceinte. Erica Field, de l'université Harvard, conduit des recherches en Tanzanie, où ce genre de capsules est distribué depuis 1986 dans certaines régions. Le professeur Field a constaté que les filles des femmes concernées avaient des résultats nettement meilleurs en classe et bien moins de risques de redoubler.

La corruption est une autre astuce susceptible de favoriser l'accès à l'instruction des filles. (Personne n'emploie ce terme, mais c'est bien ce dont il s'agit.) L'un des pays pionniers en la matière est le Mexique, où, en 1995, le ministre adjoint des Finances, Santiago Levy, craignit que la récession provoquée par l'effondrement du peso ne soit catastrophique pour les pauvres. Le programme antipauvreté déjà en place, basé sur des subventions alimentaires, était inefficace et servait surtout les intérêts des entreprises agroalimentaires. Aussi Levy monta-t-il discrètement un programme expérimental loin de la capitale, à Campeche, où les chances d'attirer l'attention ou l'opposition étaient moindres. L'idée de Levy consistait essentiellement à payer les familles, qui s'engageaient en contrepartie à maintenir leurs enfants à l'école et à les soumettre à des bilans de santé réguliers. Un suivi méticuleux permit de comparer les résultats des villages où le programme avait été mis en place à ceux d'un échantillon contrôle. Levy fit part du succès de l'expérience au président Ernesto Zedillo, qui eut le courage d'abandonner peu à peu les subventions alimentaires au profit du nouveau programme, baptisé Oportunidades en 2002.

Environ un quart des familles mexicaines bénéficient d'Oportunidades, qui demeure une des initiatives antipauvreté les plus admirées au monde. Les familles reçoivent des bourses à condition de maintenir leurs enfants à l'école, de les faire vacciner, de les présenter à des bilans médicaux et d'assister à des conférences de sensibilisation à la santé. Les montants accordés, qui sont proportionnels au risque d'abandon scolaire, vont de 10 dollars par mois pour un enfant en CE2 à 66 dollars pour une élève du secondaire. Les bourses sont versées directement par le gouvernement central afin d'éviter la corruption. Adressées aux mères plutôt qu'aux pères, elles ont plus de chances de bénéficier aux enfants et renforcent la position des femmes au sein des foyers.

Oportunidades est soumis à une évaluation rigoureuse – contrairement à beaucoup d'autres programmes d'aide. Les auditeurs extérieurs, des représentants de l'Institut international de recherche sur les politiques alimentaires, sont dithyrambiques : « Au bout de trois ans seulement, les enfants défavorisés des zones rurales où opère Oportunidades affichent un taux de scolarisation plus élevé, ont une alimentation plus équilibrée, bénéficient d'une attention médicale accrue et découvrent que l'avenir peut être radicalement différent du passé. » Selon la Banque mondiale, le programme a permis de faire progresser la fréquentation des établissements d'enseignement secondaire de 10 % pour les garçons et de 20 % pour les filles. Les enfants qui y participent grandissent de un centimètre de plus par an par rapport à ceux du groupe contrôle. Au fond, Oportunidades encourage les familles pauvres à investir dans leurs enfants, ce que faisaient déjà les familles riches, brisant ainsi le cercle vicieux de la transmission de la pauvreté. Oportunidades profite en particulier aux filles et, selon les premières études, devrait devenir rentable grâce à l'impact économique du capital humain qu'il contribue à créer. Il est aujourd'hui largement imité par d'autres pays en voie de développement, et même par la ville de New York, qui cherche à améliorer l'assiduité dans ses établissements.

La corruption entre également en jeu dans le programme d'alimentation scolaire de l'ONU, géré par le Programme alimentaire

Un programme d'alimentation à Rutshuru, au Congo, encourage les enfants à poursuivre leur scolarité.

mondial (PAM) et l'UNICEF, et défendu de longue date par l'ancien sénateur George McGovern. Le plus souvent, le PAM distribue des denrées alimentaires aux écoles rurales, mais ce sont les parents qui les préparent chaque jour. Tous les enfants inscrits bénéficient d'un repas gratuit – en général un déjeuner servi tôt, car on suppose qu'ils n'ont pas eu de petit déjeuner – et de traitements réguliers contre les vers. En outre, les filles assidues ont souvent la possibilité de ramener une ration supplémentaire chez elles, afin d'inciter leurs parents à les maintenir en classe.

« C'est un moyen d'encourager la scolarisation des filles », explique Abdu Muhammad, directeur de l'école primaire de Sebiraso, située dans une plaine herbeuse du fin fond de l'Érythrée. « Aujourd'hui, les élèves peuvent se concentrer », ajoute-t-il en regardant les élèves se mettre en rang et les parents remplir les assiettes de ragoût. « Ils peuvent suivre la leçon. Et aucune fille n'a abandonné l'école depuis le début du programme alimentaire, en dehors de celles qui se sont mariées. Avant, la plupart d'entre elles ne terminaient pas le CM2. »

Les programmes d'alimentation scolaire coûtent seulement 10 cents par jour (7 centimes d'euro), et les chercheurs ont démontré qu'ils améliorent considérablement la nutrition, réduisent les retards de croissance et favorisent l'assiduité scolaire, surtout chez les filles. Mais les fonds manquent, et, selon le PAM, environ cinquante millions d'enfants supplémentaires devraient en bénéficier.

Les approches évoquées se sont avérées efficaces pour encourager la fréquentation scolaire, mais il reste à savoir comment favoriser l'assimilation des connaissances une fois que les enfants sont à l'école. Un moyen particulièrement économique consiste à offrir des petites bourses aux filles les plus brillantes. Au Kenya, l'économiste de Harvard Michael Kremer a analysé six approches destinées à améliorer les performances scolaires – de la fourniture de manuels gratuits à des programmes de parrainage d'enfants. La plus efficace revenait à accorder aux 15 % de filles obtenant les meilleurs résultats aux examens d'entrée en sixième une bourse de 19 dollars pour la cinquième et la quatrième (et les honneurs d'une cérémonie publique). Les écolières eurent des notes nettement plus élevées dans les écoles où les bourses étaient offertes – y compris les moins douées d'entre elles qui ne pouvaient pas raisonnablement s'attendre à arriver en tête. Mêmes les garçons, apparemment motivés par les filles ou craignant de rester à la traîne, améliorèrent leurs performances.

Soutenir ce genre de programmes s'avère bénéfique, mais tous ne sont pas égaux. Ces dernières années, certaines voix se sont même élevées contre les appels en faveur d'une augmentation de l'aide à l'étranger. Les sceptiques tel William Easterly, un professeur universitaire de New York doté d'une longue expérience à la Banque mondiale, affirme que l'aide est souvent gaspillée et qu'elle fait parfois plus de mal que de bien. Easterly s'est répandu en sarcasmes cinglants sur les travaux de Jeffrey Sachs, l'économiste de l'université Columbia qui n'a cessé de réclamer plus d'argent pour lutter contre la malaria et le sida, et permettre aux pays de vaincre la pauvreté. D'autres économistes font remarquer qu'il est difficile d'établir une corrélation entre l'aide étrangère accordée aux pays et leur niveau de développement. Comme l'ont écrit Raghuram Rajan et Arvind Subramanian dans un article paru en 2008 dans *The Review of Economics and Statistics* :

> L'existence d'un lien positif (ou négatif) probant entre l'afflux d'aide étrangère dans un pays et sa croissance économique n'a pas été démontrée. Il n'a pas été démontré non plus que l'aide fonctionne mieux dans le cadre de politiques ou de milieux géographiques plus favorables, ni que certaines

> formes d'aide fonctionnent mieux que d'autres. Nos conclusions suggèrent que l'ensemble du système doit être repensé si l'on veut qu'il soit efficace à l'avenir.

Nous sommes de grands admirateurs de Bono, qui n'a cessé de soutenir l'aide en faveur de l'Afrique et connaît les subtilités du développement : il parle de politique de lutte contre la pauvreté aussi bien qu'il chante. Pourtant, quand Bono s'exprima lors d'une conférence internationale organisée en 2007 en Tanzanie, il fut interpellé par des Africains convaincus que l'aide n'est pas ce dont a besoin l'Afrique et qui lui demandèrent de ne pas insister. Andrew Mwenda, un Ougandais, se plaignit des conséquences calamiteuses d'« un cocktail international de bonnes intentions ». James Shikwati, un Kenyan, ne cesse d'implorer les donateurs occidentaux : « Arrêtez, pour l'amour du ciel ! »

Les septiques n'ont pas complètement tort. Il suffit de traverser l'Afrique pour constater qu'il est plus difficile d'aider les pays en voie de développement qu'on ne le pense. En 2000, une conférence mondiale sur la santé organisée au Nigeria fixa comme objectif de protéger 60 % des enfants Africains de la malaria d'ici à 2005 grâce à des moustiquaires. Cinq ans plus tard, pas plus de 3 % d'entre eux en bénéficiaient. Par ailleurs, certains estiment légitimement que l'aide entraîne à la hausse les taux de change locaux en Afrique, sapant ainsi la compétitivité commerciale.

Même les interventions en apparence les plus simples, comme prévenir la transmission du VIH de la mère à l'enfant au moment de l'accouchement, sont plus complexes que ne pourraient l'imaginer la plupart des Occidentaux. Une dose de névirapine à 4 dollars suffit généralement à éviter l'infection du bébé pendant l'accouchement. Cette mesure paraît tellement évidente qu'on la surnomme « le fruit à portée de main » de la santé publique. Mais, même si une femme enceinte passe un test du VIH, qu'elle accouche à l'hôpital, que cet hôpital possède de la névirapine et les compétences pour la prescrire, que la mère ait été informée qu'elle ne doit pas allaiter son enfant, qu'on lui offre du lait en poudre et qu'on lui apprenne à stériliser les biberons – eh bien, malgré tout cela, l'échec est souvent au rendez-vous. De nombreuses femmes se contentent de jeter le lait en poudre dans les fourrés quand elles rentrent chez elles. Pourquoi ? Parce qu'elles ont le sentiment qu'il est impossible de nourrir un bébé au biberon dans un village africain. Un habitant sur deux comprendrait qu'elle est séropositive et elle se retrouverait isolée.

Bien qu'œuvrer en faveur de l'autonomie des femmes soit capital pour venir à bout de la pauvreté, il s'agit d'un travail particulièrement difficile, car il touche à la culture, à la religion et aux structures familiales de sociétés que nous ne comprenons souvent qu'en partie. Un de nos amis participa à un projet mené par l'ONU au Nigeria, destiné à renforcer le rôle des femmes. Son expérience nous semble aussi utile qu'édifiante. Les femmes de cette région du Nigeria cultivaient du manioc, consommé essentiellement dans le cadre familial. Les excédents, vendus sur les marchés, leur rapportaient de l'argent qu'elles contrôlaient. Les travailleurs humanitaires eurent donc une idée de génie : *si nous leur donnons de meilleures variétés de manioc, elles récolteront plus et en vendront plus. Elles gagneront plus d'argent et le dépenseront au profit de leur famille.* Notre ami nous décrivit ce qui se passa ensuite :

> La variété de manioc cultivée par les femmes de la région affichait un rendement de huit cents kilos par hectare. Celle que nous avons introduite produisait trois tonnes par hectare. La première récolte a été extraordinaire, mais nous a rapidement posé un problème. Le manioc étant le travail des femmes, les hommes ont refusé de les aider aux champs. Or les femmes n'avaient ni le temps de récolter des productions aussi importantes, ni les moyens de les transformer.
>
> Il a donc fallu prévoir du matériel de transformation. Malheureusement, la variété de manioc que nous avions introduite était également plus amère et plus toxique. Le manioc contient toujours un peu de dérivé de cyanure, mais notre variété en contenait des quantités bien supérieures à la normale. L'eau rejetée après la transformation était plus polluée, ce qui nous obligea à mettre en place des systèmes destinés à éviter la contamination des nappes phréatiques – ce qui aurait été catastrophique.

Une fois cette question réglée, le projet nous a enfin semblé un succès. Les femmes gagnaient beaucoup d'argent. Nous étions ravis. Sauf que la tradition voulait que les femmes s'occupent des cultures de base, et les hommes, de celles de rente. Le manioc étant devenu très rentable, les hommes l'ont repris à leur compte et ont dilapidé tous les bénéfices en bière. Les femmes se sont retrouvées avec encore moins de revenus qu'au départ.

Il faut reconnaître que la loi de Murphy joue un rôle dans le monde de l'humanitaire. L'aide étrangère ne tombe pas toujours juste et est parfois gaspillée. Mais il n'en demeure pas moins vrai que certains types de programmes fonctionnent : ceux qui jusqu'ici ont été les plus efficaces visent la santé et l'éducation. En 1960, vingt millions d'enfants mouraient avant d'atteindre l'âge de cinq ans. En 2006, grâce aux campagnes de vaccination, d'hygiène publique et de réhydratation orale contre la diarrhée, ils étaient moins de dix millions. Pensez-y : *dix millions d'enfants sont sauvés chaque année, c'est-à-dire cent millions par décennie.* C'est un succès important que les nombreux échecs de l'humanitaire ne doivent pas masquer. On peut également citer l'exemple de Jimmy Carter qui, grâce à ses actions philanthropiques, est presque parvenu à éradiquer le ver de Guinée, un parasite décrit depuis des temps immémoriaux.

De même, considérez les 32 millions de dollars que les États-Unis ont investi en dix ans dans la bataille mondiale contre la variole. Dans le passé, environ un million et demi de personnes par an mouraient de cette maladie. Depuis son éradication en 1977, environ quarante-cinq millions de vies ont été sauvées. C'est stupéfiant. Les États-Unis rentrent dans leurs fonds tous les deux ans, car les Américains n'ont plus besoin de se faire vacciner. L'argent économisé au cours des trois décennies qui ont suivi l'éradication de la variole correspond à un retour sur investissement de 46 % – à l'époque, aucune action ne rapportait autant.

Ann et Angeline

Angeline Mugwendere vient d'une famille de paysans très pauvres du Zimbabwe. Le matin, quand elle se rendait à l'école à pied, dans sa vieille robe et sans sous-vêtements, elle était la risée de ses camarades. Les professeurs la renvoyaient chez elle d'un air sévère en réclamant le paiement de ses frais de scolarité, même s'ils savaient pertinemment que sa famille n'avait aucun moyen de les régler. Pourtant, Angeline supportait les humiliations et les railleries et suppliait qu'on l'autorise à rester en classe. Incapable d'acheter des fournitures scolaires, elle grappillait ce qu'elle pouvait.

« Pendant la pause, j'allais chez un des professeurs et je lui demandais : "Je peux faire votre vaisselle ?", se souvient-elle. En échange, ils me donnaient parfois un stylo. »

À la fin du CM2, Angeline passa un examen national d'entrée en sixième et obtint la meilleure note de son village, mais également de tout le district – en fait, une des meilleures notes du pays tout entier. Mais elle n'avait pas les moyens d'aller au collège. Angeline était vouée à devenir une des nombreuses paysannes ou vendeuses ambulantes du Zimbabwe – un des multiples atouts gaspillés de l'Afrique. Elle était inconsolable. Comme on dit si bien chez elle : *Ceux qui récoltent le plus de citrouilles n'ont pas de marmites pour les cuisiner.* En d'autres termes, les enfants les plus brillants naissent souvent dans des familles qui n'ont pas les moyens de les scolariser.

Mais la trajectoire d'Angeline croisa celle d'Ann Cotton, une Galloise – « et fière de l'être ! » –, qui tentait de venir en aide aux filles du Zimbabwe. Ann, qui avait passé son enfance à Cardiff, entourée d'histoires de mines et de combats politiques, avait une conscience sociale aiguë. Passionnée d'éducation, elle avait créé un centre destiné aux écolières manifestant des problèmes de comportement. Mais c'est un événement tragique qui donna un sens plus profond à sa vie.

Après une grossesse paisible, Ann mit au monde son second enfant, une fille prénommée Catherine. Le bébé semblait en bonne santé et fut autorisé à quitter l'hôpital. Catherine avait dix jours quand une sage-femme vint effectuer une visite de routine à domicile. Elle somma Ann de conduire immédiatement sa petite fille aux urgences, car sa vie était en danger. À l'hôpital, la petite fut placée sous une tente à oxygène.

Catherine souffrait d'une malformation pulmonaire congénitale. Les alvéoles, où se font les échanges entre l'air et le sang, n'oxygénaient pas suffisamment son système sanguin. Le cœur et les poumons du bébé ne fonctionnaient pas correctement. Ann, son époux et leur fils passèrent l'essentiel de leur temps à l'hôpital et se rapprochèrent de beaucoup d'autres parents dont les enfants étaient également en danger.

« Quel supplice ! se rappelle Ann. Je ne me suis jamais sentie aussi impuissante. En tant que mère, je n'avais aucun moyen d'aider ma fille. C'est la douleur la plus grande qu'il m'ait été donné d'éprouver. » Les médecins et les infirmières tentèrent héroïquement de sauver Catherine, mais en vain.

« Quand elle est morte, la seule chose que nous savions, c'est que nous voulions rendre hommage à sa vie et à tout ce qu'elle nous avait appris », conclut Ann. Mais elle ignorait précisément quelle forme prendrait cet hommage. Ann eut rapidement deux autres enfants, un garçon et une fille, et retrouva une vie trépidante. Puis son époux obtint un emploi à Boston, dans une entreprise de haute technologie, et comme Ann n'avait pas le droit de travailler en Amérique, elle s'inscrivit à l'université, où elle suivit des cours de relations internationales. Elle se reprit d'intérêt pour les études et, à son retour en Grande-Bretagne, se lança dans un master en droits de l'homme et instruction à l'Institut de l'éducation de l'université de Londres.

Dans le cadre de la préparation à son diplôme, Ann passa trois semaines dans une région très pauvre du Zimbabwe, où elle mena

Ann Cotton faisant la lecture à des enfants dans une de ses écoles en Zambie.

des recherches sur les taux de scolarisation peu élevés des filles. À l'époque, beaucoup de familles africaines refusaient d'envoyer leurs filles à l'école pour des raisons culturelles. Ann emporta donc des piles de questionnaires et de papier pour pouvoir analyser cette résistance. Elle concentra ses efforts sur l'école du village de Mola et s'entretint avec les enfants, les parents et les responsables de l'établissement. Elle prit rapidement conscience que le plus grand défi n'était pas culturel, mais économique. Les familles n'avaient pas les moyens de payer les frais de scolarité et d'acheter des livres à tous leurs enfants, si bien qu'elles donnaient la priorité aux garçons, plus susceptibles de décrocher un emploi qualifié par la suite.

Les jeunes Zimbabwéennes, déterminées à rester scolarisées malgré les obstacles, touchèrent Ann. Elle rencontra deux sœurs, Cecilia et Makarita, qui avaient parcouru près de quatre-vingts kilomètres à pied pour venir à l'école de Mola, moins chère que celle de leur village. Elles invitèrent Ann dans la cabane de fortune qu'elles s'étaient construite et lui avouèrent ne pas savoir comment elles allaient payer les frais de scolarité du trimestre suivant. Tout ce qu'Ann entendait lui rappelait les récits que lui faisait sa grand-mère sur le pays de Galles à l'époque où la vie était plus dure, et la rapprocha de ces filles de la tribu des Tonga, perdues au fin fond du Zimbabwe. Elle imagina ses propres enfants endurant les mêmes privations.

« Je n'avais jamais été confrontée à un tel niveau de pauvreté de ma vie », explique Ann. Elle promit aux villageois de trouver un moyen de développer la scolarisation des filles. Les chefs du village et les responsables de l'école se montrèrent enthousiastes et, au cours d'une réunion communautaire, s'engagèrent à lui apporter leur soutien – si Ann pouvait contribuer à financer le projet.

Ann retourna à Cambridge, en Angleterre, mais demeura hantée par le souvenir des filles qu'elle avait rencontrées. Son mari et elle créèrent leur propre fonds et demandèrent à des amis de les aider à payer les frais de scolarité des filles de Mola, mais ce ne fut pas suffisant. Ann n'est pas une fanatique de cuisine et n'avait jamais travaillé dans le commerce, mais elle se mit à confectionner dans sa cuisine des sandwichs et des gâteaux, qu'elle vendait au marché de Cambridge. Le succès ne fut pas vraiment au rendez-vous. Ann se souvient notamment d'une journée glaciale de février passée derrière son étal, avec deux de ses amis, pour ne ramener que 30 livres...

Cette année-là, Ann parvint cependant à collecter de quoi scolariser trente-deux filles au collège. Comme promis, leurs parents les soutinrent et s'assurèrent de leur assiduité. Deux ans plus tard, Ann fonda une vraie organisation, la Campagne pour l'instruction féminine (Campaign for Female Education), ou Camfed. Une des premières élèves à en bénéficier fut Angeline : elle put poursuivre ses études dans le secondaire et, sans surprise, obtint d'excellents résultats.

La Camfed, qui étendit son action à la Zambie, à la Tanzanie et à la Gambie, connut un véritable succès, ce qui lui permit de collecter davantage de fonds et de prendre encore plus d'ampleur. Son budget est minuscule par rapport aux grosses agences de développement – 10 millions de dollars par an –, mais elle aide désormais plus de quatre cent mille enfants à rester scolarisés chaque année. Dès le départ, la Camfed n'employa que du personnel local. L'adhésion des communautés est primordiale, et c'est un comité constitué de représentants locaux qui choisit les boursières. Le personnel de la Camfed contrôle ensuite les décisions pour s'assurer qu'il n'y a pas de corruption. De plus, la Camfed évite le culte de la personnalité dont souffrent certaines organisations humanitaires. Son site Internet met en valeur les écolières, non Ann, et ne fait aucune référence à Catherine, pourtant à l'origine du projet. C'est une confidence que nous avons arrachée à Ann.

Ce genre de projet d'initiative citoyenne est généralement plus efficace que les grandes conférences de l'ONU, bien qu'il reçoive moins d'attention. Si nous avons choisi de mettre la Camfed en avant, c'est parce que nous pensons qu'un mouvement international en faveur des femmes a moins besoin d'organiser des conventions ou de faire pression pour changer les lois que de passer du temps dans des régions comme celle que nous venons de décrire au Zimbabwe, d'écouter les communautés et de les aider à scolariser leurs filles.

Pour la Camfed, le soutien apporté aux filles commence en général dès l'école primaire, dans le cadre d'un vaste programme destiné à soutenir les élèves les plus démunies. À partir du secondaire, la totalité de leurs besoins sont couverts, y compris les frais de chaussures et d'uniforme si nécessaire. Les élèves qui habitent trop loin du collège bénéficient d'une aide pour trouver et payer un internat. La Camfed fournit également des serviettes hygiéniques et des sous-vêtements à toutes les filles pour éviter qu'elles ne manquent les cours quand elles ont leurs règles.

Comme d'autres organisations, la Camfed a dû gérer les problèmes d'abus sexuels dans les établissements scolaires, notamment dans le sud de l'Afrique, où certains professeurs n'hésitent pas à proposer de bonnes notes en échange de faveurs sexuelles. La moitié des Tanzaniennes, et presque autant d'Ougandaises, déclarent avoir été victimes d'abus de la part de professeurs. En Afrique du Sud, un tiers des viols signalés sur des filles de moins de quinze ans sont le fait d'enseignants. « Une fille qui craint d'être caressée par son professeur si elle va le voir en privé n'aura pas de bons résultats », explique Ann. Elle souligne également que les Occidentaux créent parfois des problèmes en finançant des bourses accordées par des professeurs ou des directeurs – qui s'attendent à ce que les lauréates, parfois les plus jolies filles, finissent dans leur lit. La Camfed évite cet écueil en désignant des comités où les directeurs n'ont pas de rôle central.

L'organisation d'Ann aide également ses protégées à créer leur entreprise ou à se former à certaines compétences, comme les soins infirmiers ou l'enseignement. Si leurs notes sont suffisamment bonnes, elles bénéficient d'un soutien tout au long de leurs études universitaires. Elle s'est également lancée dans des opérations de microfinance, permettant à certaines filles de créer des exploitations laitières ou d'autres sociétés. Les anciennes élèves de la Camfed ont également créé un réseau social, destiné à échanger des idées et à militer en faveur des droits des femmes.

Ainsi, au Zimbabwe, les diplômées se sont regroupées pour réclamer plus de sévérité à l'encontre des auteurs d'abus sexuels. Elles tentent aussi de décourager le recours aux tests de virginité (une pratique traditionnelle visant à promouvoir la chasteté) et font campagne contre les mariages arrangés. En 2006, au Ghana, Afishetu, diplômée de la Camfed, fut la seule femme candidate aux élections de l'assemblée de district – qu'elle remporta. Elle vise désormais un siège au parlement national.

Le plus surprenant, c'est peut-être que les anciennes élèves de l'organisation d'Ann soient à leur tour devenues des philanthropes. Bien que leurs revenus soient minuscules par rapport aux critères occidentaux, elles n'hésitent pas à soutenir d'autres écolières. Ann explique que chaque diplômée de l'enseignement secondaire de la Camfed aide en moyenne cinq autres filles, sans parler des membres de leur propre famille.

« Elles sont en train de devenir de vrais exemples à suivre dans leur communauté, explique Ann. Si la fille du voisin ne peut pas aller à l'école parce qu'elle n'a pas de jupe, elles lui en fournissent une. Si une autre ne peut pas payer ses frais de scolarité, elles s'en chargent. C'est un phénomène que nous n'avions absolument pas prévu. Il montre le pouvoir de l'instruction. »

En parlant d'exemple à suivre et du pouvoir de l'instruction, la Camfed Zimbabwe a une nouvelle administratrice. C'est une jeune femme qui sait ce que signifie réussir contre toute attente et qui connaît l'impact de quelques dollars d'aide à l'éducation sur la vie d'une fille.

C'est Angeline.

CHAPITRE 11

Microcrédit : la révolution financière

Nous ne pourrons pas atteindre nos objectifs tant que la moitié de la race humaine sera victime de discriminations. Comme nous l'enseigne un nombre incalculable d'études, aucun outil de développement n'est plus efficace que l'autonomisation des femmes.

Kofi ANNAN,
ancien secrétaire général de l'ONU, 2006

Tous les soirs, Saima Muhammad fondait en larmes. Elle était désespérément pauvre ; son mari, un bon à rien, n'avait pas de travail… et il n'était pas près d'en trouver. Frustré et irascible, il battait Saima tous les après-midi. Leur maison, dans la banlieue de Lahore, au Pakistan, tombait en ruine, sans qu'ils aient les moyens de la réparer. Quand il n'y eut plus suffisamment à manger pour toute la famille, Saima envoya sa fille vivre chez une tante.

« Ma belle-sœur s'est moquée de moi. Elle m'a dit : "Tu n'arrives même pas à nourrir ton propre enfant", se souvient Saima. Mon mari me battait. Mon beau-frère me battait. Ma vie était horrible. »

Parfois, Saima se rendait au marché de Lahore, situé à une heure de bus de chez elle, pour tenter de vendre des objets et d'acheter à manger, mais elle ne récoltait que le mépris de ses voisins, qui la traitaient de femme facile parce qu'elle faisait le trajet toute seule. Son mari avait accumulé plus de 3 000 dollars de dettes, qui semblaient vouées à peser sur la famille pendant plusieurs générations. Et puis, à la naissance de son second enfant, qui s'avéra être également une fille, les choses empirèrent pour Saima. Sa belle-mère, une vieille bique dénommée Sharifa Bibi, se mit à exacerber les tensions.

« Elle n'aura jamais de garçon, dit Sharifa à son fils. Tu devrais te remarier. Prendre une seconde épouse. » Saima, qui assistait à la conversation, fut bouleversée et éclata en sanglots. Une seconde épouse pouvait anéantir les finances de la famille et laisser encore moins d'argent pour nourrir et instruire les enfants. Saima elle-même finirait sans doute par être marginalisée au sein du foyer, mise au rebut comme une vieille chaussette. Elle erra des jours durant, complètement abattue, les yeux rouges, en proie à des crises de larmes. Elle avait l'impression que sa vie entière lui glissait entre les doigts.

C'est à ce moment-là que Saima rejoignit un groupe de solidarité féminine affilié à une organisation pakistanaise de microfinance, la Fondation Kashf. La jeune femme contracta un prêt de 65 dollars. Elle investit la somme dans des perles et du tissu, qu'elle transforma en belles broderies destinées à être vendues sur les marchés de Lahore. Avec les bénéfices, elle acheta davantage de perles et de tissu, et se retrouva rapidement à la tête d'une entreprise qui lui rapporta un revenu conséquent – le seul de son foyer. Saima rappela sa fille aînée de chez sa tante et commença à rembourser les dettes de son mari.

Quand les marchands lui réclamèrent plus de broderies qu'elle ne pouvait en produire, elle demanda à des voisines de travailler pour elle. Au final, elle sous-traita avec trente familles et mit son mari au travail – « sous ma direction », précise-t-elle avec des yeux pétillants. Saima devint la femme d'affaires la plus importante du quartier et elle put rembourser l'intégralité des dettes familiales, envoyer ses filles à l'école, rénover sa maison, se raccorder à l'eau courante et acheter une télévision.

« Aujourd'hui, tout le monde vient m'emprunter de l'argent, même ceux qui me critiquaient, dit Saima, le visage rayonnant de joie. Et leurs enfants viennent regarder la télé chez moi. »

Saima a le visage rond, quelques mèches de cheveux noirs dépassent de son foulard à carreaux rouges et blancs. Elle a pris

Saima devant sa maison rénovée près de Lahore, au Pakistan.

un peu de poids et arbore une boucle de nez en or, ainsi que plusieurs bagues et bracelets à chaque poignet. Elle s'habille bien et, sûre d'elle, nous invite à faire le tour de sa maison et de son atelier, désignant ostensiblement la télévision et la nouvelle plomberie. Elle ne fait même pas semblant d'être soumise à son mari. Il passe l'essentiel de ses journées à traîner dans les parages et donne parfois un coup de main, mais c'est toujours Saima qui commande. Il a désormais une meilleure image des femmes : Saima a eu un troisième enfant, une autre fille, mais ce n'est pas un problème. « Les filles sont aussi bien que les garçons », dit-il.

« Tout va bien entre nous, maintenant, précise Saima. On ne se dispute plus, et il me traite bien. » Et qu'en est-il de l'idée de prendre une autre épouse susceptible de lui donner un fils ? Saima a un petit rire. « Personne n'en parle plus. » Sa belle-mère, Sharifa Bibi, semble choquée à cette idée. « Non, non, rétorque-t-elle. Saima apporte tellement à cette maison... C'est une belle-fille exemplaire. Elle met un toit sur nos têtes et à manger sur la table. »

Sharifa accepte même que Saima ne soit plus battue régulièrement par son mari. « Une femme doit connaître ses limites. Sinon, son mari a le droit de la battre, explique la vieille dame. Mais si une femme gagne plus que son mari, il peut difficilement la discipliner. »

La nouvelle prospérité de Saima a également modifié les ambitions scolaires de la famille. La jeune femme projette d'envoyer ses trois filles au collège et au lycée, et peut-être même à l'université. Elle fait appel à des professeurs particuliers pour les aider, et sa fille aînée, Javaria, est première de sa classe. Nous lui avons demandé ce qu'elle voulait faire plus tard, persuadé qu'elle aspirait à devenir médecin ou avocate.

Javaria a penché la tête. « J'aimerais faire de la broderie », nous a-t-elle répondu.

Saima incarne de manière frappante la révolution du microcrédit qui ébranle le monde en voie de développement. Pays après pays, les marchés et les microprêts s'avèrent un moyen extrêmement efficace d'aider les gens à s'aider eux-mêmes. La microfinance a davantage contribué à renforcer le statut des femmes et à les protéger des violences que n'auraient pu le faire toutes les lois du monde. Le capitalisme semble réussir là où la charité et les bonnes intentions échouent parfois.

La fondation Kashf est une institution typique de la microfinance : elle prête presque exclusivement aux femmes, réunies par groupes de vingt-cinq. Toutes solidaires de leurs dettes, elles se retrouvent deux fois par mois pour effectuer leurs paiements et débattre d'une question sociale. Les sujets abordés incluent la planification familiale, la scolarisation des filles ou les lois *hudood* permettant de punir les victimes de viol. Les réunions ont lieu chez les adhérentes, dans un « espace des femmes », où elles peuvent discuter librement de leurs inquiétudes. Bien que de nombreuses Pakistanaises n'aient pas le droit de s'absenter de chez elles sans la permission de leur mari, cette exception est tolérée, car elle est profitable. Les femmes reviennent avec de l'argent et des idées d'investissement, et, au fil du temps, rapportent un revenu qui élève considérablement le niveau de vie du foyer. Le plus souvent, elles débutent modestement, mais, après avoir remboursé entièrement le premier prêt, elles ont la possibilité de réemprunter une somme plus importante. Elles peuvent ainsi continuer à participer aux réunions et à échanger des idées, tout en prenant l'habitude de gérer de l'argent et de rembourser leurs dettes rapidement.

« Aujourd'hui, les femmes gagnent de l'argent et sont plus respectées par leur mari », nous expliqua Zohra Bibi, une voisine de

Saima, qui eut elle-même recours à des emprunts pour acheter des jeunes veaux, qu'elle élève puis revend une fois adultes. « Si mon mari se met à me battre, je le menace de ne pas demander de nouveau prêt l'année suivante. Il s'assoit tout de suite et reste tranquille. »

Kashf est la création de Roshaneh Zafar, une Pakistanaise que l'on pourrait prendre pour une banquière plutôt que pour une travailleuse humanitaire. Roshaneh est issue d'une famille fortunée d'intellectuels émancipés, qui lui permit de s'inscrire à la Wharton School de l'université de Pennsylvanie et d'obtenir plus tard une maîtrise d'économie du développement à Yale. Alors que la plupart de ses amies pakistanaises ou américaines voulaient s'enrichir, Roshaneh rêvait de sauver le monde. Elle choisit de rejoindre la Banque mondiale.

« Je ne voulais pas créer de la richesse pour ceux qui étaient déjà riches, explique-t-elle. Je pensais pouvoir changer les choses en allant à la Banque mondiale. Mais c'était peine perdue. Partout où nous allions, nous conseillions aux gens d'avoir une meilleure hygiène. Et ils nous répondaient : "Vous nous prenez pour des imbéciles ? C'est ce que nous ferions si nous en avions les moyens." Je me demandais ce qui n'allait pas. Nous avions des projets de plusieurs millions de dollars, mais l'argent n'atteignait jamais les villages. »

Et puis, à l'occasion d'un dîner, Roshaneh se trouva assise à côté de Muhammad Yunus, l'exubérant professeur bangladeshi qui, quelques années plus tard, obtint le prix Nobel de la paix pour son rôle pionnier dans la microfinance. Yunus n'était pas encore célèbre, mais la banque Grameen, qui soutenait les prêts aux femmes indigentes, éveillait déjà la curiosité dans les milieux du développement. Roshaneh avait entendu parler du succès de Yunus et ne put s'empêcher de lui poser des questions. Il lui décrivit avec enthousiasme le travail de Grameen – le genre de projet pragmatique d'initiative citoyenne qu'elle aspirait à rejoindre. Roshaneh sauta le pas : elle démissionna de son poste à la Banque mondiale et écrivit à Yunus pour l'informer qu'elle voulait devenir une microfinancière. Il lui envoya rapidement un billet d'avion pour

Roshaneh Zafar, fondatrice de Kashf, en compagnie de clientes dans un village.

le Bangladesh. La jeune femme passa dix semaines à étudier le travail de la Grameen, puis retourna à Lahore pour créer la fondation Kashf, qui allait venir en aide à Saima.

Kashf signifie « miracle », et, dans un premier temps, il sembla qu'un miracle fût effectivement nécessaire à la survie de l'organisation de Roshaneh. La plupart des gens considéraient que la microfinance n'avait aucune chance de fonctionner dans un pays musulman conservateur comme le Pakistan, où les femmes ne seraient jamais autorisées à emprunter. À l'été 1996, Roshaneh se mit à ratisser les quartiers pauvres, en quête de clientes. Elle fut horrifiée de constater que les femmes hésitaient à accepter l'argent. « Nous avons dû faire du porte-à-porte, en essayant de les convaincre de contracter un prêt auprès de la fondation », se souvient-elle. Les quinze femmes qui finirent par accepter sa proposition reçurent chacune 4000 roupies (45 euros).

Roshaneh se fit aider par une autre Pakistanaise dynamique, Sadaffe Abid, qui avait fait des études d'économie au Mount Holyoke College. Les deux jeunes femmes formaient un duo de choc : belles, bien habillées, bien introduites et cultivées, elles rôdaient dans les villages pauvres, plus proches de vedettes de cinéma que de banquières aux yeux des Pakistanais ordinaires. Mais, malgré leur éclat, Roshaneh et Sadaffe se heurtèrent à des difficultés, faute d'une connaissance intime de la pauvreté qu'elles tentaient de vaincre.

« Nous n'avions que cent clientes, dont trente mauvaises payeuses », se souvient Sadaffe. Résolument pragmatique, déterminée à affiner son modèle commercial, Roshaneh nomma Sadaffe responsable d'agence dans un village défavorisé. Mais d'autres problèmes firent leur apparition. « Personne ne voulait nous louer un local, parce que nous étions une ONG. Une ONG pleine de femmes, qui plus est. » Le personnel féminin de Kashf attira également les regards concupiscents et désapprobateurs de nombreux Pakistanais, qui estimaient qu'une femme respectable ne pouvait quitter le domicile de ses parents pour vivre seule. Plus tard, Roshaneh dut s'incliner devant la réalité et embaucher des responsables d'agence masculins, car très peu de femmes étaient disposées à s'installer dans les villages pauvres.

Roshaneh et Sadaffe passèrent les premières années à peaufiner leur modèle commercial. Pour éviter les impayés, elles se mirent à réclamer des remboursements quotidiens plutôt qu'hebdomadaires. Un responsable des prêts procéda à des vérifications élémentaires afin de s'assurer de la solvabilité des clientes : est-ce qu'elle fait ses achats à crédit chez l'épicier du coin ? Est-ce qu'elle paie ses factures ? Mais, dans l'ensemble, le principe, qui consistait à prêter de l'argent à un groupe de vingt-cinq femmes, toutes solidaires de leurs dettes, incitait les clientes à réaliser leur propre enquête afin d'éviter de tomber sur un maillon faible.

Grâce à ce système, presque 100 % des prêts de Kashf furent remboursés – par l'emprunteuse ou les autres membres du groupe. L'organisation se développa rapidement : depuis 2000, sa clientèle a presque doublé.

Kashf se mit également à proposer des assurances vie et maladie, ainsi que des prêts destinés à la rénovation des maisons. Roshaneh aurait voulu que ces crédits ne soient accordés qu'après le transfert des titres de propriété du bien rénové à ses clientes, mais elle se heurta à la complexité de la loi pakistanaise. Le transfert n'exigeait pas moins de huit cent cinquante-cinq démarches réparties sur cinq ans. Aussi la fondation dut-elle se contenter de demander aux maris de s'engager par écrit à ne pas expulser leur femme, même en cas de divorce.

Roshaneh, l'une des premières Fellows d'Ashoka, travailla avec Bill Drayton. Elle put entrer en contact avec d'autres entrepreneurs sociaux de la planète, créer des réseaux et échanger des idées. En

2009, Kashf comptait mille employés et trois cent mille clientes, mais visait un million de clientes en 2010. Roshaneh entretient un noyau de responsables compétentes grâce à des programmes de formation en management qui lui permettent de les exercer aux « sept habitudes des gens efficaces ».

Kashf créa également une banque pour pouvoir accepter les dépôts, en plus d'accorder des prêts. On pense souvent que la microfinance se résume à des crédits, mais l'épargne est peut-être encore plus importante. Tous les pauvres n'ont pas besoin de prêt, mais tous devraient avoir accès à des comptes d'épargne. En outre, la place des femmes est confortée au sein des foyers quand les économies familiales sont à leur nom, et sous leur contrôle.

Un audit interne révéla qu'au bout du troisième prêt 34 % des emprunteuses pakistanaises passent au-dessus du seuil de pauvreté. Selon un sondage, 54 % d'entre elles sont plus respectées par leur mari et 40 % ne se disputent plus avec lui pour des questions d'argent. Quant à la viabilité du modèle commercial de Kashf, Roshaneh déclare sans sourciller : « Notre retour sur capitaux propres est de 7,5 %. »

Bien que la microfinance connaisse un succès extraordinaire dans certaines parties de l'Asie, elle n'en demeure pas moins une solution imparfaite. Selon certaines études, les micro-entreprises des femmes se développent plus lentement et plus modestement que celles des hommes, sans doute parce que les femmes sont obligées de travailler chez elles tout en s'occupant de leurs enfants.

De même, la microfinance est loin d'avoir autant de succès en Afrique qu'en Asie. Peut-être parce qu'elle y est plus récente et que les modèles n'ont pas été suffisamment adaptés. Les populations du continent africain sont également plus rurales et plus dispersées, les économies sous-jacentes, moins dynamiques, et les opportunités, plus rares en termes d'investissement. Les problèmes de santé et les décès imprévisibles provoqués par le sida, la malaria et la maternité fragilisent aussi le système. En outre, le terme « micro » fait référence au montant du prêt, non à celui du taux d'intérêt, qui varie souvent entre 20 % et 30 % par an – ce qui reste très intéressant par rapport aux conditions des établissements de crédit locaux, mais peut paraître exorbitant à des

Occidentaux. Les taux d'intérêt ne posent pas de problème quand l'argent est injecté dans une entreprise rentable, mais s'il n'est pas investi sainement, les emprunteuses se retrouvent piégées face à des dettes toujours plus importantes. Leur situation devient alors pire qu'avant – certaines clientes de Kashf auraient vécu cette mésaventure.

« La microfinance n'est pas la panacée, admet Roshaneh. Il faut également de la santé. Il faut de l'instruction. Si j'étais Premier ministre le temps d'une journée, je mettrais toutes nos ressources dans l'instruction. »

Tout le monde ne peut pas abandonner une carrière dans la finance internationale pour fonder une institution, comme Roshaneh et Sadaffe. En revanche, tout le monde peut permettre aux femmes comme Saima d'obtenir des microprêts – en allant sur un site Internet : www.kiva.org. Kiva est la création de Matt et Jessica Flannery, un jeune couple d'Américains féru de technologie, qui a pris conscience du pouvoir de la microfinance à l'occasion d'un voyage en Ouganda. Convaincus que les Américains accepteraient de prêter de l'argent s'ils savaient à qui il bénéficiait, ils ont décidé de créer un site Internet pour mettre les gens directement en relation. Si vous visitez le site de Kiva, vous verrez des hommes et des femmes du monde entier qui cherchent à financer des petites entreprises. Ces emprunteurs potentiels font l'objet de vérifications rigoureuses de la part d'une organisation implantée localement.

Les donateurs créditent un compte Kiva à l'aide d'une carte bancaire, puis passent en revue les différents projets, avant de choisir la personne qui bénéficiera de l'emprunt. Le prêt minimal est de 25 dollars. En ce moment, notre portefeuille Kiva compte plusieurs bénéficiaires, dont une vendeuse de crêpes des Samoa, une mère célibataire équatorienne qui a transformé une partie de sa maison en restaurant et une menuisière du Paraguay.

Si les microprêts sont presque toujours accordés aux femmes plutôt qu'aux hommes, c'est parce qu'elles sont souvent les premières victimes de la pauvreté. Les données sur la mortalité montrent qu'en temps de famine ou de sécheresse ce sont essentiellement les filles qui meurent. Selon une étude remarquable d'Edward Miguel, un économiste du développement américain, en Tanzanie, chaque fois qu'un phénomène pluviométrique extrême se produit – qu'il s'agisse d'une sécheresse ou d'une inondation –, le nombre de femmes âgées tuées pour sorcellerie est plus que doublé (contrairement aux autres types de meurtres, qui, eux, n'augmentent pas). La météorologie entraîne des mauvaises récoltes, qui aggravent la pauvreté – et les familles se mettent à tuer les « sorcières » improductives qu'elles auraient nourries dans d'autres conditions.

Si les femmes et les filles doivent être mises au cœur des programmes antipauvreté, c'est aussi à cause d'un secret impopulaire : une partie des souffrances les plus affreuses ne provient pas de la faiblesse des revenus, mais des dépenses inconsidérées – faites par les hommes. Il n'est pas rare de tomber sur une mère qui pleure son enfant tout juste décédé de la malaria faute d'une moustiquaire à 5 dollars et de trouver ensuite le père au bar, où il dépense 5 dollars chaque semaine. Selon plusieurs études, quand les femmes contrôlent les dépenses, l'argent du foyer est moins consacré au plaisir immédiat qu'à l'instruction et à la création de petites entreprises.

Comme ce sont le plus souvent les hommes qui tiennent les cordons de la bourse, les familles les plus pauvres du monde dépensent en moyenne dix fois plus (20 % de leurs revenus) en alcool, prostituées, sodas et festins que dans l'instruction de leurs enfants. Les économistes Abhijit Banerjee et Esther Duflo se sont penchés sur les dépenses des très pauvres (ceux qui gagnent moins de 1 ou 2 dollars par jour selon les pays) dans treize nations. 4,1 % des revenus de ces foyers sont consacrés à l'achat d'alcool et de tabac en Papouasie-Nouvelle-Guinée, 5 % à Udaipur (Inde), 6 % en Indonésie et 8,1 % au Mexique. En outre, à Udaipur, 10 % du budget annuel de la famille moyenne sert à financer des mariages, des funérailles ou des fêtes religieuses souvent accompagnés de consommation ostentatoire. 90 % des Sud-Africains dépensent de l'argent dans des fêtes, comme la majorité des Pakistanais, des Ivoiriens et des Indonésiens. Le sucre représente environ 7 % des dépenses totales des pauvres de l'État indien du Maharashtra. On trouve d'ailleurs beaucoup plus de bonbons que de vitamines ou de moustiquaires dans les épiceries des villages africains ou asiatiques. Il n'existe pas de données précises, mais, dans une grande partie du monde, même les jeunes hommes les plus pauvres, qu'ils soient mariés ou célibataires, consacrent des sommes considérables aux prostituées.

Beaucoup de pauvres d'Udaipur semblent mal nourris. 65 % des hommes ont un indice de masse corporelle inférieur aux normes fixées par l'Organisation mondiale de la santé. Seuls 57 % des adultes déclarent manger à leur faim tout au long de l'année, et 55 % sont anémiés. Pourtant, au moins à Udaipur, la malnutrition pourrait le plus souvent être éliminée si les familles achetaient moins de sucre et de tabac.

En revanche, bien que l'instruction des enfants soit le remède le plus efficace contre la pauvreté, les familles les plus indigentes de la planète ne semblent y dédier qu'environ 2 % de leurs revenus. S'ils dépensaient au moins autant pour l'éducation de leurs enfants qu'en bière et en prostituées, les pays pauvres feraient un pas capital en avant. Les filles – puisque ce sont celles qui n'ont pas accès à l'école aujourd'hui – en seraient les premières bénéficiaires.

Il peut sembler injuste de reprocher aux pauvres de se faire plaisir en s'offrant des moments de détente, des cigarettes, de l'alcool ou des bonbons. Pourtant, quand les ressources sont rares, les priorités sont essentielles. Beaucoup d'Africains et d'Indiens considèrent que la bière est indispensable, mais l'instruction des filles, un luxe. Les services d'une prostituée sont jugés essentiels, mais les préservatifs, superflus. Si l'objectif est d'essayer de scolariser davantage de filles et de diminuer la mortalité maternelle, la solution la plus simple est d'affecter différemment les revenus.

Un moyen d'y parvenir est de confier davantage d'argent aux femmes. Deux études anciennes montrent que l'argent du foyer a plus de chances d'être consacré à l'alimentation, à la santé et au logement quand les femmes détiennent un capital ou perçoivent un salaire.

En Côte d'Ivoire, des chercheurs se sont penchés sur les différentes cultures agricoles que les hommes et les femmes produisent pour leur cagnotte personnelle : les hommes s'occupent du café, du cacao et des ananas ; les femmes, du plantain, des bananes, des cocos et des légumes. Certaines années, les « cultures masculines » rapportent beaucoup ; d'autres années, ce sont les femmes qui s'en sortent mieux. Dans une certaine mesure, l'argent est partagé. Toutefois, d'après le professeur Duflo, quand les cultures masculines sont abondantes, les foyers dépensent plus d'argent en alcool et en tabac. Quand ce sont les femmes qui font de bonnes récoltes, c'est l'alimentation qui est favorisée, en particulier l'achat de viande de bœuf. Par ailleurs, plusieurs autres études suggèrent que les femmes sont plus disposées à investir leurs maigres économies dans l'instruction et des petites entreprises.

En Afrique du Sud, après la chute de l'Apartheid, des chercheurs ont analysé les conséquences de l'extension du système de retraite national aux Noirs sur la nutrition des enfants. Subitement, de nombreux grands-parents ont bénéficié de rentrées d'argent importantes (pouvant s'élever jusqu'à 3 dollars par jour, soit deux fois le revenu local médian du pays). Quand les pensions allaient aux grands-pères, l'argent n'avait aucun impact sur la taille ou le poids des enfants dont ils s'occupaient. En revanche, quand elles allaient aux grand-mères, les petites-filles gagnaient à la fois en taille et en poids. D'après ces résultats, l'aide destinée à améliorer la santé des enfants devrait de préférence être confiée aux femmes.

Un peu plus loin, en Indonésie, un pays où les femmes contrôlent le capital qu'elles apportent au moment du mariage, une étude a démontré que plus les femmes disposent de ressources au sein du couple, plus leurs enfants sont en bonne santé. Le bien-être des enfants n'est pas tant influencé par l'importance du revenu de la famille que par la personne qui le gère. Comme le précise Duflo :

> Quand les femmes ont davantage de pouvoir, la santé infantile et la nutrition s'améliorent. D'après ces résultats, les politiques destinées à soutenir les divorcées ou à augmenter l'accès des femmes au marché du travail sont susceptibles d'avoir des conséquences sur le foyer, en particulier sur la santé des enfants. (...) Augmenter le contrôle des femmes

> sur les ressources, même à court terme, renforce leur poids au sein du foyer, ce qui améliore (...) l'alimentation et la santé des enfants.

Si l'on en croit cette étude, on devrait encourager les pays pauvres à adapter leurs lois pour accorder davantage de pouvoir économique aux femmes. Ainsi, les veuves devraient systématiquement hériter des biens de leur époux, plutôt que leurs beaux-frères. Les femmes devraient pouvoir posséder plus facilement des biens et des comptes bancaires, et la création de banques par les institutions de la microfinance devrait être facilitée. Actuellement, selon l'ONU, les femmes ne possèdent que 1 % des titres fonciers du monde. Il faut que cela change.

Certes, le gouvernement des États-Unis a œuvré en faveur de ces changements légaux. Un des meilleurs programmes humanitaires américains, le Défi du Millénaire, incite les pays bénéficiaires à modifier leur droit pour protéger les femmes. Ainsi, le Lesotho, qui tenait à participer au programme, dut permettre aux femmes d'acheter des terres et d'emprunter de l'argent sans l'autorisation de leur mari.

Bien qu'il ne soit peut-être pas politiquement correct de souligner ces discriminations, elles n'en sont pas moins flagrantes pour les travailleurs humanitaires et les responsables nationaux. Depuis plusieurs décennies, le Botswana affiche une des croissances les plus rapides du monde, et son ancien président, Festus Mogae, était généralement considéré comme l'un des dirigeants les plus talentueux de l'Afrique. Il s'est mis à rire quand nous lui avons suggéré qu'en Afrique les femmes travaillent souvent plus dur que les hommes et gèrent plus sagement l'argent :

> Vous avez parfaitement raison. Elles travaillent mieux. Les banques ont été les premières à s'en rendre compte et ont embauché plus de femmes. Tout le monde les imite maintenant. À la maison, les femmes gèrent également mieux les affaires que les hommes. Dans les services publics du Botswana, elles sont en train de devenir majoritaires. La moitié du secteur public est féminin. Les postes de gou-

verneur de la Banque centrale, de ministre de la Justice, de chef du protocole, de procureur général, sont tous occupés par des femmes… Les femmes se débrouillent mieux en Afrique, bien mieux. Nous le voyons au Botswana. Et elles ont un profil différent. Les filles préfèrent la consommation différée, achètent des biens durables et épargnent davantage. Les hommes sont plus orientés vers la consommation immédiate.

Certains experts en développement aimeraient voir plus de femmes s'engager dans la politique et les gouvernements dans l'espoir qu'elles puissent faire pour leur pays ce qu'elles font pour leur foyer. Quatre-vingts États ont réservé un certain nombre de postes aux femmes, le plus souvent des quotas de sièges parlementaires, afin d'augmenter leur participation à la vie politique. Actuellement, les femmes sont à la tête de onze pays et occupent 16 % des sièges législatifs nationaux dans le monde, contre 9 % en 1987.

La démocrate Marjorie Margolies-Mezvinsky, ancien membre du Congrès américain, mène un programme prometteur destiné à favoriser la participation des femmes aux gouvernements du monde. En 1993, Margolies-Mezvinsky venait d'être élue quand le budget Clinton – qui proposait une augmentation des impôts pour équilibrer les comptes – fut présenté à la Chambre des représentants. Aujourd'hui, ce budget est souvent considéré comme l'un des éléments clés qui permirent à l'Amérique d'aborder sainement les années 1990 sur le plan financier, mais il fit l'objet de violentes controverses à l'époque. En tant que nouvelle élue, Margolies-Mezvinsky était vulnérable, et les républicains promirent de la faire battre aux prochaines élections si elle votait en faveur des augmentations d'impôts. C'est pourtant sa voix qui permit de faire passer le budget Clinton. Un an plus tard, elle fut effectivement battue, de peu. Sa carrière politique était terminée.

Aujourd'hui, Margolies-Mezvinsky dirige Women's Campaign International, une organisation destinée à permettre aux citoyennes activistes d'attirer l'attention sur leurs causes, de se présenter aux élections et de mettre sur pied des coalitions afin d'atteindre leurs objectifs. En Éthiopie, où Women's Campaign International a appris aux femmes à mener des campagnes efficaces, leur nombre de sièges au parlement est passé de 8 % à 21 %.

Selon certains, les femmes auraient un sens de l'empathie et du consensus qui ferait d'elles des dirigeantes globalement plus pacifiques et plus conciliantes que les hommes. Pourtant, à l'heure actuelle, peu d'éléments semblent démontrer que les femmes présidentes ou Premiers ministres obtiennent de meilleurs résultats ou sont plus pacifiques que leurs homologues masculins. Les dirigeantes politiques ne sont pas particulièrement attentives aux questions de mortalité maternelle, d'éducation des filles ou de traite sexuelle. Peut-être parce que la plupart d'entre elles – pensez à Indira Gandhi, Benazir Bhutto, Corazón Aquino, Gloria Macapagal-Arroyo – appartiennent à l'élite et n'ont jamais été directement confrontées aux sévices que subissent les femmes les plus pauvres.

Pourtant, dans les milieux du développement, il est communément admis que les responsables locales, qu'il s'agisse de maires ou d'administratrices d'établissements scolaires, prêtent plus attention aux besoins des femmes et des enfants. En Inde, une expérience fascinante a pu être menée à partir de 1993, date à laquelle la Constitution a été modifiée afin de réserver un tiers des postes de chefs de village aux femmes. Ces sièges, accordés aléatoirement, ont permis de savoir si les villages étaient gérés différemment selon qu'une femme ou un homme se trouvait à leur tête. Et, en effet, les priorités budgétaires n'étaient pas les mêmes. Dans les villages dirigés par des femmes, les pompes à eau ou les robinets étaient plus nombreux et mieux entretenus. Le fait que la corvée d'eau revienne aux femmes en Inde explique peut-être ce choix, mais d'autres services publics ont été jugés au moins aussi bons que ceux des villages dirigés par des hommes. Rien n'indiquait que d'autres types d'infrastructure aient été négligés. Selon les villageois, le risque de devoir payer des pots-de-vin était même bien moindre dans les communautés gérées par des femmes.

En revanche, malgré ces éléments favorables, les villageois et les villageoises se déclaraient moins satisfaits de leurs dirigeantes.

Les universitaires à l'origine de cette étude restèrent perplexes : les services semblaient de meilleure qualité, mais l'insatisfaction était plus grande. Les hommes machistes n'étaient pas les seuls mécontents : les femmes l'étaient tout autant. Il semble que les citoyens ordinaires aient été contrariés d'avoir été obligés d'élire des femmes, ou qu'ils n'aient pas apprécié que les élues soient en moyenne moins instruites et moins expérimentées que leurs homologues masculins. Ces résultats suggèrent que les femmes politiques, en tout cas en Inde, doivent faire face à un obstacle de taille : même lorsqu'elles fournissent de meilleurs services, elles sont jugées plus sévèrement.

Mais des études complémentaires ont révélé que ce préjugé s'effaçait dès qu'un village avait été géré une première fois par une femme. Les dirigeantes se voyaient alors évaluées sur des critères indépendants du sexe. Ces recherches laissent penser que la mise en place de quotas féminins en politique peut être utile, car ils permettent de lever l'obstacle initial qui barre la route aux candidates. Le modèle indien semble contribuer à faire tomber les barrières sexistes et à favoriser un système politique plus démocratique et plus ouvert.

Quel que soit l'impact des dirigeantes, l'histoire même de l'Amérique illustre les conséquences importantes de la participation des femmes en politique. Comme nous l'avons déjà fait remarquer, la mortalité maternelle aux États-Unis ne diminua significativement qu'à partir du moment où les femmes obtinrent le droit de vote : quand elles eurent une voix politique, leur vie devint également plus prioritaire. Davantage de fonds furent alloués aux programmes de santé publique, en particulier à la santé infantile, car il s'agissait d'une question à laquelle les électrices étaient censées être très sensibles. Grant Miller, professeur à l'université Stanford, mena une excellente étude sur l'évolution de la santé dans les États où le droit de vote féminin fut accordé. « Dans l'année qui suivit la promulgation de la loi, les résultats des scrutins publics législatifs se modifièrent, et les dépenses de santé publique locales s'élevèrent d'environ 35 %, écrit-il. La mortalité infantile chuta de 8 % à 15 %. À travers tout le pays, vingt mille enfants furent sauvés chaque année. »

Le même phénomène se produisit à l'échelle nationale. En 1921, un an après que le droit de vote fut accordé à l'ensemble des Américaines grâce au dix-neuvième Amendement, le Congrès vota la loi Sheppard-Towner, un programme de santé publique décisif. « Le Congrès craignait principalement d'être sanctionné » par les nouvelles électrices, écrit un historien. L'amélioration de la santé des Américains à cette époque est étonnante : entre 1900 et 1930, le taux de mortalité des enfants âgés de un à quatre ans chuta de 72 % (bien entendu, cette baisse s'explique également par beaucoup d'autres facteurs). Comme le fait remarquer le professeur Miller, les adversaires du droit de vote féminin répétaient souvent que les enfants souffriraient de l'implication des femmes dans des activités extérieures. En réalité, notre histoire nous démontre que la participation politique des femmes a entraîné un bénéfice majeur, vital, pour les petits Américains.

La seconde vie de Goretti

Des collines qui surplombent des champs vert sombre… Des caféiers qui s'agitent dans la brise… Le paysage luxuriant du nord du Burundi est l'un des plus beaux d'Afrique. Le climat y est plus agréable que dans les plaines, et des huttes aux murs de boue se dressent ici et là. Pourtant, c'est sur cette terre pittoresque que vit l'un des peuples les plus pauvres de la planète. Goretti Nyabenda faisait partie de ces miséreux, et elle était l'une des plus malheureuses d'entre eux.

Goretti était quasi prisonnière de sa hutte d'adobe rouge. Les femmes de la région ne peuvent quitter la propriété familiale sans l'autorisation de leur mari, et celui de Goretti, un homme grincheux prénommé Bernard, répugnait à la lui donner. Goretti avait trente-cinq ans et était mère de six enfants, mais elle n'avait même pas le droit d'aller seule au marché.

Bernard et Goretti cultivaient des bananes, du manioc, des pommes de terre et des haricots sur un demi-hectare de terre épuisée qui leur permettait à peine de survivre. La malaria tuait beaucoup de monde dans la région, mais ils étaient trop pauvres pour pouvoir offrir des moustiquaires à tous leurs enfants. Trois fois par semaine, Bernard dépensait 2 dollars au bar du coin, où il buvait de la bière de banane. Ses sorties coûtaient à la famille 30 % de son revenu disponible.

Goretti, qui n'avait jamais mis les pieds à l'école, n'avait pas le droit d'acheter quoi que ce soit, ni de gérer le moindre centime. Elle n'avait jamais touché à un billet de 100 francs de sa vie – l'équivalent de moins de 10 cents (7 centimes d'euro). Bernard et elle se rendaient au marché à pied, il tendait l'argent à la vendeuse, et Goretti portait les achats jusqu'à la maison. Les échanges du couple se limitaient essentiellement à des scènes de ménage entrecoupées de rapports sexuels.

Le jour où nous l'avons interviewée, Goretti était assise sur une natte en paille derrière sa hutte. C'était une journée ensoleillée mais l'air était agréable et rafraîchissant, et un chœur d'insectes lui faisait la sérénade. Goretti portait un tricot marron – qui avait dû atterrir en Afrique centrale après avoir été donné par une Américaine à une association caritative – et une jupe portefeuille jaune intense. Elle avait des cheveux très courts, presque rasés, pour faciliter leur entretien, et se renfrogna en décrivant son état d'esprit : « J'étais malheureuse. Comme je restais tout le temps à la maison, je ne connaissais personne et j'étais complètement seule. Mon mari disait que le rôle d'une femme était de cuisiner, de rester à la maison ou de travailler aux champs. C'est comme ça que je vivais. J'étais frustrée et en colère. »

Et puis, la belle-mère de Goretti lui parla d'un programme lancé dans le village par CARE, la vénérable organisation humanitaire américaine qui se préoccupe de plus en plus des besoins des femmes et des filles. Enthousiaste, Goretti demanda à Bernard si elle pouvait participer à une des réunions de CARE. « Non », rétorqua Bernard. Goretti resta chez elle et bouda. C'est sa grand-mère qui raviva son envie en lui vantant les mérites du programme de CARE. Goretti implora Bernard, qui persista dans son refus. Et puis, un jour, elle sortit sans sa permission. Bernard se mit en colère, mais Goretti avait pris soin de préparer le dîner à l'avance et de satisfaire ses moindres désirs.

Le programme de CARE repose sur des « associations » composées chacune d'une vingtaine de femmes. Avec sa grand-mère et d'autres villageoises impatientes d'y adhérer, Goretti créa une nouvelle association, dont elle devint rapidement la présidente. Souvent, les vingt femmes travaillaient ensemble, cultivant le champ d'une famille un jour, puis celui d'une autre la fois suivante. Elles vinrent toutes jusqu'au champ de Goretti, qu'elles labourèrent entièrement en une seule journée.

« Quand mon mari est arrivé, il s'est montré très content,

expliqua Goretti avec espièglerie. Il a dit : “Ce groupe est très bien.” Et il m'a laissée continuer. »

Chaque femme apporte l'équivalent de 10 cents (7 centimes d'euro) à chaque réunion. L'argent est mis en commun et prêté à l'une des adhérentes, qui doit l'investir dans une opération lucrative, puis le rembourser avec des intérêts. En fait, les femmes créent leur propre banque. Goretti emprunta 2 dollars, dont elle se servit pour acheter de l'engrais destiné à son jardin. C'était la première fois qu'elle gérait de l'argent. Les fertilisants donnèrent une excellente récolte de pommes de terre qui lui rapporta 7,50 dollars. Au bout d'à peine trois mois, elle remboursa son prêt (2,30 dollars, intérêts inclus), et le capital fut prêté à une autre femme.

Renflouée grâce à sa récolte, Goretti préleva 4,20 dollars sur le bénéfice restant pour acheter des bananes et fabriquer de la bière, qui se vendait très bien au marché. Elle finit par créer une petite entreprise de production et de vente de bière de banane. Quand ce fut de nouveau à son tour d'emprunter, Goretti contracta un nouveau prêt de 2 dollars pour agrandir sa brasserie, puis se servit du bénéfice pour acheter une chèvre pleine, qui mit bas un mois plus tard. La jeune femme possède désormais deux chèvres en plus de sa brasserie. (La nuit, elle rentre les animaux dans la hutte pour éviter qu'on ne les lui vole.)

Bernard regarde avec envie les bidons de bière de banane, mais elle refuse qu'il y touche – elles sont destinées à la vente, pas à la consommation. Comme Goretti rapporte de l'argent à la famille, il est obligé de se contrôler. Depuis que Bernard a attrapé la malaria et qu'il a été hospitalisé, Goretti a davantage de poids dans son couple. C'est elle qui a réglé ses frais médicaux, grâce à l'argent de la bière et à un prêt accordé par l'association CARE.

« Aujourd'hui, Bernard ne m'embête plus, explique Goretti. Il voit bien que je peux faire des choses, alors il me demande mon avis. Il voit bien que je peux apporter ma contribution. » Les membres de l'association se servent également de leurs réunions pour échanger des tuyaux sur la manipulation de leurs maris, mais aussi sur l'élevage des animaux, la résolution des conflits familiaux et la création d'entreprises. Des infirmières de passage offrent des conseils de santé : elles expliquent aux femmes à quel moment elles doivent emmener les enfants se faire vacciner, comment déceler les IST et éviter le VIH. Un test du VIH leur est également proposé – Goretti est séronégative.

« Avant, certaines femmes souffraient d'IST, mais ne le savaient pas, explique Goretti. Maintenant, elles sont guéries. J'ai reçu des piqûres contraceptives, et si on m'en avait parlé plus tôt, je n'aurais pas eu six enfants. Peut-être seulement trois. Si je n'avais pas rejoint le groupe, j'en aurais voulu dix. »

Les réunions de CARE incitent aussi les femmes à accoucher à l'hôpital, puis à déclarer leurs bébés afin qu'ils puissent avoir des papiers d'identité légaux. Les filles ne possèdent jamais de certificats de naissance ni aucun autre document légal, si bien qu'officiellement elles n'existent pas et n'ont pas droit aux aides gouvernementales. La communauté humanitaire est de plus en plus consciente qu'un système de cartes d'identité nationale, difficiles à contrefaire, permettrait de les protéger de la traite et leur faciliterait l'accès aux services de santé.

Plus fondamentalement, le programme de CARE apprend aux femmes à ne plus rester forcément en retrait, à participer aux réunions et à défendre leur point de vue. « Dans notre culture, les femmes ne pouvaient pas parler, explique Goretti. "Une poule n'a rien à dire face à un coq", dit un proverbe. Mais, aujourd'hui, nous pouvons nous faire entendre. Nous appartenons à la communauté. » Goretti fait partie des nombreuses femmes qui suivent également des cours d'alphabétisation grâce à CARE ; elle a soigneusement écrit son nom pour nous prouver qu'elle en était capable.

Les hommes du nord du Burundi tendent à concentrer leurs efforts sur la culture de rente la plus importante de la région : le café – qu'ils produisent chez eux ou comme ouvriers sur les plantations. À la fin de la récolte, quand ils ont les poches pleines, beaucoup prennent ce qu'on appelle une seconde épouse – une maîtresse, souvent une adolescente, qui reste avec eux jusqu'à ce qu'ils soient à court d'argent. Les secondes épouses sont payées en vêtements et en bijoux, et, en plus d'ouvrir une voie royale au sida, creusent un gros trou dans le revenu familial. Mais, aujourd'hui, les femmes du programme de CARE tentent de mettre un terme à cette tradition. Si le mari d'une des adhérentes essaie de prendre une seconde épouse, les autres femmes forment un groupe d'autodéfense et chassent la maîtresse. Parfois, elles vont voir le mari et lui infligent une amende de 10 dollars : si elles font preuve de suffisamment d'autorité, la somme est réglée et va directement dans les caisses de l'association.

Pour montrer à quel point les choses ont changé, aujourd'hui c'est Bernard qui demande de l'argent à Goretti. « Je ne lui en donne pas toujours, parce que nous devons faire des économies, dit-elle. Mais parfois si. Il m'a permis de rejoindre le groupe et j'en suis heureuse, lui aussi doit pouvoir s'amuser. » Et Goretti ne lui demande plus la permission chaque fois qu'elle quitte la maison. « Je le préviens bien quand je sors, explique-t-elle. Mais c'est une information, pas une demande. »

Goretti projette d'agrandir encore son entreprise. Elle veut élever des chèvres, tout en continuant à commercialiser sa bière. Il reste encore beaucoup d'incertitudes : Bernard pourrait devenir jaloux et se venger sur elle, des bêtes sauvages pourraient tuer ses chèvres, la sécheresse, détruire sa récolte et la laisser endettée, l'instabilité permanente du Burundi, amener des groupes armés à piller son champ. Et toute la bière qu'elle produit pourrait tout simplement transformer davantage de villageois en ivrognes. Ce modèle de microfinance rurale peut aider des familles, mais il a ses limites.

En attendant, tout va bien – et le programme est peu coûteux. CARE débourse moins de 100 dollars par femme au cours des trois années que dure l'opération (après, Goretti sera diplômée, et CARE choisira une autre région). Aider Goretti revient donc à 65 cents (45 centimes d'euro) par semaine. En plus d'améliorer sa vie, le programme lui permet de participer au PNB du Burundi. Quant aux enfants de Goretti, ils disposent désormais de stylos et de cahiers pour continuer à s'instruire, mais également d'un modèle de destin féminin possible.

« Elle a changé, admet Pascasie, la fille aînée de Goretti, élève de sixième. Maintenant, même si papa n'est pas à la maison, elle peut aller au marché nous acheter ce dont on a besoin. »

Quant à Bernard, il a hésité à se laisser interviewer, peut-être parce qu'il avait conscience de détenir le rôle le moins flatteur de ce drame familial. Mais, après avoir bavardé un peu du prix des bananes, il a reconnu qu'il était plus heureux avec une compagne qu'il ne l'avait été avec une servante. « Aujourd'hui, je vois ma femme gagner de l'argent et en rapporter à la maison, admet-il. J'ai plus de respect pour elle. »

Il est possible que Bernard nous ait simplement dit ce que nous voulions entendre. Mais Goretti est en train de se forger une réputation de dompteuse de mari dans le village, et ses conseils sont de plus en plus demandés. « Maintenant, quand il y a un conflit dans le voisinage, on me demande de l'aide », nous a-t-elle dit fièrement. Elle a ajouté qu'elle voulait s'engager encore plus dans les projets communautaires et participer à plus de réunions de village. Bernard, qui écoutait notre conversation, a eu l'air horrifié, mais Goretti n'a pas semblé en être dérangée.

« Avant, je me sous-estimais, a-t-elle conclu. Je ne disais rien à personne. Aujourd'hui, je sais que j'ai de bonnes idées, et je dis ce que je pense aux gens. »

Goretti et ses chèvres devant sa maison du Burundi.

CHAPITRE 12

Le défi de l'égalité

La vie serait bien moins dure si le corps des femmes ne comportait pas tant de parties.

LU XUN, *Réflexions angoissées sur les «seins naturels»* (1927)

Après avoir dépeint le monde des femmes défavorisées, arrêtons-nous un instant sur le destin d'une milliardaire.

Zhang Yin est un petit bout de femme exubérant. Elle entama sa carrière comme ouvrière textile, payée 6 dollars par mois, pour contribuer à l'éducation de ses sept frères et sœurs. Puis, au début des années 1980, elle déménagea dans la zone économique de Shenzhen, où elle trouva un emploi dans une entreprise de négoce de papier contrôlée en partie par des étrangers. Zhang Yin y apprit toutes les facettes du métier. Elle aurait pu attendre patiemment de gravir les échelons de la hiérarchie, mais c'était compter sans son ambition, son énergie et son esprit d'entreprise. En 1985, elle intégra une société commerciale de Hong Kong. Moins d'un an plus tard, quand celle-ci fit faillite, elle décida de monter sa propre affaire : elle acheta du papier usagé à Hong Kong, qu'elle expédia à travers toute la Chine. Elle comprit rapidement que c'était en jouant sur la différence des prix entre les États-Unis et son propre pays qu'elle pourrait faire un maximum de profits. Comme la Chine possède peu de forêts, une grande partie de son papier, fabriqué à partir de paille ou de bambou, est de qualité exécrable. En revanche, les vieux papiers recyclables américains, conçus à partir de pulpe de bois et dénués de valeur aux États-Unis, représentaient un bien précieux pour les Chinois – d'autant que l'industrialisation entraînait une hausse exponentielle de la demande.

Avec son mari, un Taïwanais, Zhang Yin commença par acheter du papier américain en faisant appel à des intermédiaires. Puis, en 1990, elle partit pour Los Angeles et commença à travailler en dehors de la Chine. Elle parcourut toute la Californie au volant d'une vieille camionnette, s'arrêtant dans les déchetteries pour négocier les papiers usagés. Ses interlocuteurs étaient ravis de conclure des marchés avec elle.

« J'ai dû tout apprendre, explique Zhang Yin. Nous nous sommes lancés seuls, mon mari et moi, et je ne parlais pas un mot d'anglais. » Elle parvint à négocier des frais de transport très avantageux, car les navires qui apportaient les jouets et les vêtements chinois en Californie rentraient le plus souvent vides. À mesure que la demande de papier explosait en Chine, son entreprise prospéra, et, en 1995, Zhang Yin créa une usine dans le Sud, à Dongguan, une ville en plein essor. Elle y fit fabriquer les boîtes en carton ondulé destinées aux exportations chinoises.

Basée en Californie, America Chung Nam, son entreprise de recyclage, est actuellement le principal exportateur américain de produits vers la Chine en termes de volume. Quant à son usine, Nine Dragons Paper, elle emploie plus de cinq mille personnes. Mais Zhang Yin ne compte pas s'arrêter là. « Mon but est de faire de Nine Dragons le premier fabricant de carton d'emballage d'ici trois à cinq ans, a-t-elle déclaré à notre ami du *New York Times*, David Barboza. J'ai toujours voulu être le leader d'une industrie. »

En 2006, Zhang Yin possédait un patrimoine estimé à 4,6 milliards de dollars et, selon certains classements, était la personne la plus riche de Chine. Elle était sans doute la *self-made woman* la plus fortunée du monde – la crise économique a sérieusement entamé sa fortune et menacé son activité depuis. En tout cas, son destin est emblématique d'un phénomène plus vaste : d'après le rapport Huron, six des dix *self-made women* les plus riches du monde sont désormais chinoises.

Cette tendance reflète les efforts consentis par les Chinois pour offrir aux femmes un terrain de jeu plus égalitaire. Dans l'ensemble, la Chine est devenue un modèle de lutte contre la discrimination sexuelle pour les pays en voie de développement : après avoir longtemps oppressé les femmes, elle œuvre désormais à leur émancipation, démontrant par la même occasion qu'aucune barrière culturelle ne peut résister longtemps à la volonté politique. Toute une série de pays – le Rwanda, le Botswana, la Tunisie, le Maroc, le Sri Lanka – ont également œuvré à l'autonomisation des femmes. Certains problèmes demeurent, mais cette évolution nous rappelle que les obstacles peuvent être surmontés pour le plus grand bien des hommes comme des femmes.

Certaines personnes doutent parfois de l'intérêt de combattre la traite sexuelle, l'excision et les crimes d'honneur sous prétexte qu'ils seraient inévitables. Que peuvent nos bonnes intentions contre des siècles de tradition ?

La Chine est notre réponse à cette question. Il y a un siècle, ce pays était sans doute le pire au monde pour les femmes. Les pieds bandés, le mariage des enfants, le concubinage et les infanticides étaient ancrés dans la culture chinoise traditionnelle. Au début du XXe siècle, certaines petites Chinoises des campagnes n'avaient même pas de nom et étaient simplement appelées « sœur numéro deux » ou « sœur numéro quatre », voire, ce qui était encore plus indigne, Laidi, Yindi ou Zhaodi, c'est-à-dire « Apporte-nous un petit frère ». Elles étaient rarement instruites, souvent vendues, et un grand nombre d'entre elles finissaient dans les bordels de Shanghai.

Critiquer les pieds bandés et les infanticides féminins relevait-il de l'impérialisme culturel occidental ? Peut-être. Mais c'était aussi ce qu'il convenait de faire. Si nous croyons fermement en certaines valeurs, comme l'égalité de tous les êtres humains, peu importe la couleur de leur peau ou leur sexe, nous ne devons pas avoir peur de les défendre. Il serait irresponsable d'accepter l'esclavage, la torture, le bandage des pieds, les crimes d'honneur ou l'excision par simple respect de la foi et de la culture d'autrui. La Chine nous a appris une chose : les discriminations n'ont pas à être admises comme des éléments figés d'une société donnée. Si les cultures étaient immuables, la Chine serait toujours un pays pauvre, et Sheryl aurait les pieds bandés.

La lutte pour les droits des femmes en Chine a été aussi difficile qu'elle l'est aujourd'hui au Moyen-Orient, et le prix à payer, parfois élevé. À la fin des années 1920, furieux de voir certaines jeunes femmes porter les cheveux courts, les conservateurs sociaux chinois les traitaient de garçons manqués. Des voyous les attrapaient parfois dans la rue et les tondaient complètement – quand ils ne leur tranchaient pas les seins. *Si vous voulez ressembler à un homme*, disaient-ils, *voilà comment faire.*

Après la révolution de 1949, la Chine connut un régime communiste oppressant. La répression et la famine entraînèrent des dizaines de millions de morts, mais cette période laissa un élément particulièrement positif : l'émancipation des femmes. Mao les fit accéder au monde du travail et au Comité central du parti communiste, et il profita de son assise politique pour abolir les mariages d'enfants, la prostitution et le concubinage. C'est lui qui proclama : « Les femmes portent la moitié du ciel. »

Dans les années 1980, la mort de l'idéologie communiste et l'émergence d'une économie de marché s'accompagnèrent de quelques revers pour les Chinoises, qui, aujourd'hui encore, sont confrontées à un certain nombre de défis. Même les diplômées des universités subissent des discriminations à l'embauche, et le harcèlement sexuel est encore très répandu. Un jour, un ministre du gouvernement chinois a pris Sheryl pour une secrétaire et a tenté d'abuser d'elle. Elle s'est vengée en décrivant l'incident dans un de nos livres : *China Wakes*. Le concubinage fait son retour avec les *er nai*, les secondes épouses, et la Chine compte des millions de prostituées (même si, contrairement à l'Inde, c'est le plus souvent un choix). La politique de l'enfant unique associée à un accès facilité aux échographies incite les parents à contrôler le sexe de leur fœtus et à avorter s'il s'agit d'une fille. Il naît cent seize petits garçons chinois pour cent filles – une source d'instabilité pour l'avenir. Hélas, ni le développement économique ni l'essor de la scolarisation et de la classe moyenne ne semblent avoir remis en cause les avortements des fœtus féminins.

En revanche, aucun autre pays ne peut se vanter d'avoir autant amélioré le statut des femmes. Au cours du siècle écoulé, la Chine est devenue l'un des endroits au monde les plus favorables aux filles – du moins dans les zones urbaines. Les hommes des villes chinoises participent davantage aux tâches domestiques, comme la cuisine et les soins aux enfants, que la plupart des Américains. En effet, ce sont les Chinoises qui prennent souvent les décisions du foyer, d'où l'expression « *qi gan yan* », « l'épouse règne strictement ». Et si les discriminations persistent au travail, elles sont moins liées au sexisme qu'à la prudence des employeurs devant les généreuses allocations de maternité accordées aux femmes.

Les progrès accomplis sont notamment visibles dans le village ancestral de Sheryl, dans le sud de la Chine. Quand la grand-mère maternelle de Sheryl eut cinq ans, sa mère, qui voulait qu'elle soit belle, lui banda les pieds des orteils au talon. C'était le début d'un processus destiné à écraser les os de la fillette jusqu'à ce qu'elle exhibe des pieds délicats de sept centimètres et demi, des « lotus d'or » jugés sensuels à l'époque. Les Chinois du XIXe siècle avaient d'ailleurs un vocabulaire érotique bien plus développé pour désigner les pieds des femmes que leur poitrine. La grand-mère de Sheryl retira ses bandages après avoir émigré à Toronto avec son mari, mais il était trop tard. Elle dirigea une famille de sept enfants au caractère marqué, mais boitilla toute sa vie dans de minuscules chaussures, tel un pingouin élancé perché sur de petites échasses.

Quand nous nous sommes mis à parcourir la Chine, la coutume des pieds bandés avait disparu, mais les villageoises, qui acceptaient toujours d'être des citoyennes de seconde zone, suppliaient la déesse de la Miséricorde de leur accorder un fils et noyaient parfois leurs petites filles. Pourtant, l'accès croissant des femmes à l'instruction et au monde du travail a entraîné une évolution rapide de la perception des rapports hommes-femmes. Instruire et responsabiliser les filles est certainement moral, mais, pour beaucoup de familles, c'est surtout un investissement rentable ! La Chine a bénéficié d'un cercle vertueux : quand les filles ont eu plus de valeur économique, les parents ont plus misé sur elles et leur ont accordé plus d'autonomie.

Aujourd'hui, les Chinoises s'emparent également de certains bastions masculins. La majorité des étudiants en mathématiques et en chimie sont toujours des garçons, mais l'écart entre les sexes est plus faible qu'aux États-Unis. En Chine comme partout dans le monde, les tournois d'échecs sont largement dominés par les hommes, mais les Chinoises rattrapent plus vite leur retard. En 1991, Xie Jun est devenue la première Chinoise à remporter le championnat du monde féminin, et deux autres de ses compatriotes lui ont succédé depuis – Zhu Chen et Xu Yuhua. En outre, une autre Chinoise, Hou Yifan, pourrait bien être la joueuse d'échecs la plus talentueuse que l'on ait jamais connue. En 2008, âgée de quatorze ans, elle a perdu de peu la finale du championnat du monde féminin, et elle continue à progresser rapidement. Si une femme doit arracher un jour aux hommes le titre de champion du monde toutes catégories, il est probable que ce soit elle.

La Chine est un modèle important car c'est précisément l'émancipation des filles qui a précédé et permis son essor économique. Le même constat s'applique à d'autres économies asiatiques qui affichent une forte croissance. Comme l'a déclaré Homi Kharas, un économiste de la Banque mondiale et de la Brookings Institution :

> Un pays ne peut décoller économiquement que s'il utilise très efficacement ses ressources. Beaucoup d'États d'Asie orientale ont prospéré durablement en attirant de jeunes paysannes dans leurs usines après leur avoir donné une formation de base gratuite. En Malaisie, en Thaïlande et en Chine, les industries axées sur l'exportation comme le textile et les semi-conducteurs ont surtout recruté des jeunes femmes qui travaillaient jusque-là dans des fermes familiales moins productives ou se chargeaient des corvées ménagères chez elles. Les économies nationales ont tiré de nombreux bénéfices de cette transition. En améliorant la productivité de leurs jeunes salariées, ces pays ont vu leur croissance augmenter. En les employant dans les industries exportatrices, ils ont récupéré des devises étrangères qui leur ont permis d'acheter les biens de production qui leur étaient nécessaires. Ces jeunes femmes économisaient une grande partie de leur salaire ou envoyaient de l'argent à leurs proches restés au village, augmentant ainsi l'épargne nationale.

> Et, comme elles avaient un bon emploi et des possibilités de percevoir un revenu, elles repoussaient l'âge du mariage et de la première grossesse, ce qui a permis de réduire le taux de fécondité et la croissance démographique. Pour toutes ces raisons, l'un des facteurs essentiels du succès économique de l'Asie orientale a été la contribution de sa main-d'œuvre féminine rurale.

Ce n'est pas un hasard si les pays qui ont connu une forte croissance économique sont également ceux qui ont instruit leurs filles, puis leur ont donné la possibilité de s'installer dans les villes pour y trouver du travail. À l'opposé, on imagine difficilement – du moins aujourd'hui – le Pakistan ou l'Égypte instruire des millions de jeunes villageoises et les autoriser à se rendre seules en ville pour occuper des emplois et alimenter une révolution industrielle.

En Inde, où d'importants chefs d'entreprise ont compris que leur pays était limité par la faiblesse de la main-d'œuvre féminine, on essaie de rectifier le tir. Azim Premji, président de Wipro Technologies, fait remarquer que 26 % des ingénieurs de Wipro sont désormais des femmes. Sa fondation, l'Azim Premji Foundation, s'attache à scolariser davantage de petites filles dans les campagnes. Le but est de les aider, mais également de baisser le taux de fécondité et de générer une main-d'œuvre plus compétente, vouée à faire tourner l'ensemble de l'économie.

Nos propos sur la Chine laissent entrevoir une idée choquante pour beaucoup d'Américains : les ateliers du tiers-monde auraient fait avancer les femmes. On évoque plus volontiers l'exploitation – avérée – dont sont victimes les ouvrières des ateliers de confection – heures supplémentaires imposées, harcèlement sexuel, conditions de travail dangereuses. Pourtant, les femmes et les filles continuent d'y affluer, car leur seule alternative est de sarcler des champs à longueur de journée. La plupart des pays pauvres leur offrent peu d'autres choix. Ainsi, dans l'agriculture, les femmes, qui n'ont pas autant de force que les hommes, perçoivent des salaires inférieurs. Alors que, dans l'industrie, c'est le contraire. Les usines préfèrent employer de jeunes ouvrières, peut-être parce qu'elles sont plus dociles, mais également parce que leurs petits doigts sont plus agiles pour assembler ou coudre des pièces de tissu. L'essor de l'industrie a donc globalement amélioré le statut des femmes et accru leurs opportunités.

Au lieu de dénoncer les ateliers du tiers-monde, les Occidentaux devraient encourager l'industrie des pays pauvres, en particulier en Afrique et dans le monde musulman. Il n'existe pour ainsi dire aucune industrie exportatrice de biens manufacturés en Afrique (en dehors de l'île Maurice et de quelques exceptions au Lesotho et en Namibie), et l'un des moyens d'aider les femmes en Égypte et en Éthiopie serait de favoriser l'implantation d'usines de chaussures ou de chemises bon marché. Les secteurs qui nécessitent une main-d'œuvre importante pourraient employer beaucoup de femmes et rapporteraient plus de capitaux – tout en favorisant une plus grande égalité entre les sexes.

Les États-Unis ont conçu un programme spécifique destiné à promouvoir les exportations africaines grâce à une baisse des tarifs douaniers. La Loi sur la croissance et les opportunités économiques en Afrique, l'AGOA, est un programme d'aide efficace qui n'est pas suffisamment valorisé ni soutenu. Si les pays occidentaux voulaient aider les Africaines, ils regrouperaient simplement l'AGOA et son équivalent européen, Tout sauf les armes. Comme l'a noté l'économiste Paul Collier, de l'université d'Oxford, cette fusion des normes et des bureaucraties créerait un plus vaste marché commun d'importations non taxées de produits manufacturés africains. En outre, elle inciterait à implanter des usines en Afrique, stimulerait l'emploi et offrirait aux Africains une nouvelle voie d'avenir.

Un peu plus loin, un pays très différent de la Chine s'impose également comme un exemple en matière d'égalité entre les sexes. Le Rwanda, caractérisé par sa société patriarcale, sa pauvreté et son absence d'accès à la mer, vit toujours dans le souvenir du génocide de 1994 qui a fait huit cent mille victimes en trois mois. La plupart des assassins appartenaient à la tribu des Hutu, et leurs victimes, à la minorité tutsi. Les tensions tribales menacent toujours la stabilité du pays. Pourtant, de cette terre infertile et machiste est né un pays où les femmes jouent désormais un rôle économique, politique et social important, dont tous les Rwandais tirent un énorme profit. Le Rwanda favorise l'autonomisation et la promotion des femmes – et c'est peut-être ce qui explique en partie qu'il affiche une des croissances économiques les plus rapides de l'Afrique. À certains égards – si l'on excepte sa superficie –, le Rwanda est devenu la nouvelle Chine africaine.

Au lendemain du génocide, la population rwandaise était constituée à 70 % de femmes. Le pays pouvait donc difficilement se passer de leurs services. Mais ce n'était pas qu'une nécessité. Les hommes s'étaient discrédités durant les massacres, à l'inverse des femmes qui ne représentaient que 2,3 % des génocidaires envoyés en prison. On considéra donc généralement qu'elles étaient plus responsables et moins enclines à la sauvagerie. Le pays était prêt mentalement à leur confier de plus grandes responsabilités.

Paul Kagame, le chef des rebelles qui vainquit les génocidaires et devint président du Rwanda, chercha à faire redémarrer l'économie du pays et sentit que les femmes pouvaient l'y aider : « Priver l'économie de cette partie essentielle de la population aurait été périlleux, nous déclara-t-il sous le regard approbateur de son attachée de presse. Chez nous, la décision d'impliquer les femmes ne doit rien au hasard. La Constitution stipule qu'elles doivent occuper au moins 30 % des sièges parlementaires du pays. »

Kagame, qui parle couramment l'anglais et rencontre souvent des Américains, a peut-être compris qu'il était utile de donner du Rwanda l'image d'un pays favorable aux droits des femmes. La salle où se réunit le gouvernement – plus high-tech que son équivalente à la Maison Blanche – résonne fréquemment de voix féminines. Kagame a souvent nommé des Rwandaises au caractère marqué à des postes de ministres ou à d'autres fonctions importantes. La Cour suprême, le ministère de l'Éducation, la mairie de Kigali et la télévision nationale ont désormais des femmes à leur tête. Au niveau local, beaucoup de villageoises ont joué un rôle important au moment de la reconstruction. En 2007, les Rwandais ont élu le parlement le plus féminin du monde – les femmes occupent 48,8 % des sièges à la Chambre basse. Et, en septembre 2008, après une nouvelle élection, le Rwanda est devenu le premier pays comptant une majorité de députées – 55 % des sièges de la Chambre basse. À titre de comparaison, en 2008, 17 % des sièges la Chambre des représentants étaient occupés par des femmes, ce qui classait les États-Unis au soixante-huitième rang des pays où les femmes exercent des mandats politiques nationaux.

Le Rwanda fait partie des quelques États pauvres – dont le Costa Rica et le Mozambique – qui comptent au moins un tiers de députées. C'est aussi l'un des pays africains les moins corrompus, les mieux gouvernés et les plus dynamiques.

Le Rwanda et la Chine ont montré que les gouvernements peuvent soutenir les femmes et les filles tout en stimulant le développement économique. C'est dans ce genre de pays, caractérisés par une bonne gouvernance et l'égalité des chances, que l'aide occidentale est souvent très efficace.

À quarante et un ans, Murvelene Clarke, une habitante de Brooklin, éprouva le vague désir d'être plus civique et de consacrer une plus grande part de ses revenus aux associations caritatives. Elle travaillait dans une banque, gagnait 52 000 dollars par an et estimait qu'elle avait largement de quoi subvenir à ses besoins. « J'ai entendu parler de la dîme, ce système qui consiste à donner 10 % de ses revenus à l'Église, explique-t-elle. Je n'appartiens à aucune Église, mais j'ai pensé que je pourrais malgré tout donner ces 10 % à des bonnes œuvres. »

La priorité de Murvelene était de trouver un organisme aux frais de fonctionnement réduits. Elle fit des recherches sur Internet et passa plusieurs heures à consulter les sites des organisations les mieux notées – quatre étoiles – sur Charity Navigator. Charity Navigator, qui tient compte des frais généraux plutôt que de l'impact des actions menées, n'est pas un guide parfait, mais c'est un point de départ utile. Murvelene découvrit une organisation baptisée Women for Women International qui propose aux Américaines de parrainer des habitantes des pays pauvres. Elle fut séduite. Murvelene, d'origine jamaïquaine, aima l'idée de venir en aide à une Africaine. Elle s'inscrivit, accepta de payer 27 dollars par mois pendant un an et demanda à être mise en contact avec une Rwandaise.

Claudine Mukakarisa, une jeune femme de vingt-sept ans originaire de Butare, devint sa filleule. Sa famille, des Tutsi, avait été exterminée par des extrémistes hutu au cours du génocide. Kidnappée à treize ans avec sa sœur aînée, Claudine avait été conduite dans une maison hutu. « Ils nous ont d'abord violées, nous expliqua-t-elle d'une voix timide et tremblante lors de notre rencontre. Ensuite, ils nous ont frappées. »

Un grand nombre de miliciens se présentèrent devant la maison et firent patiemment la queue pour pouvoir les violer. Le calvaire de Claudine et de sa sœur dura des jours entiers. « Nos organes génitaux commençaient à pourrir, des vers sortaient de notre corps, ajouta Claudine. On n'arrivait presque plus à marcher, alors on se traînait sur nos genoux. » Quand l'armée de Kagame eut vaincu les génocidaires, les miliciens hutu s'enfuirent au Congo – mais ils emmenèrent les deux jeunes femmes avec eux. Pour finir, ils relâchèrent Claudine et tuèrent sa sœur.

« Je ne sais pas pourquoi ils ne se sont pas débarrassés de moi », dit-elle en haussant les épaules. Probablement parce qu'elle était enceinte. Claudine, qui ignorait tout des choses de la vie, fut intriguée de voir son ventre s'arrondir. « Comme on m'avait dit qu'il fallait être embrassée sur la joue pour avoir un enfant, je ne comprenais pas ce qu'il m'arrivait. Personne ne m'avait jamais embrassée. »

Enceinte à treize ans, Claudine traversa le pays à pied pour trouver de l'aide. Elle accoucha toute seule dans un parking. Ne sachant pas comment nourrir ce bébé dont elle haïssait le père inconnu, elle l'abandonna sur place.

« Mais ça m'a fait trop de peine. Je suis revenue et je l'ai repris. » Elle mendia ensuite dans les rues et obtint à peine de quoi s'alimenter. « La plupart des gens me chassaient à cause de mon odeur. » Claudine a la voix douce. C'est une femme posée et pudique. Elle n'est pas du genre à montrer ses émotions, mais ses lèvres tremblèrent parfois quand elle nous raconta son histoire. C'est sa volonté de survivre avec son enfant qui nous frappa le plus chez elle.

Après plusieurs années d'errance, elle fut recueillie par un oncle qui lui imposa des rapports sexuels et la mit à la porte quand elle tomba de nouveau enceinte. Avec le temps, Claudine se mit à faire des travaux de jardinage ou de blanchisserie pour l'équivalent de 1 dollar par jour. Elle parvint à envoyer ses deux enfants à l'école, mais avec beaucoup de difficultés : les frais de scolarité s'élevaient à 7 dollars par enfant et par trimestre. La famille vivait au jour le jour.

Le soutien de Murvelene redonna espoir à Claudine. Sur les 27 dollars que verse chaque moi l'Américaine, 12 servent à financer des programmes de formation et d'autres types d'aide, mais le reste revient directement à sa filleule. Les responsables de l'association apprennent aux femmes à épargner – pour qu'elles s'habituent à faire des petites économies et qu'elles disposent d'un pécule à la fin de leur année de formation. Claudine économise donc 5 dollars par mois et en dépense 10. Cette somme lui permet de scolariser ses enfants, d'acheter à manger et un gros sac de charbon de bois, qu'elle revend ensuite au détail en réalisant un petit bénéfice.

Par ailleurs, tous les matins elle suit des cours au centre de Women for Women International. Le lundi, le mercredi et le vendredi sont consacrés aux formations professionnelles destinées à assurer un revenu aux femmes pendant toute leur vie. Claudine se consacre au travail des perles pour pouvoir réaliser des broderies qu'elle vendra elle-même ou par l'intermédiaire de l'organisation (dans les boutiques de luxe à New York). D'autres apprennent à tresser des paniers ou des nattes en roseau, et les plus douées, à coudre. Une couturière peut gagner 4 dollars par jour, ce qui représente un salaire respectable. Le mardi et le jeudi, les femmes suivent des cours d'alphabétisation ou de sensibilisation à la santé et aux droits de l'homme. Un des objectifs est de les aider à prendre confiance en elles et à refuser les injustices.

Claudine et Murvelene s'écrivent régulièrement. L'Américaine a envoyé à la Rwandaise des photos de New York pour lui montrer où elle vit. Claudine et ses enfants les ont examinées avec fascination, comme s'ils contemplaient une autre planète.

Neuf mois après avoir rejoint les marraines de Women for

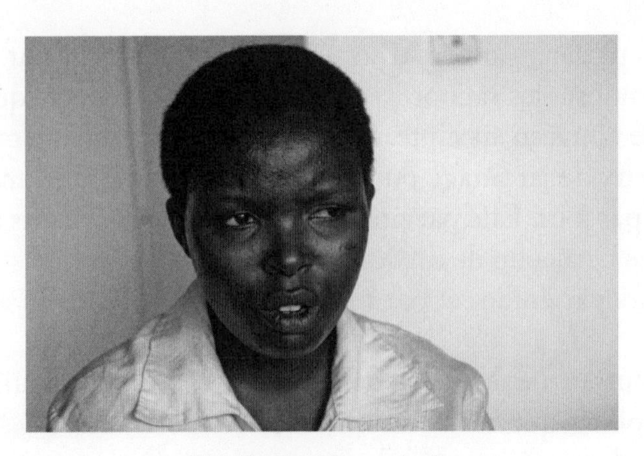

Claudine lors d'une réunion de Women for Women, au Rwanda.

Women International, Murvelene a été licenciée. Elle a éclaté de rire quand nous lui avons demandé si elle regrettait l'argent qu'elle avait consacré à cette cause. « Pas un seul instant. J'estime que j'ai de la chance de pouvoir aider Claudine. Ce qui compte avant tout pour moi, c'est qu'elle réussisse à s'en sortir, et que sa famille et son entourage en profitent également. Et puis, je suis devenue moins égocentrique. Souvent, on oublie la chance qu'on a ici. On ne manque pas vraiment de quoi que ce soit. »

Depuis son licenciement, Murvelene travaille pour son compte et consacre toujours 10 % de ses revenus à des associations caritatives. « Chaque fois que je suis payée ou que quelqu'un m'offre un cadeau, je fais le calcul dans ma tête et je me dis : "Bon, il faut que je donne tant." Ça n'a rien de compliqué. »

Les affaires marchent aussi très bien pour Claudine, qui éprouve une immense gratitude envers Murvelene. Il faut dire que le boom économique rwandais est une chance pour les diplômées de Women for Women. Mais, si le pays prospère, c'est justement parce qu'il a compris comment faire des femmes comme Claudine un atout économique.

Le secret de Zainab

Avec sa silhouette élancée, sa peau olive et ses cheveux courts qui mettent en valeur ses grands yeux lumineux, Zainab Salbi correspond à l'idée qu'on se fait d'une princesse moyen-orientale libérée. Elle s'exprime avec une pointe d'accent étranger qui lui vient de son enfance passée en Irak. Zainab a grandi à Bagdad pendant la longue guerre Iran-Irak, sous la menace permanente des attaques. Son père était pilote, et sa mère, exceptionnellement émancipée, biologiste de formation. Mais, surtout, tous deux étaient proches de Saddam Hussein, dont le père de Zainab était le pilote privé. Leur fille, qui appelait Saddam « Oncle », passait des week-ends chez le président irakien et jouait avec ses enfants.

Ce lien était source de privilèges et de cadeaux – dont une voiture neuve chaque année – mais également de peur constante, lancinante. La proximité n'était pas synonyme de protection, et la moindre erreur pouvait se révéler désastreuse pour l'ensemble de la famille. Une des camarades de classe de Zainab, dont le père, un haut fonctionnaire, avait été arrêté au milieu d'une réunion retransmise à la télévision puis exécuté, était devenue paria. Certains murmuraient que Saddam et ses fils violaient des filles, et que des agents des renseignements filmaient le viol de femmes qu'ils faisaient ensuite chanter.

« Saddam était un gaz toxique », déclara Zainab à Sheryl au cours d'une longue conversation qu'elles eurent dans le bureau de Zainab, à Washington D.C. « Nous le respirions lentement et parfois nous mourions lentement. » Mais Saddam se montra toujours courtois et obligeant envers elle, allant jusqu'à l'accompagner ici et là, et à l'emmener visiter sa propriété. Un jour, alors qu'elle n'avait pas de maillot de bain et que tout le monde se baignait, il lui offrit sa dishdasha pour lui permettre de s'amuser avec les autres. Elle refusa, craignant que la tunique ne devienne transparente une fois mouillée. Il insista. Elle ne voulut rien entendre.

Et puis, soudain, sans plus d'explications, la mère de Zainab l'exhorta à épouser un Irakien installé en Amérique. « J'avais vingt ans, j'allais à l'université et, tout à coup, ma mère m'a suppliée d'accepter cette demande en mariage. "Je t'en prie, écoute-moi !", m'implorait-elle. Pour ne pas lui désobéir, j'ai accepté de partir pour les États-Unis. »

Zainab connaissait à peine son mari, un homme beaucoup plus âgé qu'elle, qui s'avéra rapidement brutal et distant. Au bout de trois mois de mariage, il devint violent, la jeta sur le lit et la viola. C'est à ce moment-là que Zainab le quitta. Mais, à cause de la première guerre du Golfe, elle ne put rentrer chez elle. Elle en voulait terriblement à sa mère de lui avoir imposé un mariage raté et était terrifiée à l'idée que les autorités américaines découvrent à quel point sa famille était proche de Saddam. « J'ai décidé que je ne dirais jamais à personne que je connaissais Saddam Hussein. » Et elle garda son secret.

Lentement, les choses s'améliorèrent. Zainab rencontra, puis épousa, un doctorant palestinien prénommé Amjad. Ils firent des économies pour passer leur lune de miel en Espagne. L'Irak s'effaça peu à peu de sa vie. Puis, en 1993, alors que Zainab avait vingt-quatre ans et qu'elle était mariée depuis six mois, Amjad et elle rendirent visite à un ami. Pendant que les hommes préparaient le dîner à la cuisine, Zainab saisit au hasard un numéro du magazine *Time* et lut un article sur les camps des viols en Bosnie. Des soldats serbes avaient recours au viol pour terroriser la population. L'article était accompagné d'une photo de victimes, qui la toucha tellement qu'elle fondit en larmes. Inquiet, Amjad se précipita vers elle. Zainab lui fourra l'article sous le nez. « Il faut qu'on fasse quelque chose ! s'exclama-t-elle. Il faut que j'aide ces femmes. »

Zainab fit le tour des organisations humanitaires pour tenter d'aider les Bosniennes, mais n'en trouva aucune dédiée aux victimes de viol. Elle les recontacta par téléphone en leur proposant de monter un programme. Les membres d'une Église unitarienne acceptèrent d'écouter sa proposition. Elle se présenta devant leur conseil d'administration avec le porte-documents de son beau-père, en espérant paraître plus âgée. Grâce au soutien de l'Église, Zainab et Amjad transformèrent leur sous-sol en centre d'opération d'une organisation qu'ils baptisèrent Women for Women in Bosnia. Ils établirent un réseau de contacts, collectèrent des fonds et renoncèrent même à leur lune de miel en Espagne. Les Bosniennes avaient plus besoin de cet argent.

Zainab se rendit rapidement dans les Balkans où elle rencontra des femmes qui avaient été violées par des soldats serbes. La première d'entre elles s'appelait Ajsa et avait été libérée d'un camp à huit mois de grossesse – trop tard pour se faire avorter.

Pendant trois ans, Zainab et Amjad s'efforcèrent de consolider leur organisation tout en poursuivant leurs études universitaires. Ils consacrèrent chaque centime récolté aux quatre cents femmes soutenues par leur organisation, même s'il leur restait à peine de quoi régler leurs factures et se nourrir. Zainab s'apprêtait à tout laisser tomber pour chercher du travail quand un chèque – de 67 000 dollars – arriva dans le courrier. Working Assets, une compagnie de téléphone qui offre chaque année 1 % de son chiffre d'affaires à des associations caritatives, avait choisi Women for Women. Zainab put respirer. Avec le temps, son organisation, rebaptisée Women for Women International, étendit son rayon d'action et apporta son soutien aux survivantes des guerres du monde entier.

La chance frappa une seconde fois à la porte de Zainab en 2000, quand Oprah Winfrey lui proposa de passer dans son émission, à laquelle elle allait participer, en tout, sept fois. Women for Women International se développa, s'entourant d'un important réseau de soutien et affichant un budget de 20 millions de dollars. Mais Zainab continua à garder le silence sur son lien avec Saddam.

Un jour de printemps 2004, Zainab se trouvait à Bukavu, dans l'est du Congo. Elle rencontra une femme prénommée Nabito, qui lui raconta que des rebelles l'avaient violée, elle et ses trois

Zainab Salbi rendant visite au personnel de Women for Women International, au Rwanda.

filles, dont la benjamine n'avait que neuf ans. Ils avaient même ordonné à l'un des jeunes fils de Nabito de la violer. Face au refus de l'enfant, ils lui avaient tiré une balle dans le pied. Elle décrivit la tragédie à Zainab puis lui avoua : « Vous êtes la seule personne à qui j'ai raconté cette histoire. »

Zainab fut horrifiée. « Qu'est-ce que je dois faire ? lui demanda-t-elle. Dois-je garder le secret ou le révéler au monde entier ?

– Si vous pouvez le révéler au monde entier et empêcher que cela ne se reproduise, alors faites-le », répondit Nabito. Plus tard ce jour-là, alors qu'elle regagnait le Rwanda en voiture, Zainab se mit à pleurer. Elle pleura pendant les cinq heures que dura le trajet sur les pistes cahoteuses. Et elle pleura de nouveau une fois installée dans sa pension de famille. Cette nuit-là, dans sa chambre, elle se dit que, si Nabito pouvait révéler un secret d'une telle gravité, elle-même n'avait aucune raison de ne pas le faire. Zainab se résolut à lever le voile sur le viol que son ancien mari lui avait fait subir, sur son lien familial avec Saddam, et sur un autre secret qu'elle n'avait découvert que récemment.

La mère de Zainab, dont la santé déclinait, était venue faire un bilan de santé aux États-Unis, et sa fille avait osé lui faire part de la colère qu'elle nourrissait depuis son premier mariage. Zainab lui avait dit combien elle s'était sentie trahie quand sa mère, censée être une femme émancipée, lui avait imposé un mari âgé qu'elle connaissait à peine et qui s'était révélé violent. Pourquoi, lui demanda-t-elle, avait-elle précipité ce mariage ?

À cette époque, la mère de Zainab n'avait plus de voix et ne pouvait communiquer qu'en écrivant. En larmes, elle gribouilla sa réponse : « Il te voulait, Zainab. Je ne voyais pas d'autre solution. » Le « il » désignait Saddam Hussein. Il convoitait Zainab, et ses parents avaient été terrifiés à l'idée qu'il fasse de leur fille sa maîtresse jusqu'à ce qu'il trouve un nouveau jouet.

Aussi, inspirée par Nabito, Zainab se mit-elle à raconter toute son histoire, jusqu'au moindre détail sordide. « Le plus ironique, c'est que je dirige un programme qui encourage les femmes à communiquer, alors que je n'ai moi-même longtemps pas su le faire, admet Zainab. Maintenant, je le fais. »

Son organisation est efficace parce qu'elle touche les gens au niveau local. Ce type d'approche ascendante ne cesse de démontrer sa supériorité en termes de changements économiques et sociaux. Pendant que Zainab s'activait aux quatre coins du monde, en Afrique de l'Ouest, une autre femme se servait d'une stratégie similaire pour vaincre une des traditions les plus horribles et les plus enracinées dont sont victimes les filles : l'excision.

CHAPITRE 13
S'attaquer aux racines du problème

Les femmes sont-elles déjà des êtres humains ? Si nous étions des êtres humains, serions-nous des marchandises expédiées par conteneurs des ports de Thaïlande aux bordels de New York... ? Couperait-on nos organes génitaux pour nous « purifier »... ? Quand les femmes seront-elles des êtres humains ? Quand ?

Catherine A. MacKinnon,
Les femmes sont-elles des êtres humains ?

Environ toutes les dix secondes, une fille est maintenue au sol quelque part dans le monde. Ses jambes sont écartées, et une femme sans formation médicale sort un couteau ou une lame de rasoir et lui tranche une partie, voire l'intégralité, des organes génitaux externes. Le plus souvent, sans aucune anesthésie.

Depuis des dizaines d'années, des Occidentaux et des Africains cherchent à mettre un terme à cette pratique. Mais, pendant longtemps, un nombre croissant de mères ont continué à faire exciser leurs filles. Cela ne fait que quelques années que des groupes de militants citoyens sont parvenus à en déchiffrer les véritables raisons. Menés par une Américaine de l'Illinois qui a passé plus de la moitié de sa vie au Sénégal, ces activistes semblent avoir enfin compris comment vaincre l'excision, et leur mouvement prend de plus en plus d'ampleur. Étonnamment, grâce à leur action, il semble qu'en Afrique de l'Ouest l'excision génitale a des chances de connaître le même sort que le bandage des pieds en

Chine. Ce succès fait de leur campagne un exemple à suivre pour qu'émerge un plus vaste mouvement en faveur des femmes des pays en voie de développement. Si nous voulons dépasser les slogans, nous ferions bien de tirer des leçons du long combat contre l'excision.

Aujourd'hui, l'excision est le plus souvent pratiquée par les musulmans d'Afrique, bien qu'elle y existe également dans certaines familles chrétiennes. On ne la retrouve pas dans la plupart des cultures arabes ou islamiques en dehors du continent africain. C'est une coutume très ancienne, comme le prouvent certaines momies de l'Égypte antique. Soranos d'Éphèse, un médecin grec du IIe siècle à l'origine d'un des premiers traités de gynécologie, précisait :

> Un gros clitoris est synonyme de turpitude ; en fait, comme les hommes, [ces femmes] sont en quête de stimulation charnelle et de rapports sexuels, pour ainsi dire. Vous procéderez donc à l'opération suivante. Après avoir allongé la patiente sur le dos, les pieds fermés, maintenez la partie protubérante à l'aide de petits forceps et coupez-la avec un scalpel.

Un manuel de chirurgie allemand daté de 1666 propose des illustrations d'ablation du clitoris, une pratique courante en Angleterre jusqu'aux années 1860 – et qui se poursuivit même plus tard en Europe et en Amérique. Elle est encore quasiment universelle dans une grande partie du nord de l'Afrique. Le monde compte environ cent trente millions de femmes excisées, et, suite à des recherches récentes, l'ONU estime que trois millions de filles sont excisées par an sur le seul continent africain (l'estimation précédente était de deux millions). L'excision existe dans une moindre mesure au Yémen, à Oman, en Indonésie et en Malaisie, chez certains Bédouins d'Arabie Saoudite et d'Israël, et chez les Bohras d'Inde et du Pakistan. Elle prend des formes multiples. Au Yémen, le plus souvent, les filles sont excisées dans les quinze jours qui suivent leur naissance, alors qu'en Égypte elles peuvent l'être au début de l'adolescence.

L'objectif est de diminuer le plaisir sexuel des femmes et donc les risques d'inconstance. La forme la plus courante consiste à couper le clitoris ou le capuchon clitoridien (une technique contraire aux objectifs initiaux puisqu'elle laisse parfois le clitoris intact et plus exposé, augmentant ainsi les chances d'orgasme). En Malaisie, le rituel se résume parfois simplement à donner un coup d'épingle ou à frôler les organes génitaux à l'aide d'une lame de rasoir. Mais, au Soudan, en Éthiopie et en Somalie, on pratique couramment la méthode la plus extrême, qui revient à « nettoyer » toute la région génitale en tranchant le clitoris, les lèvres et l'intégralité des organes génitaux externes. Il en résulte une large plaie à vif. Le plus souvent, l'orifice vaginal est ensuite recousu avec du chardon sauvage (un petit trou permet le passage du flux menstruel) et les jambes sont attachées pour permettre à la blessure de cicatriser. C'est ce que l'on appelle une infibulation. Puis, quand les femmes se marient, leur époux ou une sage-femme rouvre les parties soudées avec un couteau pour leur permettre d'avoir des rapports. Au fil des ans, Edna Adan, l'infirmière du Somaliland, a examiné toutes les femmes venues accoucher dans sa maternité : 97 % d'entre elles étaient excisées, et presque toutes infibulées. Edna nous a montré une vidéo montrant une fillette de huit ans en train de subir une infibulation : c'était insoutenable.

Dans certains pays, ce sont les accoucheuses traditionnelles qui pratiquent les excisions, alors qu'au Sénégal et au Mali ce sont souvent des femmes appartenant à la caste des forgerons qui s'en chargent. La plupart du temps, la technique est transmise de mère ou de grand-mère en fille. Souvent, les exciseuses ne nettoient pas les lames de rasoir et ignorent comment arrêter une hémorragie. Certaines filles meurent ou souffrent de séquelles à vie, mais aucun chiffre n'est disponible : le décès d'une fille après une excision est généralement attribué à la malaria. Selon une étude de l'Organisation mondiale de la santé, l'excision, surtout ses formes les plus extrêmes, entraîne l'apparition de tissus cicatriciels qui rendent l'accouchement plus dangereux.

Une campagne occidentale contre l'excision a été lancée à la fin des années 1970. Auparavant, on parlait de circoncision féminine, mais, l'expression ayant été considérée comme un euphémisme, on l'a remplacée par mutilations génitales féminines, ou MGF. Les Nations unies ont repris cette terminologie et organisé des conférences internationales pour dénoncer ces pratiques. Mais, bien que des lois contre les MGF aient été votées dans quinze pays africains, que des articles aient été écrits et des réunions, convoquées, peu de choses ont changé sur le terrain. Dans les années 1960, la Guinée a fait passer une loi qui condamne les coupables de mutilations génitales féminines à des travaux forcés à perpétuité – ou, si la victime décède dans les quarante jours qui suivent l'excision, à la peine de mort. Pourtant, aucune affaire n'a jamais été portée devant les tribunaux, et 99 % des Guinéennes sont excisées. Au Soudan, les Britanniques ont voté la première loi contre l'infibulation en 1925, qu'ils ont étendue à toutes les formes d'excision en 1946. Aujourd'hui, plus de 90 % des filles soudanaises sont excisées.

« C'est notre culture ! » nous a lancé avec colère une sage-femme soudanaise quand nous l'avons interrogée sur la question. « Nous voulons toutes être excisées. En quoi est-ce que ça concerne l'Amérique ? », a-t-elle poursuivi avant de préciser qu'elle excisait régulièrement des filles à la demande de leur mère, et que les filles elles-mêmes la remerciaient ensuite. Ce qui est probablement vrai. Mahabouba, la patiente de l'Hôpital de la fistule qui s'est battue contre les hyènes et a rampé jusqu'à la maison d'un missionnaire pour chercher de l'aide, se rappelle avoir été impatiente de subir ce rite de passage.

Selon Edna Adan, les campagnes internationales sont inefficaces parce qu'elles n'atteignent jamais les Somaliennes ordinaires. Tandis que nous roulions dans Hargeisa, la capitale du Somaliland, elle nous montra une banderole, dans la rue, qui dénonçait l'excision. « L'ONU installe des banderoles dans la capitale, nous expliqua-t-elle. Mais pour quel résultat ? Ça n'a aucun impact. Les femmes ne peuvent même pas les lire. » En effet, les dénonciations internationales des MGF ont provoqué une réaction violente dans certains groupes tribaux, qui ont fait passer l'excision pour une tradition menacée par des étrangers. Les opposants se sont donc modérés, recourant souvent au terme plus neutre d'« excision génitale féminine », ou EGF. Ce terme a l'avantage de ne pas sous-entendre que les femmes à qui ils s'adressent sont mutilées, ce qui rend la suite de la conversation délicate. Surtout, ce sont des Africaines comme Edna, qui s'expriment avec beaucoup plus d'autorité et de force de conviction que des étrangers, qui ont pris la tête du combat.

Tostan, une organisation d'Afrique de l'Ouest, propose peut-être le programme le plus efficace contre l'excision. Plutôt que de faire la morale aux femmes, ses représentants ont adopté une approche plus respectueuse, qui replace l'EGF dans le cadre plus vaste du développement communautaire. Ils encouragent les villages à discuter des questions de droits humains et de santé liées à l'excision, puis à faire leur propre choix. Cette méthode douce s'avère beaucoup plus efficace que la manière forte.

Tostan a été fondé par Molly Melching, une Américaine de l'Illinois, qui n'a rien perdu de la vigueur des habitants du Midwest. C'est à l'époque où elle apprenait la langue de Molière au lycée qu'elle s'est passionnée pour tout ce qui est français. Elle a fait des études en France et a commencé par travailler dans un quartier pauvre de la banlieue parisienne, habité essentiellement par des Nord-Africains. Mais c'est en 1974, dans le cadre d'un programme d'échange censé durer six mois, qu'elle est arrivée au Sénégal. Elle y est toujours.

Naturellement douée pour les langues, Molly s'est mise à apprendre le wolof, une langue sénégalaise locale, puis s'est engagée auprès du Peace Corps. Elle s'occupait d'une émission de radio en wolof. Plus tard, de 1982 à 1985, grâce à une petite subvention accordée par l'Agence des États-Unis pour le développement international, elle s'est attachée à développer l'instruction et l'autonomisation dans un village.

« Aucun habitant du village n'avait été à l'école, se souvient Molly. Il n'y avait pas d'école. C'étaient des gens merveilleux, parfaitement intelligents, mais qui n'avaient jamais étudié et avaient un grand besoin d'être informés. » Cette expérience – ainsi que son activité d'évaluatrice indépendante de programmes d'aide humanitaire – incita Molly à se méfier des grands projets humanitaires. Elle vivait comme les Sénégalais et tressaillait chaque fois qu'elle voyait les travailleurs humanitaires étrangers se pavaner dans des

Molly Melching entourée de femmes sénégalaises qui ont renoncé à l'excision génitale.

4×4. Elle observa aussi les programmes d'aide qui consacraient, sans le savoir, l'essentiel de leur budget à entretenir des expatriés. Quand une organisation décidait de construire une clinique sans consulter la population locale, les villageois se partageaient les lits, et les médecins revendaient les médicaments sur les marchés. « Le Sénégal ressemblait à un cimetière de projets humanitaires », dit-elle avec franchise.

Molly évalua les programmes d'alphabétisation en se rendant dans deux cent quarante centres – et constata que la plupart étaient des échecs. « Des classes supposées accueillir cinquante élèves étaient vides, explique-t-elle. Ou alors tout le monde dormait. » De la même manière, elle vit des Occidentaux tonner contre l'excision génitale et tenter de faire voter des lois sans jamais se rendre dans les campagnes pour comprendre ce qui poussait les mères à perpétuer ce rituel.

« La loi fait l'effet d'une solution miracle. Les gens pensent qu'après il n'y a plus rien à faire. Alors que c'est l'éducation qui a un réel impact. » Quand le Sénégal discuta d'une loi destinée à interdire l'excision, Molly y fut d'abord opposée (les filles du groupe ethnique majoritaire du pays n'étant pas excisées, ce sont les minorités qui se seraient senties stigmatisées). Aujourd'hui, elle est toujours indécise : bien que la loi ait provoqué une réaction violente, elle a également permis aux villageois de prendre conscience de la gravité des problèmes sanitaires liés à l'excision.

Au sein de sa propre famille, Molly a pu constater combien la pression sociale peut être plus forte que le droit. Molly, qui a épousé un Sénégalais, a une enfant prénommée Zoé qui lui fit un jour une demande étonnante.

« Je veux être excisée, annonça Zoé à sa mère. Je ne pleurerai pas, promis. » Toutes ses amies l'étaient, et elle ne voulait pas se sentir exclue. Molly n'étant pas à ce point indulgente, sa fille changea d'avis quand elle lui expliqua ce que l'excision impliquait. Mais l'incident convainquit Molly que, pour mettre un terme à l'excision, il fallait changer le comportement global des villageois.

En 1991, elle lança officiellement Tostan afin de développer l'instruction dans les villages pauvres. Le plus souvent, l'association envoie un formateur local et lance un important programme éducatif comprenant des cours sur la démocratie, les droits de l'homme, la résolution de problèmes, l'hygiène, la santé et le management. Le village doit participer activement en fournissant un lieu, des tables, des chaises, des élèves ainsi que le vivre et le couvert pour le formateur. Les hommes comme les femmes participent aux formations, qui s'étendent sur trois ans et sont assez intensives : trois séances par semaine de deux à trois heures chacune. Le programme inclut également des formations à l'intention des chefs de village, la mise en place de comités de gestion communautaire et un système de microcrédit destiné à encourager les petites entreprises. Tout en recherchant l'adhésion des femmes locales, Tostan évite soigneusement de se mettre les hommes à dos.

« Nous avons enseigné les droits des femmes pendant un certain temps, mais cela n'a fait que susciter l'opposition, explique-t-elle. Certains hommes étaient si furieux qu'ils ont fait fermer nos centres. Nous nous sommes donc assis autour d'une table et nous avons redéfini notre module autour des « droits humains » – de démocratie et de droits humains. À partir de là, les hommes nous ont apporté leur soutien. Ils veulent juste être inclus, et ne pas être considérés comme des ennemis. »

Tostan agace parfois les féministes par son approche prudente et sa réticence à parler de « mutilation » – voire à admettre qu'elle combat l'excision génitale féminine. L'association de Molly préfère garder une démarche positive et préparer les gens à prendre leurs propres décisions. Le programme inclut un débat sans parti pris sur les droits humains et les questions de santé liées à l'excision, mais ne conseille jamais aux parents de renoncer au rituel. Il n'en reste pas moins que le simple fait de discuter de l'excision a permis de briser un tabou. D'ailleurs, quand les femmes se sont mises à réfléchir et à comprendre qu'il ne s'agissait pas d'une pratique universelle, elles se sont inquiétées des risques sanitaires. En 1997, un groupe de trente-cinq femmes inscrites au programme du village de Malicounda Bambara ont fait un pas historique : elles ont annoncé qu'elles n'allaient plus exciser leurs filles.

On aurait pu croire qu'il s'agissait d'une avancée – l'événement fut d'ailleurs salué comme tel. Mais, en réalité, ce fut un désastre. D'autres villages condamnèrent ces femmes. Ils leur reprochèrent d'avoir trahi leur féminité, leur groupe ethnique et l'Afrique tout entière contre l'argent des Blancs. Les femmes pleurèrent pendant des mois, craignant d'avoir condamné leurs filles au célibat. Molly en conclut que Toscan s'était trompé en laissant un village isolé faire cette annonce. Après avoir consulté un chef religieux local, elle comprit que l'excision est une convention sociale indissociable du mariage et qu'aucune famille ne peut arrêter d'exciser ses filles sans compromettre leurs chances de trouver un époux.

« Tout le monde doit changer ensemble, sinon les femmes ne pourront jamais marier leurs filles, dit Molly. Ma mère m'a imposé un appareil dentaire. J'ai saigné et j'ai pleuré pendant deux ans. Une femme africaine aurait pu dire : "Comment pouvez-vous faire ça à votre fille ?" Et ma mère aurait répondu : "J'ai économisé mon maigre salaire pour redresser les dents de ma fille, pour qu'elle puisse se marier. Comment osez-vous dire que je suis cruelle ?" »

C'est l'intégralité du groupe concerné par le mariage qui doit renoncer à l'excision. Tostan aida donc ses membres à identifier les villages susceptibles de leur fournir des partenaires conjugaux et organisa des discussions sur l'excision. L'organisation aide également les femmes à faire des déclarations communes pour annoncer leur abandon de cette pratique, une approche qui fonctionne remarquablement bien. Entre 2002 et 2007, plus de deux mille six cents villages ont annoncé qu'ils avaient abandonné l'excision. « Le mouvement s'accélère », dit Molly en ajoutant que l'objectif de Tostan est de mettre un terme à l'excision dans l'ensemble du Sénégal d'ici à 2012.

En 2008, le gouvernement sénégalais a passé en revue l'ensemble des programmes du pays destinés à arrêter l'excision et en a conclu que seul Tostan présentait des résultats significatifs. Son approche a ensuite été adoptée à l'échelle nationale. Quelques jours plus tard, des responsables de la santé d'Afrique de l'Ouest adoptaient le modèle à l'échelle régionale.

Tostan est déjà présent en Gambie, en Guinée et en Mauritanie, mais également en Somalie et à Djibouti, en Afrique de l'Est. Selon Molly, l'approche ascendante de son organisation est bien accueillie par ces pays. Tostan a été loué par une multitude d'agences internationales et a obtenu le prix Conrad N. Hilton ainsi qu'un prix de l'UNESCO en 2007. Cette reconnaissance lui a permis d'obtenir des fonds de donateurs privés, mais également de l'UNICEF et de l'American Jewish World Service. Elle peut désormais se développer à un rythme constant. Pour encourager les dons, Tostan a développé son propre projet de parrainage : les donateurs peuvent « adopter » un village d'environ huit cents personnes et y monter un programme de trois ans pour 12 000 dollars.

Molly est la seule employée occidentale de Tostan en Afrique. Deux autres Américaines se consacrent à la collecte des fonds et à la promotion de l'organisation depuis le bureau de Washington D.C. La part importante du personnel africain permet à Tostan de coûter exceptionnellement peu cher, d'autant que Molly ne se rémunère qu'à hauteur de 48 000 dollars par an. Désormais, il s'agit de savoir si son modèle aura autant de succès en Somalie, au Soudan, au Tchad, en Éthiopie et en Centrafrique – des pays parfois déchirés par des conflits qui rendent le travail dangereux. Les projets qui fonctionnent à l'échelle locale, mais qui vacillent dès qu'ils sont étendus à l'Afrique, ne manquent pas. Les premiers signes, en tout cas en Somalie, sont encourageants, et Molly se demande déjà si le modèle de Tostan pourrait servir à mettre un terme à d'autres coutumes pernicieuses, comme les crimes d'honneur.

Partout en Afrique, d'autres organisations gagnent également du terrain contre l'excision. Des personnalités égyptiennes s'élèvent de plus en plus contre cette pratique, et d'autres organisations humanitaires, y compris CARE, accomplissent un travail pionnier. En Éthiopie et au Ghana, certains groupes locaux se sont montrés particulièrement impressionnants. Bill Foege, une figure légendaire de la santé publique qui a contribué à éradiquer la variole, estime que l'excision génitale est enfin en passe d'être abandonnée, en grande partie grâce au travail de Molly et du personnel de Toscan.

« Ils ont réussi là où les conférences de l'ONU, les innombrables résolutions et les déclarations gouvernementales ont échoué, nous déclara Foege. Quand on écrira l'histoire du développement de l'Afrique, l'autonomisation des femmes apparaîtra comme un tournant. Tostan a démontré que l'autonomisation est contagieuse, qu'elle se transmet d'individu en individu, et se répand de village en village. »

Petit à petit, le monde tire d'importantes leçons du travail de terrain d'organisations comme Tostan. L'une d'entre elles est que le progrès est possible : les défis paraissent insurmontables jusqu'à ce qu'ils soient bel et bien surmontés. Et nous comprenons de mieux en mieux comment les surmonter. Les grands projets – la campagne des années 1970 et 1980 contre les MGF et les missions occidentales en Afghanistan destinées à favoriser l'autonomisation des femmes – ont échoué parce qu'ils étaient imposés par des étrangers perchés en haut des cimes. Les locaux – les racines – n'étaient consultés que pour la forme. Le besoin des Occidentaux d'organiser des conférences et de changer les lois s'est avéré, d'année en année, remarquablement inefficace[1]. Comme l'a déclaré Mary Robinson, l'ancienne présidente de l'Irlande qui s'est illustrée par la suite en tant que haut commissaire

1. Une exception : Les « cimes » sont parfois à l'origine d'initiatives de santé publique heureuses. On peut citer l'éradication de la variole, les campagnes de vaccination et les batailles contre la cécité des rivières et la maladie du ver de Guinée. Elles sont exceptionnelles parce qu'elles dépendent de recherches, de matériel et de connaissances inaccessibles aux « racines ». *(N.d.A.)*

des Nations unies aux droits de l'homme : « Si l'on fait le total des cinquante années de lutte pour les droits de l'homme, des trente années de programmes de développement à plusieurs milliards de dollars et d'innombrables exercices de haute voltige rhétorique, le résultat est peu impressionnant. C'est un échec dont l'ampleur nous fait tous honte. »

En revanche, certaines organisations s'en tirent avec des résultats stupéfiants : Tostan, Kashf, Grameen, le projet CARE du Burundi, la BRAC, l'Association des travailleuses indépendantes en Inde, Apne Aap. Toutes disposent de programmes enracinés à l'échelle locale et s'apparentent parfois davantage à des mouvements sociaux ou religieux qu'à des projets d'aide humanitaire traditionnels. Souvent, elles ont été lancées par des entrepreneurs sociaux au talent et à la détermination exceptionnels, qui avaient été témoins de l'échec des « cimes » et avaient créé des modèles ascendants bien plus efficaces. Ce sont des exemples qu'un mouvement international consacré aux femmes des pays en voie de développement se doit absolument de suivre.

Quand les filles aident les filles

La ligne de front du combat que mènent les citoyens contre les violences faites aux femmes a beau se trouver en Afrique ou en Asie, Jordana Confino a compris comment apporter sa contribution depuis son lycée de Westfield, une banlieue de New York. Avec ses longs cheveux blond cendré, Jordana aurait pu trôner au bal des terminales. Issue d'une famille des classes moyennes aisées, elle déborde de confiance, estime que tout le monde devrait bénéficier des mêmes chances et a été profondément troublée de constater à quel point elle était privilégiée.

Jordana et les lycéennes avec qui elle travaille nous rappellent que l'essor de l'entrepreunariat social a aussi favorisé celui du travail humanitaire à temps partiel – y compris chez les étudiants. Pour Jordana, tout commença alors qu'elle avait environ dix ans et que sa mère, Lisa Alter, tentait de sensibiliser ses filles aux problèmes du reste du monde. Lisa attirait leur attention sur des articles de presse ou leur décrivait les défis auxquels étaient confrontées les filles de leur âge à l'étranger : *Voyez comme vous avez de la chance de vivre ici, dans le New Jersey.* Lisa se rendit compte que Jordana était bien plus touchée par les horreurs dénoncées qu'elle ne s'y attendait.

« Nous parlions des articles de journaux, en particulier de ceux qui traitaient des filles, se souvient Jordana. Certains sujets étaient très pénibles, comme les mutilations génitales, l'abandon des petites filles en Chine, le travail des enfants. À la même époque, on parlait des talibans, qui avaient interdit l'école aux filles en Afghanistan. Dans la famille, nous nous demandions comment elles pouvaient échapper aux violences alors qu'elles ne savaient

Jordana Confino lors d'une conférence sur la scolarisation des filles.

même pas lire ou écrire. Je dois admettre que les problèmes nous semblaient trop importants pour pouvoir faire quoi que ce soit, mais nous avons commencé à réfléchir à ce qu'il serait possible de faire si nous formions un groupe de filles. »

L'idée mûrit dans un coin de l'esprit de Jordana. En quatrième, elle se mit à envisager sérieusement de fonder un club avec une camarade de classe. Lisa et la mère de son amie les aidèrent à préparer leur projet, et elles assistèrent ensemble à une conférence des Nations unies sur les femmes et les filles. Touchée par les histoires qu'elle entendit, Jordana passa à la vitesse supérieure. Son amie et elle fondèrent rapidement Girls Learn International (www.girlslearninternational.org) pour collecter des fonds destinés à l'instruction des filles à l'étranger. Elles passèrent des appels téléphoniques, collèrent des affiches, envoyèrent des lettres. Jordana se rendit dans d'autres écoles pour rallier des volontaires. Lorsqu'elle entra au lycée, elle était déjà une militante de Girls Learn International, et le groupe possédait plusieurs sections à travers le pays.

Jordana, qui prononça le discours programme d'une réunion de fin d'année de la Young Women Leadership School, dans le Bronx, rappela aux élèves présentes que les difficultés auxquelles elles étaient sans doute elles-mêmes confrontées dans leur vie ne devaient pas leur faire oublier que, dans d'autres pays, les filles luttaient pour pouvoir se nourrir et avoir un toit, et qu'aller à l'école était un luxe. Jordana était pratiquement la seule fille blanche de la salle. Mais elle était déjà un modèle pour beaucoup d'adolescentes de son âge.

« En 2007, presque soixante-six millions de filles n'ont pas accès à l'instruction à travers le monde, dit-elle. En grandissant, elles rejoignent les rangs des illettrées, creusant le fossé entre les hommes et les femmes… Les filles à qui on refuse l'accès à l'instruction ont plus de risques de se retrouver un jour prisonnières du cycle de la pauvreté et de la maladie, d'être forcées à se marier quand elles sont encore enfants et à se prostituer, de souffrir de la traite sexuelle, de la violence domestique et des crimes dits d'honneur. »

Girls Learn possède plus de vingt sections dans les lycées et les collèges du pays et travaille également sur un programme universitaire affilié. Certaines filles adhèrent dans le simple but d'étoffer leur CV en vue des inscriptions à l'université, mais beaucoup sont touchées par les élèves étrangères dont elles entendent parler et finissent par se passionner pour leur cause.

Chaque section de Girls Learn est jumelée à une classe partenaire dans un pays pauvre où les filles ont traditionnellement peu accès à l'instruction : l'Afghanistan, la Colombie, le Costa Rica, le Salvador, l'Inde, le Kenya, le Pakistan, l'Ouganda, le Vietnam. Les jeunes Américaines collectent des fonds pour aider leurs partenaires et moderniser leurs écoles. Jordana, par exemple, a contribué à équiper le bureau de Mukhtar Mai, la militante antiviol des campagnes pakistanaises. Quand Mukhtar Mai nous envoie un mail pour nous informer des dernières menaces dont elle est victime, elle utilise un ordinateur et une connexion Internet financés par Girls Learn.

Les partenaires de Girls Learn sont choisis le plus souvent grâce aux relations de Jordana, de sa mère et d'une équipe de deux employées basées à Manhattan. Chaque section est censée collecter au moins 500 dollars par an – depuis le début de l'opération, 50 000 dollars ont été rassemblés par les élèves –, qui vont exclusivement aux classes à l'étranger. Des adultes apportent leur appui en collectant de leur côté plus de 100 000 dollars par an pour couvrir les frais de fonctionnement. Girls Learn est loin d'être l'association caritative la plus efficace du pays puisqu'elle dépense plus d'argent pour ses bureaux de Manhattan que pour maintenir les petites Pakistanaises à l'école. Mais l'objectif de Girls Learn n'est pas seulement de soutenir l'instruction des filles à l'étranger, il est aussi de favoriser les échanges et de poser les fondations d'un mouvement national. Vue comme une entreprise éducative destinée aux jeunes Américaines, c'est une réussite. Les lycéennes, qui auraient pu être obsédées par les sacs de styliste, envoient leur argent de poche aux jeunes Indiennes pour leur permettre d'avoir des cahiers.

« Il n'y a pas mieux pour impliquer les filles, explique Cassidy DuRant-Green, employée de Girls Learn. Quel meilleur moment, pour commencer, que le collège ? Nous forgeons des dirigeantes, des femmes pour lesquelles nous pourrions bien travailler dans vingt ans. » Ainsi, bien que l'objectif avoué soit de favoriser l'autonomisation des filles dans des pays tels le Pakistan, les jeunes Américaines en sont également de grandes bénéficiaires. L'élégance et la passion de Jordana en sont la parfaite illustration. Dans le Bronx, sa maturité et son empathie transparaissaient dans tout son discours. Elle exhorta les élèves à soutenir la section de Girls Learn, en leur rappelant qu'ailleurs des filles de leur âge sont victimes de la traite ou assassinées au nom de l'« honneur », et conclut sur un crescendo retentissant : « Les droits des filles sont des droits humains ! »

CHAPITRE 14

Ce que vous pouvez faire

Soyez vous-même le changement que vous voudriez voir dans le monde.

Mahatma GANDHI

Pendant des décennies, les Américains eurent conscience du caractère inique de la ségrégation. Mais la discrimination raciale semblait être un problème complexe, tellement enraciné dans l'histoire et la culture du Sud que la plupart des gens, si bien intentionnés fussent-ils, se sentaient impuissants. Puis vinrent Rosa Parks, Martin Luther King Jr, les Freedom Riders[1] et des livres révélateurs comme *Dans la peau d'un Noir* de John Howard Griffin. Soudain, il devint impossible d'ignorer les injustices, d'autant que des changements économiques ébranlaient le Sud ségrégationniste. Il en résulta un vaste mouvement en faveur des droits civiques, qui fit naître des coalitions, braqua les projecteurs sur les souffrances des Noirs et arracha les œillères des braves gens.

De même, les hommes passèrent une grande partie du XXe siècle à enfumer le ciel, polluer les fleuves et massacrer les animaux sans susciter beaucoup de commentaires ni d'opposition. On considérait qu'il s'agissait de la rançon du progrès – jusqu'à ce que Rachel Carson publie *Printemps silencieux* en 1962. Le mouvement écologiste était né.

1. Aux États-Unis, militants du mouvement des droits civiques qui traversaient les États du Sud en bus pour tester l'arrêt de la Cour suprême rendant illégale la ségrégation dans les transports. *(N.d.T.)*

Aujourd'hui, notre défi est de montrer au monde les femmes prisonnières des bordels et les adolescentes gisant recroquevillées dans des huttes isolées. Nous espérons voir émerger un grand mouvement en faveur de l'égalité sexuelle, de la scolarisation et de l'autonomisation des filles de la planète. Les mouvements américains des droits civiques et de défense de l'environnement sont des exemples à suivre, à ceci près qu'ils s'attaquaient à des défis nationaux qui touchaient de près tout un chacun. Si cet effort international avait été assimilé à une « question de femmes », il aurait d'emblée échoué, car les problématiques féminines sont hélas marginalisées. De toute façon, la traite sexuelle et les viols de masse ne devraient pas être considérés comme des questions de femmes – tout comme l'esclavage n'était pas une question de Noirs, ni l'Holocauste une question de juifs. Il s'agit dans tous les cas de préoccupations humanitaires, qui transcendent les races, les sexes et les croyances.

Le mouvement idéal est celui que nous avons évoqué plus haut : l'élan qui poussa les Britanniques à abolir la traite des esclaves à la fin du XVIIIe et au début du XIXe siècle. Quel exemple plus singulier et plus remarquable que ce peuple qui accepta de verser son sang et de sacrifier durablement ses revenus afin d'améliorer l'existence d'êtres humains éloignés ? Winston Churchill estimait que les Britanniques avaient connu leur « heure de gloire » en résistant aux nazis dans les années 1940, mais le sursaut moral qui mena à l'abolition de l'esclavage ne fut pas moins glorieux.

L'esclavage a longtemps été accepté comme une réalité malheureuse mais inévitable. Les Athéniens, bien que brillants philosophes et champions de l'empathie, ne s'interrogèrent jamais sur leur dépendance vis-à-vis des esclaves. Jésus n'aborda le sujet dans aucun Évangile. Saint Paul et Aristote l'acceptaient. Et, si les théologiens juifs et islamiques approuvaient la compassion envers les esclaves, ils ne remettaient pas en cause leur statut. Au XVIIIe siècle, quelques quakers dénoncèrent vigoureusement cette injustice, mais ils furent traités de fous et n'eurent aucun impact. Au début des années 1780, l'esclavage était un élément incontesté du paysage mondial – et puis, étonnamment, en une décennie, les Britanniques en firent une de leurs priorités politiques. Le vent tourna, et, en 1807, la Grande-Bretagne abolit la traite négrière, avant de devenir l'une des premières nations à émanciper ses esclaves en 1833.

Durant plus d'un demi-siècle, le leadership moral des Britanniques leur coûta très cher. À la veille de l'abolition de la traite négrière, les navires de Sa Majesté transportaient 52 % des esclaves qui traversaient l'Atlantique, et ses colonies produisaient 55 % du sucre mondial. Privés de cet apport de main-d'œuvre, les territoires britanniques du Nouveau Monde s'écroulèrent, tandis que la France, ennemie jurée de la Grande-Bretagne, profita pleinement de la situation. Tout comme les États-Unis. Alors que la production de sucre des Antilles britanniques chuta de 25 % dans les trente-cinq ans qui suivirent l'abolition de la traite négrière, celle des pays esclavagistes concurrents grimpa de 210 %.

La marine britannique montra la voie en tentant de mettre un terme au commerce d'esclaves dans l'Atlantique et en Afrique – un combat qui coûta la vie à cinq mille hommes et entraîna une augmentation des impôts en Grande-Bretagne. Cette action unilatérale eut également un prix diplomatique : elle provoqua la colère de puissances militaires rivales, qui entrèrent en conflit ouvert avec les Britanniques. Les initiatives antiesclavagistes entraînèrent une brève guerre avec le Brésil en 1850, des menaces d'affrontement avec les États-Unis en 1841 et l'Espagne en 1853, et des tensions durables avec la France. Mais la Grande-Bretagne ne céda pas. Son exemple finit par inciter la France à abolir l'esclavage en 1848, inspira les abolitionnistes américains et la Proclamation d'émancipation, et poussa Cuba à interdire les importations d'esclaves en 1867, ce qui mit *de facto* un terme à la traite transatlantique.

D'après Chaim Kaufmann et Robert Pape, deux universitaires, l'engagement de la Grande-Bretagne contre l'esclavage lui coûta en moyenne 1,8 % de son PNB pendant soixante ans. Le chiffre a de quoi surprendre. Sur l'ensemble de la période, on arrive à plus d'une année entière de PNB perdu (l'équivalent de 14 000 milliards de dollars pour les États-Unis aujourd'hui). Ce sacrifice, aussi important que soutenu, illustre l'héroïsme d'une nation qui plaçait ses valeurs au-dessus de ses intérêts.

William Wilberforce est généralement considéré comme le père du mouvement abolitionniste. Il faut reconnaître qu'il en fut l'un des principaux leaders et qu'il inversa le cours des choses. Mais, en réalité, Wilberforce rejoignit la cause assez tardivement, et son éloquence ne fut pas le seul élément qui marqua le public. Une grande partie de la campagne contre l'esclavage – celle dont nous avons le plus à apprendre aujourd'hui – consista à décrire méticuleusement aux Anglais les conditions de vie des esclaves sur les navires et les plantations.

L'esclavage n'existant pas en Grande-Bretagne même, mais uniquement dans les colonies, l'Anglais moyen ignorait tout de ses réalités. Comme pour la traite sexuelle en Inde aujourd'hui, il était facile de s'indigner, puis de passer à autre chose. Un homme, Thomas Clarkson, s'attaqua au problème. Il s'était intéressé à la question des esclaves en préparant un concours de latin pendant ses études à Cambridge. Il fut tellement horrifié par ce qu'il découvrit qu'il devint un fervent partisan du mouvement abolitionniste, s'imposant même comme l'élément moteur de la Société pour l'abolition de la traite des esclaves. « S'il y eut un fondateur du mouvement moderne pour les droits de l'homme, constatait *The Economist*, ce fut Clarkson. »

À la fin de ses études, Clarkson prit d'énormes risques pour visiter clandestinement les ports de Liverpool et de Bristol, où accostaient les négriers. Il interrogea les marins et rassembla des preuves. Il se procura des chaînes, des fers à marquer, des poucettes, des entraves et d'autres instruments sinistres destinés à écarter les mâchoires des esclaves. Il rencontra un ancien capitaine qui lui décrivit les cales des navires. Après s'être procuré le schéma d'un négrier de Liverpool, le *Brooks*, il conçut des affiches pour montrer que quatre cent quatre-vingt-deux esclaves y étaient entassés à chaque traversée. Cette image devint le symbole du mouvement abolitionniste ; elle souligne un point important : Clarkson et ses partisans veillaient à ne pas trop en faire. En réalité, le *Brooks* pouvait transporter jusqu'à six cents esclaves, mais Clarkson jugeait préférable de n'avancer que des chiffres prudents et avérés afin d'assurer sa crédibilité.

À l'époque, les défenseurs de l'esclavage décrivaient souvent les plantations des Antilles comme idylliques, tous les besoins des esclaves y étant satisfaits ; les preuves avancées par Clarkson montraient que leurs conditions de vie étaient souvent ignobles. Les esclavagistes, furieux, payèrent des marins pour assassiner Clarkson : il fut roué de coups mais échappa de peu à la mort.

Clarkson et Wilberforce semblaient livrer une bataille perdue d'avance : pour la Grande-Bretagne, l'enjeu économique du commerce des esclaves était considérable, et les souffrances dénoncées touchaient des peuples lointains que beaucoup de Britanniques considéraient comme des sauvages. Pourtant, quand l'opinion publique découvrit comment ils étaient entassés dans les cales des bateaux – la puanteur, les maladies, les cadavres, les fers ensanglantés –, elle frémit d'horreur et rejeta l'esclavage. C'est une leçon à méditer : au bout du compte, ce ne furent pas seulement la passion et la conviction morale des abolitionnistes qui comptèrent, mais les preuves qu'ils amassèrent avec soin contre la barbarie.

De même, il ne suffit pas de confronter les politiciens à la « vérité » pour l'emporter, il fallut également les soumettre à une pression constante. Clarkson parcourut ainsi cinquante-six mille kilomètres à cheval, et, pendant cinq ans, un ancien esclave, Olaudah Equiano, fit la promotion de son autobiographie dans tout le pays. En 1792, trois cent mille personnes boycottaient le sucre importé des Antilles – du jamais vu. Cette année-là, il y eut plus de gens qui signèrent les pétitions contre l'esclavage que d'électeurs admis à voter aux scrutins britanniques. Au Parlement, Wilberforce mena des négociations acharnées pour former un groupe de députés susceptible de triompher du lobby de la marine et des esclavagistes. Comme c'est toujours le cas, les dirigeants politiques trouvèrent les arguments éthiques très convaincants dès lors qu'ils furent âprement défendus par des électeurs.

Dans les années 1790, les abolitionnistes étaient souvent considérés comme des moralisateurs idéalistes qui ne comprenaient rien à l'économie et aux subtilités géopolitiques, telles que la menace française. De nos jours, la même logique associe les « questions sérieuses » au terrorisme ou à l'économie. Mais la question morale de l'assujettissement des femmes n'est pas plus frivole que ne l'était l'esclavage à la fin du XVIIIe siècle. Dans plusieurs décennies, les gens se demanderont comment, au XXIe siècle, les sociétés ont pu accepter un commerce d'esclaves sexuelles encore plus vaste que la traite transatlantique des Noirs au XIXe. Ils s'étonneront que nous ayons pu rester indifférents alors que, faute de financement suffisant, un demi-million de femmes mouraient en couches chaque année.

Les pays en voie de développement doivent montrer l'exemple – ce qu'ils commencent à faire. En Inde, en Afrique et au Moyen-Orient, des hommes et des femmes revendiquent une plus grande égalité. Ils ont besoin de notre soutien. Dans les années 1960, ce furent des Noirs, à l'image de Martin Luther King, qui prirent la tête du mouvement des droits civiques, mais avec le soutien crucial des Freedom Riders et d'autres partisans blancs. Aujourd'hui, le mouvement international des droits des femmes a lui aussi besoin de « voyageurs de la liberté » – pour écrire des lettres, envoyer de l'argent ou donner de leur temps.

L'enjeu de l'émancipation des femmes permet également d'aborder sous un angle différent des défis géopolitiques tels que le terrorisme. Au lendemain du 11 Septembre, les États-Unis dépensèrent 10 milliards de dollars pour envoyer des hélicoptères et des armes, ainsi qu'un appui militaire et économique au Pakistan. Les Américains devinrent de plus en plus impopulaires, le gouvernement Musharraf, plus instable, et les extrémistes se rallièrent la population. Imaginez que l'on ait consacré cet argent à promouvoir l'instruction et la microfinance dans les campagnes, en s'appuyant sur des organisations pakistanaises. Les États-Unis auraient sans doute bénéficié d'une meilleure image, et les femmes seraient plus impliquées dans la société. Et, comme nous l'avons dit, quand une femme a son mot à dire dans un pays, les manifestations de violence diminuent. Swanee Hunt, ancienne ambassadrice américaine en Australie installée aujourd'hui à Harvard, se rappelle la réaction d'un cadre du Pentagone en 2003, après l'opération « choc et effroi » en Irak : « Quand je l'ai exhorté à élargir sa sélection de futurs dirigeants pour l'Irak, qui comprenait des centaines d'hommes mais seulement sept femmes, il m'a répondu : "Madame l'ambassadrice, on s'occupera des questions féminines une fois que le pays sera sécurisé." Je me suis demandé ce qu'il entendait par "questions féminines". Moi, je lui parlais justement de sécurité. »

Songez aux défis majeurs qui nous attendent au cours de ce siècle : la guerre, l'insécurité et le terrorisme, la pression démographique, les contraintes environnementales, les changements climatiques, la pauvreté et les écarts de revenus. Chaque fois, la réponse au problème repose en partie sur l'autonomisation des femmes. Il est évident que scolariser les filles et les intégrer à l'économie formelle aura des conséquences positives et permettra de lutter contre la pauvreté mondiale. Les pressions environnementales découlent presque inévitablement de l'accroissement de la population, et le meilleur moyen de réduire la fécondité est d'instruire les filles et de leur offrir des chances de travailler. De même, nous pensons qu'apaiser des sociétés ravagées par les conflits passe par la scolarisation des femmes et des filles, par leur intégration au marché du travail, par leur accès aux gouvernements et au monde des affaires – pour relancer l'économie, mais également pour atténuer les valeurs machistes de ces pays. Nous n'irons jamais jusqu'à dire que l'autonomisation des femmes est la solution miracle à tous les problèmes, mais c'est une approche dont les bénéfices vont bien au-delà d'une simple question de justice.

Prenons l'exemple du Bangladesh. C'est un État pauvre, en proie à des dysfonctionnements politiques, et dont l'avenir demeure terriblement incertain. Mais il est infiniment plus stable que le Pakistan, dont il faisait partie jusqu'en 1971 (sous le nom de Pakistan-Oriental). Après la scission, le Bangladesh fut considéré comme un cas désespéré et qualifié par Henry Kissinger de « cause perdue ». La violence politique qui y régnait et la médiocrité de ses dirigeants n'étaient pas sans rappeler les problèmes pakistanais, et pourtant l'avenir y semble aujourd'hui moins incertain. De nombreuses raisons expliquent l'évolution différente de ces deux nations, notamment le cancer de la violence qui s'est propagé de l'Afghanistan au Pakistan et la tradition intellectuelle bengali qui a permis de modérer les extrémismes au Bangladesh. Mais les sommes conséquentes investies au profit des Bangladaises, qui ont bien plus de chances d'aller à l'école et de trouver du travail que les Pakistanaises, contribuent sans aucun doute à la stabilité actuelle du pays. Résultat : le Bangladesh possède une importante société civile et une énorme industrie textile qui, grâce à ses nombreuses ouvrières, entretient un secteur d'exportation dynamique.

Presque tous ceux qui œuvrent dans les pays pauvres reconnaissent que les femmes sont la ressource la plus sous-exploitée du tiers-monde. Selon Bunker Roy, directeur du Barefoot College (l'« Université des pieds nus »), une organisation caritative indienne présente en Asie, en Afrique et en Amérique latine : « La première chose que nous avons apprise, c'est qu'il est souvent impossible de former les hommes. Nous ne travaillons donc plus qu'avec les femmes. Nous choisissons une candidate en Afghanistan, en Mauritanie, en Bolivie ou à Tombouctou, et en six mois nous faisons d'elle une ingénieure "aux pieds nus", capable de gérer l'approvisionnement en eau et d'autres problèmes similaires. »

Presque partout dans le monde, les pays et les entreprises qui se sont appuyés sur les compétences des femmes ont prospéré. « Les mesures d'encouragement de l'emploi féminin sont le moteur du succès du marché du travail de la zone euro, bien plus que les réformes "conventionnelles" », notait en 2007 la banque d'affaires Goldman Sachs. De même, les sociétés qui comptent de nombreuses femmes parmi leurs cadres sont systématiquement plus performantes. Selon une étude du magazine *Fortune*, dans les cinq cents plus grandes entreprises américaines, le quart qui employait le plus de cadres féminins affichait un retour sur capitaux propres supérieur de 35 % à celui affiché par le quart qui en employait le moins. À la Bourse de Tokyo, les compagnies les plus ouvertes aux femmes avaient des résultats supérieurs de près de 50 % à celles qui l'étaient le moins. L'explication la plus probable de ce phénomène n'est pas le génie des cadres féminins. En revanche, les entreprises suffisamment innovantes pour promouvoir les femmes s'avèrent également plus réactives face aux opportunités de leur secteur. Telle est l'essence d'un modèle économique durable. Accorder aux femmes un rôle plus productif permet d'infléchir la croissance démographique et d'entretenir une société durable.

Réfléchissez au coût de l'inexploitation de la moitié des ressources humaines d'un pays. Les femmes et les filles cloîtrées dans des huttes, privées d'instruction et d'emploi, incapables de contribuer significativement à la marche du monde sont un vaste filon d'or humain négligé. Au final, le manque de formation des filles entraîne des problèmes de compétence qui se chiffrent en milliards de dollars de PNB, mais également en milliards de points de QI.

Les psychologues savent depuis longtemps que l'intelligence mesurée par les tests de QI a beaucoup augmenté au fil du temps. Ce phénomène est baptisé l'effet Flynn, du nom de James Flynn, un chercheur néo-zélandais. Ainsi, le QI moyen des Américains a progressé de dix-huit points entre 1947 et 2002. En trente ans, celui des conscrits hollandais a pris vingt et un points et celui des écoliers espagnols, dix points. Selon un universitaire, si les enfants américains de 1932 avaient passé les tests de QI en 1997, la moitié d'entre eux auraient quasiment fait figure d'attardés mentaux.

L'effet Flynn suscite encore des interrogations, mais il affecte en priorité les personnes aux scores les plus bas, qui n'ont pas forcément bénéficié d'une alimentation, d'une éducation ou d'une stimulation appropriées. Dans certains pays, ce sont les carences en iode qui sont en cause. À mesure que les gens sont mieux nourris et scolarisés, ils obtiennent de meilleurs résultats aux tests d'intelligence. Il n'est donc pas surprenant qu'un effet Flynn très marqué ait été observé dans des pays en voie de développement comme le Brésil et le Kenya. Le QI des enfants des campagnes kenyanes a augmenté de onze points en à peine quatorze ans, une hausse plus importante que toutes celles notées en Occident.

Les filles des pays pauvres souffrent plus particulièrement de sous-nutrition et de retards physique et intellectuel. En les scolarisant, en les nourrissant et en leur permettant de travailler, l'ensemble du monde profitera d'un nouvel apport d'intelligence, et les pays pauvres disposeront de citoyens et de dirigeants plus à même d'affronter les problèmes qui se posent à eux. L'argument le plus probant qui puisse leur être adressé n'est pas moral, mais pragmatique : s'ils veulent redresser leur économie, ils ont tout intérêt à ne pas laisser ces filons d'or inexploités.

Heifer International est une organisation caritative de l'Arkansas qui fait don de vaches, de chèvres, de poulets et d'autres animaux aux agriculteurs des pays pauvres. Elle fait partie des

Tererai Trent devant la hutte où elle est née, au Zimbabwe.

associations qui, par pragmatisme, se sont attachées à défendre la cause des femmes. Sa présidente, Jo Luck, a participé au gouvernement de l'Arkansas à l'époque où Bill Clinton dirigeait cet État. En 1992, après avoir pris la tête de Heifer, Jo s'est rendue au Zimbabwe, où elle s'est retrouvée, un jour, assise par terre en compagnie d'un groupe de jeunes villageoises. L'une d'elles s'appelait Tererai Trent.

Tererai a un visage allongé, des pommettes et un front hauts, et des cheveux tressés. Comme beaucoup de femmes dans le monde, elle ignore sa date de naissance, qu'aucun papier officiel ne permet d'attester. Elle pense être née en 1965, à moins que ce ne soit quelques années plus tard. Enfant, elle n'a pas vraiment reçu d'instruction, notamment parce qu'elle était une fille et qu'elle était censée s'occuper des corvées ménagères, du bétail et de ses jeunes frères et sœurs. Son père disait : *Envoyons nos fils à l'école parce que ce sont eux qui gagneront de quoi nourrir la famille.* « Mon père et tous les hommes, conscients de n'avoir aucune sécurité sociale, investissaient dans l'avenir de leurs fils », explique Tererai. Son frère, Tinashe, scolarisé contre son gré, était un élève médiocre. Tererai supplia en vain qu'on la laisse aller à l'école. Face au refus de son père, elle se plongea, tous les après-midi, dans les livres que Tinashe rapportait à la maison, apprenant seule à lire et à écrire. Très vite, elle se mit à faire le travail de son frère.

L'instituteur finit par s'étonner des devoirs parfaits de Tinashe, qui ne brillait pas en classe. Il s'aperçut que l'écriture des exercices donnés à la maison n'était pas la même que celle des contrôles effectués en cours. Il fouetta Tinashe jusqu'à ce qu'il lui avoue la vérité, puis rendit visite au père des enfants. Il lui expliqua que Tererai était une enfant prodige qu'il fallait absolument envoyer à l'école. Après de nombreuses discussions, le père céda. Il scolarisa Tererai durant quelques trimestres, mais la maria lorsqu'elle eut environ onze ans.

Le mari de Tererai lui interdit de retourner à l'école. Il lui en voulait de savoir lire et écrire, et la battait chaque fois qu'elle essayait de déchiffrer des morceaux de vieux journaux. En réalité, il la frappait pour toutes sortes de raisons. Elle détestait son mariage, mais n'avait pas d'échappatoire. « Quand on est une femme sans instruction, quel choix a-t-on ? »

Quand Jo Luck vint à la rencontre de Tererai et de ses compagnes, elle insista sur le fait que les choses pouvaient être différentes. Elle répéta sans cesse que les femmes pouvaient réaliser leurs propres ambitions, en insistant sur l'adjectif « réalisable ». Notant la répétition, son auditoire demanda à l'interprète d'expliquer en détail le sens de ce mot. Jo en profita pour insister. « Quels sont vos espoirs ? » leur demanda-t-elle. Les villageoises restèrent perplexes. Des espoirs, elles n'en avaient pas vraiment. Du reste, elles se méfiaient de cette Blanche qui ne parlait pas leur langue et leur posait des questions déroutantes. Mais Jo les incita à réfléchir à leurs rêves, et, à contrecœur, elles commencèrent à y penser. Lorsque Tererai exprima timidement son désir de faire des études, Jo saisit la balle au bond et lui dit que c'était possible, qu'elle devait noter ses objectifs et s'employer méthodiquement à les réaliser. Au départ, tout cela n'avait aucun sens pour Tererai, femme mariée et d'une vingtaine d'années.

Le rôle de l'aide étrangère peut être exprimé par de nombreuses métaphores. Pour notre part, nous aimons la comparer à une sorte de lubrifiant, à quelques gouttes d'huile versées dans le carter des pays en voie de développement pour permettre à la boîte de vitesses de se remettre à fonctionner seule et librement. Voilà à quoi se résuma l'aide de Heifer International dans ce village : Tererai se mit à avancer seule et librement. Après que Jo Luck et son entourage furent partis, elle se plongea dans ses études tout en élevant ses cinq enfants, et se réfugia dans le village de sa mère pour échapper aux coups de son mari. Avec le soutien d'amies, elle inscrivit laborieusement ses buts sur un bout de papier : « Un jour, j'irai aux États-Unis », nota-t-elle en premier. Elle ajouta qu'elle voulait décrocher un diplôme universitaire, une maîtrise et un doctorat – autant de rêves délicieusement absurdes pour une gardienne de troupeau du Zimbabwe, qui avait passé moins d'un an sur les bancs de l'école. Mais Tererai plia son bout de papier, l'enveloppa dans trois couches de plastique pour le protéger, puis le mit dans une vieille boîte de conserve qu'elle enterra sous un rocher, à l'endroit où elle gardait le bétail.

Elle s'inscrivit à des cours par correspondance et se mit à économiser de l'argent. Son assurance grandit à mesure qu'elle réussissait ses études, et elle devint animatrice de communauté pour Heifer. Elle stupéfia tout le monde par ses excellents résultats scolaires, et les représentants de l'organisation l'encouragèrent à croire à la possibilité d'étudier aux États-Unis. En 1998, on l'informa qu'elle était admise à l'université de l'Oklahoma.

Parmi ses voisins, certains estimaient qu'une femme d'une trentaine d'années aurait dû se soucier de l'instruction de ses enfants plutôt que de la sienne. « Je ne pourrai rien enseigner à mes enfants tant que je n'aurai moi-même rien appris, répliquait-elle. Mais si je m'instruis, je pourrai les instruire aussi. » Elle s'envola donc pour les États-Unis.

À l'université de l'Oklahoma, Tererai s'inscrivit à un maximum de matières et travailla le soir pour financer ses études. Une fois son diplôme en poche, elle retourna dans son village. Elle y déterra la boîte de conserve, sortit le papier sur lequel elle avait griffonné ses objectifs et cocha ceux qu'elle avait atteints, avant de remettre la boîte à sa place.

Heifer International lui offrit un emploi et elle se mit à travailler dans l'Arkansas tout en préparant une maîtrise à temps partiel. Lorsqu'elle l'eut obtenue, elle retourna chez elle et, après avoir embrassé sa famille et ses proches, procéda au même rituel avec la boîte de conserve. Aujourd'hui, elle rédige sa thèse à l'université du Western Michigan, entourée de ses cinq enfants. Elle a terminé ses séminaires et achève son mémoire sur les programmes de lutte contre le sida sur le continent africain. Grâce aux encouragements et à la main tendue de Heifer International, elle s'apprête à devenir un atout économique pour l'Afrique. Et, le jour où elle aura son doctorat, Tererai retournera dans son village, serrera ses proches dans ses bras et déterrera sa boîte de conserve.

De nombreux spécialistes s'intéressent aux mouvements sociaux. L'un des changements les plus frappants de ces dernières années semble être l'émergence d'un leadership féminin. Aux États-Unis, les mouvements pour les droits civiques et contre la guerre du Vietnam ont peut-être été les derniers mouvements de grande ampleur à avoir compté une majorité d'hommes à leur tête. Depuis, les femmes se sont emparées de causes aussi diverses que la lutte contre l'alcool au volant ou les mouvements pro- et antiféministes. Alors qu'elles sont toujours sous-représentées en politique, au sein des entreprises et des gouvernements, elles dominent le secteur civil de bon nombre de pays. Aux États-Unis, on trouve désormais des femmes à la tête de Harvard, de Princeton et du MIT, ainsi que des fondations Ford et Rockefeller. Les groupes du National Council of Women's Organizations (le Conseil national des organisations féminines) rassemblent dix millions de femmes. La même tendance se dessine à l'étranger : En Corée du Sud, les femmes détiennent 14% des sièges à l'Assemblée nationale, mais dirigent 80% des ONG du pays. Au Kirghizistan, ces chiffres sont respectivement de 0% et 90%.

Au XIXe siècle, les riches Américaines méprisaient le mouvement des suffragettes et préféraient financer les universités et les écoles pour garçons, les Églises et les associations caritatives. Souvent, elles se montraient remarquablement généreuses envers des institutions qui pratiquaient une discrimination ouverte contre les femmes. Les suffragettes furent donc obligées de collecter l'essentiel de leurs fonds auprès des hommes ralliés à leur cause. De même, ces dernières décennies, les riches Américaines n'ont pas particulièrement soutenu les organisations internationales de défense des droits des femmes, mais certains signes laissent penser que la situation commence à changer. Les Américaines jouent un rôle de plus en plus important dans le monde de la philanthropie, et les « fonds féminins » à destination des femmes et des filles se multiplient. Les États-Unis à eux seuls en comptent maintenant plus de quatre-vingt-dix.

Les conditions de l'émergence d'un mouvement d'émancipation des femmes dans le monde sont donc réunies. Les dirigeants politiques devraient en tenir compte : aux États-Unis, un sondage réalisé en 2006 indiquait que 60 % des personnes interrogées considéraient qu'« améliorer le sort des femmes dans les autres pays » était « très important » pour la politique étrangère américaine – (30 % jugeaient que c'était « assez important »). Un tel mouvement devrait adhérer aux principes suivants :

• S'efforcer de constituer de larges coalitions regroupant libéraux et conservateurs, qui permettraient d'obtenir beaucoup plus facilement des résultats concrets.

• Résister à la tentation d'en rajouter. La crédibilité des organisations humanitaires est écornée chaque fois qu'elles font des prédictions outrancières (les journalistes disent en plaisantant qu'elles ont prédit dix des trois dernières famines). Les études consacrées aux femmes sont souvent menées par des passionnés de justice et d'égalité sexuelle, qui savent déjà où ils veulent en venir avant même de commencer. Leurs conclusions doivent être prises avec prudence. Nous n'avons rien à gagner à trop en faire.

• Aider les femmes ne veut pas dire ignorer les hommes. Ainsi, bien qu'il soit essentiel de financer la mise au point de microbicides vaginaux – des crèmes que les femmes pourraient s'appliquer pour se protéger du sida sans que leur partenaire ne le sache –, il serait peut-être tout aussi utile de circoncire les garçons, ce qui permettrait de ralentir la propagation du sida.

• Le féminisme américain devrait regarder plus loin que le bout de son nez et se préoccuper autant de l'esclavage sexuel en Asie que des programmes sportifs promouvant l'égalité des sexes dans l'Illinois. Il a déjà fait des progrès en ce sens. De même, les Américains devraient se soucier autant de sauver les Africaines que les fœtus. En bref, nous devons tous être plus cosmopolites et prendre conscience de la répression qu'entraîne l'inégalité des sexes dans le monde.

S'il devait y avoir un cinquième principe, ce serait le suivant : ne pas accorder trop d'attention aux quatre premiers. Tout mouvement doit être flexible, rester toujours pragmatique et ouvert à différentes stratégies. Par exemple, nous avons déclaré à plusieurs reprises que la scolarisation des filles était le meilleur moyen de faire baisser la fécondité, d'améliorer la santé des enfants et de créer une société plus juste et plus dynamique. Mais, pendant que nous écrivions ce livre, deux études ont mis en avant une nouvelle approche susceptible de modifier considérablement le taux de fécondité et la place des femmes dans les villages : la télévision.

Eliana La Ferrara, une économiste du développement italienne, s'est intéressée à l'impact de la chaîne Rede Globo au Brésil. Globo est connue pour ses feuilletons télévisés extrêmement populaires, dont les personnages principaux sont des femmes avec peu d'enfants. Au cours des années qui suivaient l'arrivée de la chaîne dans une nouvelle région brésilienne, on notait une baisse de la natalité – en particulier chez les femmes des classes populaires et chez les femmes déjà en âge d'être mères. On peut penser qu'elles avaient décidé de ne plus avoir d'enfants pour imiter leurs héroïnes.

La seconde étude est consacrée à l'impact de la télévision en Inde. Après l'arrivée de la télévision câblée dans un village, Robert Jensen, de l'université Brown, et Emily Oster, de l'université de Chicago, ont constaté que les femmes accédaient à plus d'autonomie – elles pouvaient par exemple quitter la maison sans permission ou prendre part aux décisions du foyer. Elles avaient moins d'enfants et déclaraient moins souvent préférer avoir un fils plutôt qu'une fille. Les violences conjugales étaient moins tolérées, et les familles, plus susceptibles d'envoyer leurs filles à l'école.

Ces changements se sont produits parce que la télévision diffusait des idées nouvelles dans des communautés isolées, souvent très conservatrices et traditionalistes. Avant l'arrivée de la télé, 62 % des femmes interrogées jugeaient acceptable que les maris battent leurs épouses, 55 % d'entre elles voulaient que leur prochain enfant soit un garçon (les autres ne souhaitaient pas forcément une fille : elles n'avaient pas de préférence), et deux bons tiers disaient avoir besoin de l'autorisation de leur mari pour rendre visite à des amies.

Et puis, avec la télévision, de nouvelles idées ont peu à peu gagné les villages. La plupart des émissions populaires diffusées par les chaînes câblées en Inde sont des feuilletons mettant en scène des familles urbaines de la classe moyenne, dont les femmes travaillent et sont libres d'aller et venir. Les villageois ont peu à peu reconnu qu'être « modernes » consistait à traiter ces dernières comme des êtres humains. L'impact a été considérable : « La télévision par câble produit quasiment le même effet que cinq années de scolarisation féminine », expliquent les universitaires. Il ne s'agit pas pour autant d'abandonner les programmes de scolarisation pour introduire la télévision dans les villages où abondent les maris violents, car ces découvertes sont encore incertaines et doivent être confirmées ailleurs. Mais, comme nous l'avons expliqué, tout mouvement en faveur des femmes doit être créatif et ouvert à des approches et à des technologies nouvelles.

Tout en s'attachant à résoudre des questions diverses et générales, un tel mouvement doit cibler quatre réalités quotidiennes particulièrement effrayantes : la mortalité maternelle, la traite des êtres humains, les violences sexuelles et les discriminations quotidiennes, qui expliquent que le taux de mortalité des filles soit nettement supérieur à celui des garçons. Pour relever ces défis, nous disposons de solutions telles que la scolarisation des filles, le contrôle des naissances, le microcrédit et l'« *empowerment* », ou l'« autonomisation », dans tous les sens du terme. La CEDEF, la Convention sur l'élimination de toutes les formes de discrimination à l'égard des femmes, est un outil utile à cet égard. Elle a été adoptée par l'Assemblée générale des Nations unies en 1979 et ratifiée depuis par cent quatre-vingt-cinq pays (les États-Unis refusent toujours de la signer, les républicains craignant que la souveraineté du pays ne soit remise en question). Ces craintes sont absurdes. Mais, à côté de la CEDEF, les Nations unies ont besoin d'une agence importante qui soutienne l'égalité des sexes (il en existe une en théorie, l'UNIFEM, mais elle est minuscule). Et, comme en Grande-Bretagne, les États-Unis devraient avoir un ministère spécifique – qui superviserait toutes les questions liées à l'aide étrangère et au développement, et mettrait en avant le rôle des femmes.

Mais, au final, comme nous l'avons démontré, ce qui modifiera le mode de vie des villageois africains, ce n'est pas tant la CEDEF ou un nouveau ministère américain que la création d'une école ou d'un hôpital. Les conférences des Nations unies sur l'éducation sont très bien, mais l'argent est parfois plus utile sur le terrain. Nous aimerions voir les organisations féministes, les Églises évangéliques et tous les Américains de bonne volonté mener une campagne citoyenne en faveur de trois engagements précis. Idéalement, ces décisions seraient coordonnées avec des projets similaires en Europe, au Japon et dans d'autres pays donateurs, mais les États-Unis pourraient donner l'impulsion, si c'était nécessaire.

La première serait de consentir à un effort de 10 milliards de dollars sur cinq ans afin de permettre de scolariser les filles du monde entier et de réduire le fossé éducatif entre les sexes. Le projet concernerait surtout l'Afrique, mais il aiderait – et inciterait – aussi des pays asiatiques comme l'Afghanistan et le Pakistan à mieux faire. Le but ne serait pas juste de construire de nouvelles écoles arborant la mention « financée par le peuple américain », mais de chercher les moyens les plus rentables pour soutenir l'instruction. Dans certains pays, il peut s'agir de fournir des uniformes scolaires aux filles issues de familles pauvres, de lancer des campagnes de traitement contre les vers, d'offrir des bourses aux étudiantes les plus douées, de les aider à gérer leurs règles, de financer des déjeuners à l'école ou d'appliquer le programme mexicain Oportunidades. Ces approches devraient être testées de manière rigoureuse et aléatoire, puis évaluées par des experts extérieurs afin que nous puissions déterminer lesquelles sont les plus rentables.

La deuxième initiative consisterait à financer l'iodisation du sel dans les pays pauvres. Cette mesure permettrait à des dizaines de millions d'enfants de ne pas perdre une dizaine de points de QI au moment où leur cerveau se développe dans l'utérus de leur mère. Comme nous l'avons évoqué plus tôt dans cet ouvrage, les fœtus féminins sont particulièrement sujets aux lésions cérébrales provoquées par une carence en iode. Les filles seraient donc les principales bénéficiaires d'un tel projet. Le Canada finance déjà la Micronutrient Initiative, qui soutient l'iodisation du sel, mais il reste beaucoup de travail à accomplir – ce qui est consternant quand on sait que le coût de cette mesure a été estimé à 19 millions de dollars seulement. Cette campagne montrerait également que des méthodes économiques, simples et très rentables, sont encore possibles, malgré les critiques qui visent régulièrement l'aide internationale. L'iodisation du sel n'est peut-être pas une solution très glamour, mais chaque dollar qui y est consacré produit plus de résultats que presque toutes les autres formes d'aide.

La troisième proposition serait un projet de 1,6 milliard de dollars sur douze ans, destiné à éradiquer les fistules obstétricales tout en posant les bases d'un vaste plan de lutte international contre la mortalité maternelle. Le Dr L. Lewis Wall, président et directeur général du Worldwide Fistula Fund, et Michael Horowitz, un activiste humanitaire conservateur, ont rédigé une proposition de campagne détaillée contre les fistules, qui inclut la construction de quarante centres de soins spécialisés en Afrique, ainsi que la création d'un institut pour coordonner toutes les actions. C'est l'un des rares points en matière de santé génésique sur lesquels démocrates et républicains sont d'accord. En plus d'attirer l'attention sur la nécessité d'améliorer, d'une manière générale, les soins maternels, cette campagne permettrait d'aider une partie des jeunes femmes les plus défavorisées du monde, de développer les compétences obstétricales en Afrique et d'insuffler l'énergie nécessaire à la prise de mesures significatives pour réduire la mortalité maternelle.

Ces trois démarches – scolarisation des filles, iodisation du sel et éradication des fistules – ne résoudront pas les problèmes des femmes du monde entier. En revanche, elles pourraient inciter la communauté internationale à accorder plus d'importance aux problèmes sous-jacents tout en révélant quelques-unes des solutions possibles. Et, quand les gens verront que des solutions existent bel et bien, ils seront plus disposés à proposer leur aide, d'une multitude d'autres façons.

Plus le mouvement touchera un nombre important d'Occidentaux, mieux ce sera. Mais les partisans les plus efficaces seront ceux qui, en plus de leur argent, donneront de leur temps en œuvrant bénévolement au front. Si la pauvreté vous préoccupe, vous devez la comprendre, pas seulement vous y opposer. Et, pour la comprendre, il faut la regarder en face.

En évoquant la traite sexuelle, nous avons parlé d'Urmi Basu, la directrice du refuge New Light qui accueille les femmes prisonnières des bordels de Calcutta. Au fil des ans, nous avons incité plusieurs Américaines à se porter volontaires auprès d'Urmi pour enseigner l'anglais aux enfants de ces prostituées. Au début, le choc est rude. Sydnee Woods fait partie des femmes que nous avons présentées à Urmi. Adjointe d'un procureur de Minneapolis, elle attendait plus de la vie que ce que pouvait lui offrir son travail et avait demandé à son employeur un congé sans solde de trois mois pour pouvoir faire du bénévolat à New Light. Devant son refus catégorique, elle démissionna, vendit sa maison et s'installa à Calcutta. L'adaptation ne fut pas facile, loin de là, comme elle nous l'expliqua dans un mail :

> Il m'a fallu six mois pour m'avouer à moi-même que je détestais l'Inde (enfin, au moins Calcutta). J'adorais sincèrement New Light – les enfants, les mères, le personnel, les autres bénévoles, Urmi. Mais, pour le reste, je détestais Calcutta. J'ai beaucoup souffert de mon statut d'Américaine noire célibataire. On me considérait toujours avec méfiance – pas tant à cause de ma couleur que parce que je n'étais pas mariée et que je me déplaçais souvent seule (au restaurant, dans les magasins, etc.). Ces regards m'épuisaient émotionnellement et je ne crois pas m'y être jamais vraiment habituée.

Navrés d'être à l'origine d'une expérience si douloureuse, nous lui avons demandé si elle regrettait pour autant d'être partie. Recommanderait-elle une immersion similaire à d'autres personnes ? Quelques instants plus tard, un mail radicalement différent nous parvint :

> Je suis si contente d'y être allée ! J'envisage de retourner au refuge l'année prochaine. J'ai eu le coup de foudre pour tous les enfants, mais deux d'entre eux, Joya et Raoul (un frère et une sœur de quatre et six ans, je crois), m'ont particulièrement émue, et je tiens absolument à ce qu'ils aillent à l'école et qu'ils quittent Kalighat [le quartier chaud]. Je sais que j'ai été utile, et c'est un sentiment gratifiant. Cette expérience, avec ses bons et ses mauvais côtés, m'a changée à jamais. Je suis beaucoup plus décontractée et j'arrive à gérer bien plus facilement les revers et les coups durs. Je n'avais jamais voyagé hors des États-Unis (à part des vacances aux Bermudes, au Mexique et aux Bahamas), et aujourd'hui j'ai besoin de partir pour l'étranger aussi souvent que possible. Je me suis fait des amis pour la vie en Inde. Les mots me manquent pour exprimer tout ça, mais je suis devenue quelqu'un de différent, de meilleur. Je n'hésiterai pas à recommander aux autres de faire comme moi – surtout aux femmes noires célibataires. C'était difficile, mais nécessaire. L'Inde vous transforme, elle vous confronte à des facettes de vous-même que vous préférez parfois ignorer. À mon sens, ça ne peut être que positif. En tout cas, ça l'a été pour moi.

En effet, si ceux qui rejoignent ce mouvement aspirent avant tout à aider les autres, au final, c'est souvent eux-mêmes qu'ils aident. Comme le disait sir John Templeton : « C'est surtout en essayant d'aider les autres que l'on s'améliore soi-même. » Ces dernières années, les psychologues sociaux ont beaucoup appris sur le bonheur, notamment que les choses censées nous rendre heureux n'y parviennent pas toujours. Les gagnants du Loto, par exemple, traversent une période initiale d'euphorie, puis s'habituent et, un an plus tard, ne sont guère plus épanouis que les perdants. Notre sentiment de bonheur semble être essentiellement inné, et peu affecté par ce qui nous arrive de bon ou de mauvais. Les dialysés en phase terminale affichent les mêmes humeurs, au cours d'une journée, qu'un groupe de sujets en bonne santé. Et, si les personnes atteintes d'un lourd handicap sont, au début, profondément malheureuses, elles s'adaptent rapidement. Selon une étude, un mois après être devenues paraplégiques, les victimes d'accidents sont même le plus souvent d'assez bonne humeur. D'autres recherches ont montré que, dans les deux ans suivant l'apparition d'un handicap modéré, les gens apprécient autant la vie qu'avant. D'après Jonathan Haidt, un psychologue de l'université de Virginie, si vous êtes un jour renversé par un camion et que vous finissiez paraplégique, ou, même, si vous gagnez au Loto, un an plus tard, vous ne vous sentirez guère plus heureux ou plus malheureux qu'aujourd'hui.

Le professeur Haidt, ainsi que d'autres spécialistes, ajoutent toutefois qu'il existe quelques facteurs susceptibles d'affecter durablement notre aptitude au bonheur. Le premier est « un lien avec une entité plus vaste » – une cause supérieure ou un but humanitaire. C'est ce qui attire traditionnellement les fidèles dans les Églises et les autres institutions religieuses, mais tout mouvement ou projet humanitaire peut donner un sens profond à notre vie et nous rendre plus heureux. Nous sommes neurologiquement conçus pour tirer d'énormes bénéfices de l'altruisme.

Nous espérons donc que vous viendrez grossir les rangs de ce mouvement et que vous le soutiendrez comme vous le pourrez – en faisant du bénévolat à l'école de Mukhtar Mai au Pakistan, en écrivant des lettres dans le cadre des campagnes d'Equality Now ou en aidant Tostan à sensibiliser un village aux ravages de l'excision. Consultez la liste des organisations humanitaires citées en annexe, ou allez sur www.charitynavigator.org et repérez-en une ou deux auprès desquelles vous souhaitez vous engager. Les philanthropes et les donateurs ne s'intéressent en général pas assez au sort des femmes à l'étranger et préfèrent financer des causes plus intellectuelles, comme les ballets ou les musées. Un mouvement d'envergure internationale serait pourtant possible si ces personnes consacraient autant d'argent aux vraies femmes qu'aux tableaux et aux sculptures qui les représentent.

Nous ne cherchons pas à vous inciter à soutenir uniquement les femmes à l'étranger – nous-mêmes contribuons à d'autres causes. Mais nous espérons que certains de vos dons iront dans ce sens et que vous offrirez un peu de votre temps, en plus de votre argent.

Une partie des droits générés par ce livre sera reversée à quelques-unes de ces organisations.

Si vous êtes étudiant, voyez si votre école ou votre université propose des programmes d'études à l'étranger axés sur ces questions. Réfléchissez à la possibilité d'être bénévole, le temps d'un été, dans l'une des organisations dont nous avons parlé. Prenez une année sabbatique avant ou après l'université pour voyager ou faire un stage. Et, si vous êtes parent, emmenez vos enfants en Inde ou en Afrique, pas seulement à Londres. Lors des réunions publiques de votre ville, interrogez vos élus sur la santé maternelle. Écrivez au rédacteur en chef de votre journal local en réclamant qu'il défende haut et fort la scolarisation des filles.

Les femmes, longtemps considérées comme des bêtes de somme et des jouets sexuels, deviennent peu à peu des humains à part entière. Les avantages économiques en jeu sont suffisamment considérables pour convaincre les nations d'avancer dans cette direction. Un jour, l'esclavage sexuel, les crimes d'honneur et les attaques à l'acide nous sembleront aussi inconcevables que le bandage des pieds. La question est juste de savoir combien de temps prendra cette transformation, combien de filles seront kidnappées et enfermées dans des bordels avant qu'elle ne s'achève – et si chacun d'entre nous en sera acteur… ou simple témoin.

Quatre choses à faire dans les dix prochaines minutes

Le premier pas étant toujours le plus difficile, voici plusieurs démarches que vous pouvez entreprendre dès maintenant :

1. Allez sur www.globalgiving.org ou sur www.kiva.org et ouvrez un compte. Il s'agit de deux sites P2P (*people-to-people*) qui vous mettent directement en contact avec une personne nécessiteuse à l'étranger. C'est un excellent moyen de tâter le terrain. Global Giving permet de choisir un projet citoyen parmi tous ceux destinés à soutenir l'instruction, la santé, les sinistrés et plus d'une dizaine d'autres causes dans les pays en développement. Kiva fait de même avec le microcrédit. Consultez ces sites pour avoir une idée des besoins, et donner ou prêter de l'argent à ceux qui vous touchent, comme vous le feriez peut-être avec un membre de votre famille ou un ami. Vous pouvez aussi essayer un troisième site, www.givology.com, créé par des étudiants de l'université de Pennsylvanie afin d'aider les élèves des pays en voie de développement à payer leurs frais de scolarité. Au départ, le projet ciblait la Chine, mais il s'est depuis étendu à l'Inde et à l'Afrique. Sur Global Giving, par exemple, nous avons soutenu un programme destiné à empêcher des fugueuses de tomber dans la prostitution à Mumbai, et, sur Kiva, nous avons prêté de l'argent à une ébéniste du Paraguay.

2. Parrainez une fille ou une femme par le biais d'organisations comme Plan International, Women for Women International, World Vision ou American Jewish World Service. Grâce à Plan, nous sommes nous-mêmes parrains de plusieurs enfants à qui

nous avons écrit et rendu visite aux Philippines, au Soudan et en République dominicaine. C'est également un moyen d'apprendre à vos propres enfants que tout le monde ne possède pas un iPod.

3. Inscrivez-vous à la newsletter de www.womensenews.org et de www.worldpulse.com. Ces deux sites diffusent des informations sur les violences dont sont victimes les femmes et informent parfois les lecteurs sur les actions susceptibles d'être menées.

4. Rejoignez le réseau CARE Action Network sur www.can.care.org. Vous y apprendrez à vous exprimer, à sensibiliser les hommes politiques et à rappeler que l'opinion publique attend des mesures contre la pauvreté et l'injustice. Ce type de plaidoyer citoyen est essentiel pour initier des changements. Comme nous l'avons dit, ce mouvement ne sera pas plus dirigé par le Président ou par les membres du Congrès que les mouvements pour les droits civiques ou l'abolition de l'esclavage ne l'étaient par leurs homologues de l'époque – mais si les dirigeants savent où sont leurs intérêts, ils suivront le choix de leurs électeurs. Le gouvernement interviendra là où nos intérêts nationaux sont en jeu. L'histoire a montré que, quand ce sont nos valeurs qui sont en jeu, ce sont les citoyens ordinaires, comme vous, qui doivent montrer la voie.

Ces quatre gestes ne sont qu'un moyen de prendre la température de l'eau. Ensuite, allez sur les sites des organisations qui figurent en annexe, trouvez celle dont l'action vous paraît particulièrement importante et plongez dans le grand bain. Regroupez-vous avec des amis ou formez un club de donateurs pour avoir plus d'impact. L'heure est venue de se retrousser les manches pour qu'advienne sans tarder le jour où les femmes porteront réellement la moitié du ciel.

ANNEXE

Les organisations qui soutiennent les femmes

Les organisations suivantes soutiennent plus particulièrement les femmes des pays en voie de développement. D'autres organisations remarquables, telles l'International Rescue Committee, l'UNICEF, Save the Children et Mercy Corps, ne sont pas répertoriées car elles ne sont pas exclusivement dédiées aux femmes et aux filles. Il ne s'agit pas d'une liste exhaustive, ni même d'un classement ou d'une sélection, mais simplement d'un recueil d'organisations, petites ou grandes, que nous avons vues en action. Considérez-la comme le point de départ de recherches plus approfondies. Vous trouverez d'autres informations sur deux sites Internet : **www.charitynavigator.org** et **www.givewell.net**.

(Les organisations précédées d'un astérisque possèdent un site en français, que nous indiquons.)

Afghan Institute of Learning (**www.creatinghope.org**) : gère des écoles et d'autres programmes destinés aux femmes et aux filles en Afghanistan et dans les zones frontalières du Pakistan.

American Assistance for Cambodia (**www.cambodiaschools.com**) : lutte contre la traite et permet aux filles défavorisées de ne pas abandonner leurs études grâce à un programme de subventions.

Americans for UNFPA (**www.americansforunfpa.org**) : soutient le travail du Fonds des Nations unies pour la population, comme 34 millions Friends of UNFPA (**www.34millionfriends.org**).

Apne Aap (**www.apneaap.org**) : se bat contre l'esclavage sexuel en Inde, y compris dans les zones reculées du Bihar qui reçoivent peu d'attention. Apne Aap accepte volontiers les bénévoles américains.

*Ashoka (**www.ashoka.asso.fr**) : repère et soutient les entrepreneurs sociaux du monde entier, dont un grand nombre de femmes.

Averting Maternal Death and Disability (**www.amddprogram.org**) : organisation de premier plan dédiée à la santé maternelle.

BRAC (**www.brac.net**) : formidable organisation basée au Bangladesh, mais qui se développe en Afrique et en Asie. Elle dispose d'un bureau à New York et accepte les stagiaires.

Campaign for Female Education (CAMFED) (**www.camfed.org**) : soutient la scolarisation des filles en Afrique.

*CARE (**www.carefrance.org**) : se consacre de plus en plus aux femmes et aux filles.

Center for Development and Population Activities (CEDPA) (**www.cedpa.org**) : travaille sur les questions liées aux femmes et au développement.

*Center for Reproductive Rights (**www.reproductiverights.org/fr**) : basé à New York, s'occupe de santé génésique dans le monde.

*ECPAT (**www.ecpat.net**) : réseau d'organisations de lutte contre la prostitution enfantine, particulièrement actif en Asie du Sud-Est.

Edna Adan Maternity Hospital (**www.ednahospital.org**) : propose des soins maternels au Somaliland. Accepte les bénévoles.

Engender Health (**www.engenderhealth.org**) : organisation spécialisée dans les questions de santé génésiques.

*Equality Now (**www.equalitynow.org**) : milite contre la traite sexuelle et l'oppression des femmes dans le monde.

*Family Care International (**www.familycareintl.org/fr/home**) : travaille à l'amélioration de la santé maternelle, essentiellement en Afrique, en Amérique latine et dans les Caraïbes.

Fistula Foundation (**www.fistulafoundation.org**) : soutient l'Hôpital de la fistule fondé par Reg et Catherine Hamlin à Addis-Abeba, en Éthiopie.

*Global Fund for Women (**www.globalfundforwomen.org**) : accorde des subventions aux organisations de femmes dans le monde.

Global Grassroots (**www.globalgrassroots.org**) : jeune organisation destinée à aider les femmes des pays pauvres, en particulier au Soudan.

Grameen Bank (**www.grameen-info.org**) : pionnière de la microfinance au Bangladesh, la banque Grameen propose désormais toute une gamme de programmes de développement.

Heal Africa (**www.healafrica.org**) : gère un hôpital à Goma, au Congo, qui opère les fistules et prend en charge les victimes de viol. Accepte les bénévoles.

Hunger Project (**www.thp.org**) : travaille à l'autonomisation des femmes et des filles pour vaincre la famine.

International Center for Research on Women (**www.icrw.org**) : promeut l'égalité des sexes comme élément central du développement économique.

International Justice Mission (**www.ijm.org**) : organisation fondée par des chrétiens pour combattre la traite sexuelle.

*International Women's Health Coalition (**www.iwhc.org**) : leader de la lutte en faveur du droit à la santé génésique dans le monde.

Marie Stopes International (**www.mariestopes.org**) : basée au Royaume-Uni, se concentre sur les soins de santé génésique dans le monde.

New Light (**www.newlightindia.org**) : organisation d'Urmi Basu destinée à aider les prostituées et leurs enfants à Kolkata (Inde). Accepte les bénévoles.

Pathfinder International (**www.pathfind.org**) : soutient la santé génésique dans plus de vingt-cinq pays.

Pennies for Peace (**www.penniesforpeace.org**) : organisation dirigée par Greg Mortenson (l'auteur de *Trois Tasses de thé*). Soutient la scolarisation, en particulier des filles, au Pakistan et en Afghanistan.

Population Services International (**www.psi.org**) : promeut la santé génésique en recourant au secteur privé.

Pro Mujer (**www.promujer.org**) : soutient les femmes en Amérique latine grâce à la microfinance et à des formations commerciales.

Self Employed Women's Association (SEWA) (**www.sewa.org**) : gigantesque syndicat regroupant les travailleuses indépendantes démunies en Inde. Accepte les bénévoles.

Shared Hope International (**www.sharedhope.org**) : combat la traite sexuelle dans le monde.

Somaly Mam Foundation (**www.somaly.org**) : organisation de lutte contre l'esclavage sexuel au Cambodge, dirigée par une femme victime elle-même de la traite sexuelle dans son enfance.

Tostan (**www.tostan.org**) : une des organisations les plus efficaces contre les excisions génitales en Afrique. Accepte les stagiaires.

Vital Voices (**www.vitalvoices.org**) : soutient les droits des femmes dans de nombreux pays, en particulier la lutte contre la traite.

White Ribbon Alliance for Safe Motherhood (**www.whiteribbonalliance.org**) : milite contre la mortalité maternelle dans le monde.

Women for Women International (**www.womenforwomen.org**) : permet à des marraines de soutenir des femmes dans les pays en guerre ou qui sortent d'une guerre.

Women's Campaign International (**www.womenscampaigninternational.org**) : organisation vouée à accroître la participation des femmes aux processus politiques et démocratiques à travers le monde.

Women's Dignity Project (**www.womensdignity.org**) : cofondée par une Américaine, cette organisation facilite la réparation des fistules obstétricales en Tanzanie.

*Women's Learning Partnership (**www.learningpartnership.org/fr/about**) : promeut le leadership et l'autonomisation des femmes dans les pays en voie de développement.

Women's Refugee Commission (**www.womensrefugeecommission.org**) : organisation rattachée à l'International Rescue Committee et destinée aux femmes et aux enfants réfugiés.

Women's World Banking (**www.womensworldbanking.org**) : soutient les institutions de la microfinance qui viennent en aide aux femmes à travers le monde.

Women Thrive Worlwide (**www.womenthrive.org**) : groupe d'influence international axé sur les besoins des femmes dans les pays pauvres.

Worlwide Fistula Fund (**www.worlwidefistulafund.org**) : travaille à l'amélioration de la santé maternelle et construit actuellement un hôpital de la fistule au Niger.

Remerciements

Ce livre est principalement né de nos années passées à parcourir le monde pour le *New York Times*. Nous avons une dette immense envers ceux qui ont rendu ces reportages possibles, notamment Arthur Sulzberger Jr, qui a confié à Nick son éditorial, et sa famille, qui a permis au *Times* de couvrir les grands événements du monde malgré les coûts impliqués. Ces dernières années, quand d'autres groupes médiatiques se sont retirés de l'information internationale, nous avons été extrêmement soulagés et fiers de travailler pour un journal contrôlé par une famille et soutenu par les Sulzberger. Ils se sont toujours montrés fidèles à une mission bien plus importante que les profits trimestriels, et tous ceux qui s'intéressent à l'information leur doivent une immense reconnaissance.

Parmi les autres membres du *Times* à qui nous devons des remerciements particuliers, citons Bill Keller, Gail Collins et l'actuel rédacteur en chef de Nick, Andrew Rosenthal, qui a permis à Nick de s'absenter pour écrire ce livre et tolère régulièrement ses disparitions dans les jungles ou les zones de conflit. Pendant cinq ans, Naka Nathaniel, ancien journaliste-vidéaste du *Times*, a souvent accompagné Nick dans ses déplacements à l'étranger, notamment en Irak. Il a été un compagnon idéal chaque fois qu'ils se sont fait arrêter, pays après pays. David Singer, le correspondant en chef du *Times* à Washington, un camarade de fac, nous permet depuis longtemps de tester nos idées. Et un merci particulier aux nombreux correspondants étrangers du *Times*, de Kaboul à Johannesburg, qui nous ont ouvert leur maison, leur bureau et leur Rolodex quand nous passions dans le coin.

Il y a très longtemps, Bill Safire nous a présentés aux meilleurs agents littéraires : Anne Sibbald et Mort Janklow. Ils nous ont énormément aidés depuis et ont fait fonction de sage-femme à la parution de chacun de nos livres. Jonathan Segal, notre éditeur chez Knopf, est un véritable alchimiste. Il a cru dès le départ à ce projet et l'a en grande partie façonné, à chacune de ses étapes. L'editing méticuleux est un art qui se perd chez beaucoup d'éditeurs, mais pas chez Jon, ni chez Knopf.

Quelques personnes ont lu le manuscrit entier et nous ont proposé des

Suad Ahmed, racontant son histoire dans un camp de réfugiés du Tchad.

suggestions détaillées. Notamment Esther Duflo du MIT ; Josh Ruxin de l'université Columbia ; Helen Gayle de CARE ; Sara Seims de la Fondation Hewlett ; et Jason DeParle, Courtney Sullivan et Natasha Yefimov du *Times*.

D'autres ont travaillé sans relâche pour transmettre le message de *La Moitié du ciel* au monde des multimédias, y compris du cinéma, de la télévision et du cyberespace. Mikaela Beardsley a rassemblé des gens extraordinaires, dont un collègue producteur de film, Jamie Gordon, mais également Lisa Witter de Fenton Communications et Ashley Maddox et Dee Poku de The Bridge. Ils sont attachés avec passion à faire naître un mouvement en faveur des femmes dans le monde. En outre, Suzanne Seggerman, de Games for Change, et Alan Gershenfeld, de E-line Ventures, ont mis toute leur énergie et leurs compétences dans la création d'un jeu vidéo inspiré de *La Moitié du ciel*.

Notre premier livre était dédié à nos parents, Ladis et Jane Kristof, et David et Alice WuDunn. Nous aurions pu leur dédier chacun des ouvrages et articles que nous avons écrits depuis sans pour autant parvenir à régler notre dette envers eux. Et puis, il y a nos enfants – Gregory, Geoffrey et Caroline –, que nos activités de reporters et d'écrivains nous ont parfois conduits à négliger. Ils nous ont gentiment signalé nos incohérences chaque fois que nous avons testé des idées en famille.

Le cœur de ce livre repose sur les nombreuses années que nous avons passées à parcourir l'Asie, l'Afrique et l'Amérique latine pour nos reportages. Les femmes ont souvent accepté de répondre à nos questions, alors que nous leur demandions de décrire des expériences intimes, terrifiantes ou stigmatisantes. Parfois, elles ont même risqué des sanctions des autorités ou l'ostracisme de leur communauté, mais elles ont coopéré parce qu'elles voulaient contribuer à combattre l'oppression. Nous n'oublierons jamais Suad Ahmed, une Darfourienne de vingt-cinq ans que nous avons rencontrée dans un camp tchadien cerné par les milices janjaweed. Suad s'était aventurée à l'extérieur du camp avec sa sœur bien-aimée, Halima, pour chercher du bois. Quand elle a vu les Janjaweed foncer vers elles, elle a eu le courage de faire diversion pour permettre à sa sœur de s'enfuir. Rattrapée par les Janjaweed, Suad a été battue et violée par huit d'entre eux. Elle nous a autorisés à raconter son histoire, en mentionnant son nom. Quand nous lui avons demandé pourquoi, elle a répondu : *Raconter ce qui s'est passé et donner mon nom est le seul moyen que j'aie de combattre les Janjaweed.*

Nous devons tant aux femmes comme Suad. En plus de nous avoir aidés, elles nous ont inspirés par leur courage et leur dévouement à une cause plus vaste qu'elles. C'est une des raisons pour lesquelles nous leur dédions en partie ce livre. Beaucoup de ces femmes sont illettrées, indigentes, et vivent dans des villages reculés – mais elles nous ont énormément appris. C'était un honneur de suivre leur enseignement.

Notes

La plupart des citations et des informations de ce livre proviennent de nos propres interviews. Les propos rapportés dont la reproduction exacte ne peut être garantie (comme les déclarations d'Akku Yadav à l'époque où il terrorisait les habitants de Kasturba Nagar) sont signalés par des italiques plutôt que des guillemets. L'âge des personnes est généralement celui qu'elles avaient au moment de l'interview. Enfin, nous utilisons souvent le pluriel de majesté, même si un seul d'entre nous était présent sur place.

Ces notes ne constituent pas une bibliographie exhaustive des ouvrages et des articles que nous avons consultés, mais permettent d'identifier l'origine des citations ou des informations issues d'autres sources que nos interviews. La plupart des articles universitaires sont accessibles gratuitement après une brève recherche sur le Web.

Introduction. « L'effet fille »

On y révélait que trente-neuf mille petites filles : Sten Johansson et Ola Nygren, « The Missing Girls of China : A New Demographic Account », *Population and Development Review*, vol. 17, n° 1, mars 1991, p. 35-51.

(...) parce que sa dot est estimée insuffisante : Le système même de la dot peut refléter le niveau d'autonomisation des femmes dans une société. Selon certains anthropologues, quand les femmes sont autorisées à travailler à l'extérieur du foyer, leur valeur économique est plus grande, et la dot, moins importante, voire remplacée par une somme accordée à la famille de la mariée. Pour une vue d'ensemble de la dot et du prix de la mariée, et comprendre pourquoi ces deux pratiques coexistent, voir Nathan Nunn, « A Model Explaining Simultaneous Payments of a Dowry and Bride-Price », manuscrit, 4 mars 2005. Sur 186 sociétés étudiées, 11 pratiquaient exclusivement le système de la dot, 98 celui du prix de la mariée, 33 un mélange des deux, et 44 ni l'un ni l'autre.

Amartya Sen : Le rapport qui a entraîné le développement d'un nouveau domaine de recherches est celui d'Amartya Sen, « More than 100 Million Women Are Missing », *The New York Review of Books*, 20 décembre 1990. Suivi de Ansley J. Coale, « Excess Female Mortality and the Balance of the Sexes in the Population : An Estimate of the Number of "Missing Females" », *Popu-*

lation and Development Review, 17 septembre 1991 ; ainsi que de Stephan Klasen et Claudia Wink, « "Missing Women": Revisiting the Debate », *Feminist Economics*, vol. 9, janvier 2003, p. 263-299.

(...) le taux de mortalité des filles : Cette estimation de l'excédent de mortalité féminine chez les petits Indiens, qui provient du Programme de développement des Nations unies, pourrait en réalité être revue à la hausse. Selon les données avancées par le professeur Oster, en Inde, le taux de mortalité des filles âgées de un à quatre ans est supérieur de 71 % à celui des garçons. Emily Oster, « Proximate Sources of Population Sex Imbalance in India », manuscrit, 1er octobre 2007. Le chiffre de 71 % découle du rapport entre la mortalité prévisible des fillettes indiennes âgées de un à quatre ans (1,4 %) et leur mortalité réelle (2,4 %).

(...) a quantifié ce dilemme : Nancy Qian, « More Women Missing, Fewer Girls Dying : The Impact of Abortion on Sex Ratios at Birth and Excess Female Mortality in Taiwan », CEPR Discussion Paper n° 6667, janvier 2008.

En 2001, une étude très remarquée de la Banque mondiale : *Genre et développement économique : vers l'égalité des sexes dans les droits, les ressources et la participation*, Rapport de la Banque mondiale sur les politiques de développement (Washington, D.C., World Bank). Voir aussi *La Situation des enfants dans le monde 2007. Femmes et enfants – le double dividende de l'égalité des sexes* (New York, UNICEF, 2006).

Les recherches de plus en plus nombreuses : *Programme des Nations unies pour le développement : un partenariat mondial pour le développement, rapport annuel du Programme des Nations unies pour le développement* (New York, UNPD, 2006), p. 20.

« Les femmes sont la clé » : Hunger Project, « Call for Nominations for the 2008 Africa Prize », communiqué, 3 juin 2008, New York.

Pour Bernard Kouchner : Bernard Kouchner, discours prononcé devant l'International Women's Health Coalition, New York, janvier 2008.

« Pourquoi et comment mettre les filles au centre du développement » : *Girls Count : A Global Investment & Action Agenda* (Washington, D.C., Center for Global Development, 2008).

« L'inégalité des sexes nuit à la croissance économique » : Sandra Lawson, « Women Hold up Half the Sky », *Global Economics Paper*, n° 164, Goldman Sachs, 4 mars 2008, p. 9.

Chapitre premier. Émanciper les esclaves du XXIe siècle

Sur les deux ou trois millions de prostituées indiennes : Cette estimation provient de Moni Nag, *Sex Workers of India : Diversity in Practice of Prostitution and Ways of Life* (Mumbai, Allied Publishers, 2006), p. 6. Elle est généralement conforme à d'autres évaluations. Selon Bharatiya Patita Uddhar Sabha, une ONG de Delhi, les travailleuses du sexe seraient 2,4 millions en Inde. Un article de 2004 avançait le chiffre de 3,5 millions, dont un quart âgées au plus de dix-sept ans : Amit Chattopadhyay et Rosemary G. McKaig, « Social Development of Commercial Sex Workers in India : An Essential Step in HIV/AIDS Prevention », *AIDS Patient Care and STDs*, vol. 18, n° 3, 2004, p. 162.

Dans une étude de 2008 consacrée aux bordels indiens : Kamalesh Sarkar, Baishali Bal, Rita Mukherjee, Sekhar Chakraborty, Suman Saha, Arundhuti Ghosh et Scott Parsons, « Sex-Trafficking, Violence, Negociating Skill and HIV Infection in Brothel-Based Sex Workers of Eastern India, Adjoining Nepal, Bhutan and Bangladesh », *Journal of Health, Population and Nutrition*, vol. 26, n° 2 (juin 2008), p. 223-231. Ces données déclaratives du nombre de prostituées ayant intégré volontairement des bordels peuvent être excessives, à cause des pressions exercées par les proxénètes.

La Chine compte plus de prostituées : Le nombre de prostituées chinoises était estimé à 1 million au début des années 1990 et à 3 millions en 2000. Ces dernières années, des chiffres encore plus élevés ont souvent circulé. Qiu Haitao, auteur d'un travail sur la révolution sexuelle chinoise, estime le nombre de travailleuses du sexe en Chine à 7 millions; Zhou Jinghao, spécialiste de l'histoire de la prostitution, à 20 millions; et Zhong Wei, à 10 millions. Les estimations les plus hautes incluent les *er nai*, davantage considérées comme des concubines ou des maîtresses dans d'autres pays. Les autorités chinoises, qui avancent régulièrement le chiffre de 200 000 femmes arrêtées chaque année à l'occasion des « nettoyages de printemps », incitent également à accorder foi à ces estimations. La traite sexuelle existe dans le sud-ouest de la Chine et touche les filles des minorités ethniques qui ne maîtrisent pas le mandarin, dont certaines finissent dans les bordels de Thaïlande ou du Sud-Est asiatique.

Le principal problème de la traite en Chine ne concerne pas les prostituées mais les femmes forcées à épouser des paysans dans les campagnes reculées. Ce phénomène, baptisé *guimai funu*, est largement répandu : les chercheurs évoquent plusieurs dizaines de milliers de cas chaque année. Le plus souvent, les jeunes femmes reçoivent une promesse d'embauche dans une usine ou un restaurant de la côte, mais sont conduites dans un village éloigné et vendues à des hommes pour l'équivalent de quelques centaines de dollars. Les premiers mois, elles sont surveillées de près, voire attachées, de crainte qu'elles ne s'enfuient. Elles finissent généralement par se résigner à leur sort à la naissance de leur premier enfant.

Pour *The Lancet* : Brian M. Willis et Barry S. Levy, « Child Prostitution : Global Health Burden, Research Needs, and Interventions », *The Lancet*, vol. 359, 20 avril 2002.

(...) vingt-sept millions d'esclaves modernes : Le chiffre de vingt-sept millions d'esclaves apparaît à la première ligne de *Not for Sale*, l'appel aux armes de David Batstone contre la traite (New York, HarperCollins, 2007). Ce chiffre revient régulièrement dans les travaux de plus en plus nombreux consacrés à la traite humaine. La sociologue britannique Louise Brown, qui a mené des recherches dans les bordels pakistanais de Lahore, est à l'origine de deux des études les plus savantes sur le sujet. Elle est notamment l'auteur de *The Dancing Girls of Lahore* (New York, HarperCollins, 2005) et *Sex Slaves : The Trafficking of Women in Asia* (New York, Vintage, 2000). L'ouvrage de Kevin Bales, *Ending Slavery : How We Free Today's Slaves* (Berkeley, University of California Press, 2007) est un peu plus accessible. Citons également une anthologie impressionniste dirigée par Jesse Sage et Liora Kasten, *Enslaved : True Stories of Modern Day Slavery* (New York, Palgrave Macmillan, 2006), qui comporte des chapitres sur des individus du monde entier. *For Sale : Women and Children* (Victoria, B.C., Trafford Publishing, 2005) d'Igor David Gaon et Nancy Forbord est plus particulièrement consacré à l'Europe du Sud-Est. Human Rights Watch publie également d'excellentes études sur la traite au Japon, en Thaïlande, au Togo, en Bosnie et en Inde. Gary Haugen, fondateur d'International Justice Mission, une organisation de lutte contre la traite soutenue par de nombreux chrétiens et dotée d'un réseau international, a également écrit un livre sur le sujet : *Terrify No More : Young Girls Held Captive and the Daring Undercover Operation to Win Their Freedom* (Nashville, Tennessee, Thomas Nelson Publishers, 2005).

(…) et un nombre très faible de garçons : Nous mettons l'accent sur les esclaves sexuelles parce qu'elles sont beaucoup plus nombreuses que les hommes. La prostitution masculine existe dans les pays en voie de développement, mais il s'agit le plus souvent de travailleurs indépendants qui n'ont pas été contraints d'exercer cette activité et ne sont pas prisonniers des bordels. Pour une étude sociologique rigoureuse des travailleurs du sexe masculins, on peut se référer à *Carribean Pleasure Industry : Tourism, Sexuality, and AIDS in the Dominican Republic* de Mark Padilla (Chicago, University of Chicago Press, 2007).

Comme le faisait observer le journal *Foreign Affairs* : La citation est extraite d'Etan B. Kapstein, « The New Global Sex Trade », *Foreign Affairs*, vol. 85, n° 6, novembre/décembre 2006, p. 105.

En 1791, la Caroline du Nord décréta : Rodney Stark, *For the Glory of God : How Monotheism Led to Reformations, Science, Witch-Hunts, and the End of Slavery* (Princeton, N.J., Princeton University Press, 2003) p. 320-322.

Chapitre 2. Prohibition et prostitution

Bizarrement, la prévalence du VIH : Kamalesh Sarkar *et al.*, « Epidemiology of HIV Infection Among Brothel-Based Sex Workers in Kolkata, India », *Journal of Health, Population and Nutrition*, vol. 23, n° 3, septembre 2005, p. 231-235.

Harvard School of Public Health : D'après le réseau MAP, qui surveille l'épidémie du sida, la prévalence du VIH chez les travailleuses du sexe de Kolkata était de 1 % jusqu'en 1994, contre 51 % à Mumbai en 1993. *MAP Network Regional Report*, octobre 1997.

Mais également d'Urmi Basu : Parmi les projets les plus créatifs d'aide aux enfants indiens des bordels, citons les ateliers d'écriture Kalam, menés dans le cadre du programme d'Urmi à Kolkata. Les enfants y apprenaient à rédiger des poèmes, dont certains étaient ensuite publiés – en anglais et en bengali – dans *Poetic Spaces*, un petit livre imprimé à titre privé. L'objectif était de sensibiliser les Bengalis, qui vénèrent la culture et la poésie, au sort des victimes de la traite. Nous ignorons si le projet est parvenu à susciter de l'empathie, mais, ce qui est certain, c'est qu'il a produit d'émouvantes poésies. Le projet Kalam a été mené avec Daywalka, une petite fondation américaine dédiée à la lutte contre la traite en Inde et au Népal.

Anup Patel : La déclaration d'Anup Patel est extraite d'un manuscrit, « Funding a Red-Light Fire », destiné à être publié dans le *Yale Journal of Public Health*. Anup, étudiant à la faculté de médecine de Yale, s'est servi d'une partie des fonds de sa bourse pour former un groupe destiné à venir en aide aux victimes de la traite : Cents of Relief (www.centsofrelief.org).

Les bordels de Mumbai : L'approche répressive a également été appliquée dans l'État indien de Goa, mais il est impossible de savoir si elle a porté ses fruits, faute de suivi rigoureux. Maryam Shahmanesh et Sonali Wayal critiquent vivement ces mesures et défendent le modèle de Sonagachi dans leur article intitulé « Targeting Commercial Sex-Workers in Goa, India : Time for a Strategic Rethink? », *The Lancet*, vol. 364 (9 octobre 2004), p. 1297-1299. Parmi les ouvrages favorables au modèle du MDSC, citons Geetanjali Misra et Radhika Chandiramani, *Sexuality, Gender and Rights : Exploring Theory and Practice in South and Southeast Asia* (New Delhi, Sage Publications, 2005), notamment le chapitre XII. D'après certains de ces auteurs, le travail sexuel est certes désagréable et dangereux, mais c'est le cas de beaucoup d'autres activités exercées généralement par les pauvres, comme fouiller les décharges. Melissa Farley, l'éditrice de *Prostitution, Trafficking, and Traumatic Stress* (Binghamton, N.Y., Haworth Maltreatment & Trauma Press, 2003), fait partie de ceux qui rétorquent que la prostitution est exceptionnellement dégradante.

Dix ans plus tard, la répression suédoise : La Norvège a examiné les modèles suédois et hollandais, et publié un excellent rapport sur les deux approches, dont proviennent la plupart de nos données : « Purchasing Sexual Services in Sweden and in the Netherlands, a Report by a Working Group on the Legal Regulation of the Purchase of Sexual Services », Oslo, 2004. L'Écosse s'est également intéressée aux approches suédoises et hollandaises, ainsi qu'à celle de la Nouvelle-Galles du Sud, en Australie, et a émis une préférence pour la stratégie suédoise : Parlement écossais, Commission du gouvernement local et des transports, « Evidence Received for Prostitution Tolerance Zones (Scotland) Bill Stage One », 4 février 2004.

Chapitre 3. Apprendre à se faire entendre

Bhau Vahane, juge de la Cour suprême : Raekha Prasad, « Arrest Us All », *The Guardian*, 16 septembre 2005.

Les nouveaux abolitionnistes

« La révolution agricole » : Bill Drayton, « Everyone a Changemaker : Social Entrepreneurship's Ultimate Goal », *Innovations*, I, n° 1 (hiver 2006), p. 80-96.

Chapitre 4. Quand le viol fait la loi

Les femmes qui ont entre quinze et quarante-quatre ans : Le calcul qui permet d'affirmer que la violence masculine est la première cause de décès ou de mutilation chez les femmes provient de Marie Vlachova et Lea Biason (éd.), *Les Femmes dans un monde d'insécurité – Violence à l'égard des femmes : faits, données et analyse* (Genève, Centre pour le contrôle démocratique des forces armées, 2005), p. vii. Les éléments relatifs aux agressions à l'acide sont extraits du même ouvrage, p. 31-33.

(...) des études révèlent que 21 % des Ghanéennes : Ruth Levine, Cynthia Lloyd, Margaret Greene et Caren Green, *Girls Count : A Global Investment & Action Agenda* (Washington, D.C., Center for Global Development, 2008), p. 53.

(...) la participation des femmes à la vie politique au Kenya : Swanee Hunt, « Let Women Rule », *Foreign Affairs*, mai-juin 2007, p. 116.

Woineshet : Emily Wax, une journaliste exceptionnelle, a publié un excellent article sur le cas de Woineshet, où nous avons puisé quelques détails : « Ethiopian Rape Victim Pits Law Against Culture », *The Washington Post*, 7 juin 2004, p. A.1.

(...) c'est-à-dire le sexisme et la misogynie : Jack Holland, aujourd'hui décédé, a écrit un très bon livre sur le sujet : *Misogyny : The World's Oldest Prejudice* (New York, Carroll & Graf, 2006). À ceux qui s'étonnaient qu'un homme pût écrire un ouvrage sur la misogynie, il répondait inévitablement : « Pourquoi pas ? Elle a bien été inventée par l'homme. »

(...) des femmes auraient été impliquées : Dara Kay Cohen, « The Role of Female Combatants in Armed Groups : Women and Wartime Rape in Sierra Leone (1991-2002) », essai non publié, Stanford University, Palo Alto, Californie, 2008.

Quant aux violences domestiques : Robert Jensen et Emily Oster, « The Power of TV : Cable Television and Women's Status in India », manuscrit, 30 juillet 2007, p. 38.

L'école de Mukhtar

Mukhtar Mai : Pour obtenir davantage d'informations sur Mukhtar Mai, il est possible de se reporter à son autobiographie (pour ne rien cacher, la préface est de Nick). Mukhtar Mai, *In the Name of Honor* (New York, Atria, 2006). Voir aussi Asma Jahangir et Hilna Jilani, *The Hudood Ordinances : A Divine Sanction ?* (Lahore, Sang-e-Meel Publications, 2003).

Chapitre 5. Crimes d'honneur

La moitié des femmes de la Sierra Leone : Les chiffres des viols au Liberia, en Sierra Leone et dans certaines parties des Kivus proviennent d'Anne-Marie Goetz, « Women Targeted or Affected by Armed Conflicts : What Role for Military Peacekeeper », UNIFEM, 27 mai 2008, Sussex, Royaume-Uni.

John Holmes : La citation sur le Congo est tirée d'un excellent article : Jeffrey Gettleman, « Rape Epidemic Raises Trauma of Congo War », *The New York Times*, 7 octobre 2007, p. A1.

L'établissement s'appelle HEAL Africa : Ce chapitre est consacré à l'hôpital HEAL Africa du Nord-Kivu. Mais, au Sud-Kivu, il existe un autre établissement au personnel tout aussi héroïque, le Panzi Hospital, qui prend en charge les victimes de viol et répare les fistules.

Chapitre 6. Mortalité maternelle : une femme toutes les minutes

(...) le genre de fistules dont souffrait Dina : Pour un compte rendu médical des questions liées aux fistules obstétriques, voir « The Obstetric Vesicovaginal Fistula in the Developing World », supplément de la revue *Obstetric & Gynelogical Survey*, juillet 2005. L'autobiographie de Catherine Hamlin a été publiée en Australie : Dr Catherine Hamlin et John Little, *The Hospital by the River : A Story of Hope* (Sydney, MacMillan, 2001).

L. Lewis Wall : L. Lewis Wall, « Obstetric Vesicovaginal Fistula as an International Public-Health Problem », *The Lancet*, vol. 368, 30 septembre 2006, p. 1201.

11 % de la population : « Of Markets and Medecine », *The Economist*, 19 décembre 2007.

Le rapport de mortalité maternelle (RMM) : Les chiffres sont peu fiables, notamment à cause du peu d'intérêt suscité par la mort des femmes enceintes dans les villages – personne ne se donne la peine de les noter scrupuleusement. Les chiffres que nous proposons proviennent principalement d'une importante étude de l'ONU, *Mortalité maternelle en 2005 : Estimations de l'OMS, l'UNICEF, l'UNFPA et la Banque mondiale* (Genève, OMS, 2008). L'approche statistique a été un peu peaufinée depuis l'étude précédente : *Mortalité maternelle en 2000 : Estimations de l'OMS, l'UNICEF, l'UNFPA et la Banque mondiale* (Genève, OMS, 2004).

Un corpus d'études psychologiques : L'étude qui a permis à des psychologues de démontrer que nous étions plus sensibles aux cas individuels qu'aux drames à grande échelle soulève d'importantes questions pour tous ceux qui tentent de provoquer la réaction du public face à la souffrance. Elle détermine indéniablement la manière dont nous abordons notre travail. Voir Paul Slovic, « "If I look at the Mass, I Will Never Act": Psychic Numbing and Genocide », *Judgment and Decision Making*, vol. 2, n° 2, avril 2007, p. 79-95. Étonnamment, le désir d'aider son prochain semble s'émousser dès que l'on dénombre plus d'une victime.

Le médecin qui ne soigne pas les patients, mais les pays

Allan Rosenfield : Certaines citations sont extraites d'une brochure : *Taking a Stand : A Tribute to Allan Rosenfield, a Legacy of Leadership in Public Health*, publiée par l'École de santé publique Mailman de l'université Columbia, 2006.

Chapitre 7. Pourquoi les femmes meurent-elles en couches ?

(...) deux compromis évolutifs fondamentaux : Les éléments du débat sur l'évolution sont empruntés à un merveilleux ouvrage consacré à l'histoire de l'accouchement : Tina Cassidy, *Birth : The Surprising History of How We Are Born* (New York, Atlantic Monthly Press, 2006).

Selon une étude approfondie : Nazmul Chaudhury, Jeffrey Hammer, Michael Kremer, Karthik Muralidharan et F. Halsey Rogers, « Missing in Action : Teacher and Health Worker Absence in Developing Countries », *Journal of Economic Perspectives*, vol. 20, n° 1, hiver 2006, p. 91-116.

« La mortalité maternelle dans les pays en voie de développement » : Mahmoud F. Fathalla, « Human Rights Aspects of Safe Motherhood », *Best Practice & Research : Clinical Obstetrics & Gynaecology*, vol. 20, n° 3, juin 2006, p. 409-419. Le Dr Fathalla, obstétricien égyptien, est un grand défenseur de la santé maternelle.

Comme le faisait remarquer *The Lancet* : La citation qui souligne le manque d'intérêt porté aux questions féminines est extraite de Jeremy Schiffman et Stephanie Smith, « Generation of Political Priority for Global Health Initiatives : A Framework and Case Study of Maternal Mortality », *The Lancet*, vol. 370, 13 octobre 2007, p. 1375.

Le Sri Lanka en est la parfaite illustration : Le succès du Sri Lanka en matière de mortalité maternelle est brillamment traité dans l'ouvrage de Ruth Levine, *Millions Saved : Proven Successes in Global Health* (Washington, D.C., Center for Global Development, 2004), en particulier au chapitre v. Le Honduras est souvent présenté comme un autre exemple de pays pauvre où la mortalité maternelle a radicalement baissé. Au début des années 1950, la mortalité maternelle devint une priorité pour le gouvernement hondurien, et le RMM déclaré chuta de 40 % en sept ans. Mais les choses ne sont jamais aussi simples qu'elles n'y paraissent. En 2007, les Nations unies changèrent la méthode de calcul du rapport de mortalité maternelle au Honduras, qui s'avéra plus élevé que dans les années 1990. Les progrès au Honduras étaient-ils réels ? La seule certitude, c'est que les chiffres de décès maternels des pays pauvres sont extraordinairement peu fiables. Le succès – ou possible succès – du Honduras est analysé par Levine dans *Millions Saved*, mais également par Jeremy Shiffman, Cynthia Stanton et Ana Patricia Salazar dans « The Emergence of Political Priority for Safe Motherhood in Honduras », *Health Policy and Planning*, vol. 19, n° 6, 2004, p. 380-390. L'État indien du Kerala est probablement un autre exemple de réduction de la mortalité maternelle provoquée par une volonté politique. Selon les estimations, le RMM du Kerala se situe entre 87 et 262, contre 450 pour l'ensemble de l'Inde.

(...) une étude consacrée à une Église chrétienne fondamentaliste : Le RMM de la secte chrétienne fondamentaliste qui refuse les soins médicaux est analysé dans « Perinatal and Maternal Mortality in a Religious Group – Indiana », *MMWR Weekly*, 1er juin 1984, p. 297-298.

(...) la « clé d'une maternité sans danger » : « Emergency Obstetric Care : The Keystone of Safe Motherhood », éditorial, *International Journal of Gynecology & Obstetrics*, vol. 74, 2001, p. 95-97.

« Investir dans la santé des femmes » : Les militants qui affirment que lutter contre la mortalité maternelle est très rentable citent différentes estimations. Selon l'USAID, la perte de productivité due aux décès maternels et néonatals est d'environ 15 milliards de dollars, dont 50 % pour les mères et 50 % pour les nouveau-nés. Mais la méthode de calcul est suspecte, et justifier les dépenses de santé maternelle par la productivité nous semble une erreur. Les hommes, qui sont le plus souvent intégrés à l'économie formelle et participent au PNB, ont une productivité plus élevée que les femmes ou les enfants. En mettant en avant la productivité, on accorde donc la priorité aux hommes d'âge moyen plutôt qu'aux femmes ou aux enfants.

L'hôpital d'Edna

Edna Adan : Le nom d'Edna est conforme à la convention valable dans de nombreux pays musulmans. La règle consiste à donner un seul nom à chaque enfant, et à ajouter celui du père par la suite. Si c'est nécessaire, le nom du grand-père paternel peut être également précisé. Edna n'a donc reçu qu'un seul nom à sa naissance. Mais, comme son père s'appelait Adan, elle s'appelle Edna Adan. Pour des besoins de clarté, elle ajoute également le nom de son grand-père, ce qui donne Edna Adan Ismail.

C'est alors que Ian Fisher consacra un article : L'article qui incita Anne Gilhuly à tenter d'aider Edna s'intitulait : « Hargeisa Journal; A Woman of Firsts and Her Latest Feast : A Hospital », *The New York Times*, 29 novembre 1999, p. A4.

Chapitre 8. Planning familial et « fossé religieux »

« Contrairement aux intentions affichées » : La citation du Dr Eunice Brookman-Amissah est extraite de « Breaking the Silence : The Global Gag Rule's Impact on Unsafe Abortion », rapport du Center for Reproductive Rights, New York, 2007, p. 4.

(...) l'UNFPA est à l'origine d'une avancée majeure : Li Yong Ping, Katherine L. Bourne, Patrick J. Rowe, Zhang De Wei, Wang Shao Xian, Zhen Hao Yin et Wu Zhen, « The Demographic Impact of Conversion from Steel to Copper IUDs in China », *International Family Planning Perspectives*, vol. 20, n° 4, décembre 1994, p. 124. Voir aussi Edwin A. Winckler, « Maximazing the Impact of Cairo on China », dans Wendy Chavkin et Ellen Chesler (éd.), *Where Human Rights Begin : Health, Sexuality and Women in the New Millenium* (New Brunswick, NJ., Rutgers University Press, 2005).

(...) les femmes ont un risque sur cent cinquante de mourir : Hailemichael Gebreselassie, Maria F. Gallo, Anthony Monyo et Brooke R. Johnson, « The Magnitude of Abortion Complications in Kenya », *BJOG : International Journal of Obstetrics and Gynecology*, vol. 112, n° 9, 2005, p. 1129-1135. Voir aussi David A. Grimes, Janie Benson, Susheela Singh, Mariana Romero, Bela Ganatra, Friday E. Okonufua et Iqbal H. Shah, « Unsafe Abortion : The Preventable Pandemic », *The Lancet*, vol. 368, 25 novembre 2006, p. 1908-1919 ; et Gilda Sedgh, Stanley Henshaw, Susheela Singh, Elisabeth Ahman et Iqbal H. Shah, « Induced Abortion : Estimated Rates and Trends Worldwide », *The Lancet*, vol. 370, 13 octobre 2007, p. 1338-1145.

« Nous avons perdu dix ans » : *Return of the Population Growth Factor : Its Impact Upon the Millenium Development Goals*, Rapport d'audition de la Commission parlementaire multipartite sur la population, le développement et la santé génésique, Chambre des communes, Royaume-Uni, janvier 2007.

(...) un projet de planification familiale pionnier : Matthew Connelly, *Fatal Misconception : The Struggle to Control World Population* (Cambridge, Mass., Harvard University Press, 2007), p. 171-172.

Une expérience sérieuse menée à Matlab : Wayne S. Stinson, James F. Phillips, Makhlisur Rahman et J. Chakraborty, « The Demographic Impact of the Contraceptive Distribution Project in Matlab, Bangladesh », *Studies in Family Planning*, vol. 13, n° 5, mai 1982, p. 141-148.

Loi sur l'éducation de 1870 : Mukesh Eswaran, « Fertility in Developing Countries », dans Abhijit Vinayak Banerjee, Roland Bénabou et Dilip Mookherjee, *Understanding Poverty* (New York, Oxford University Press, 2006), p. 145. Voir aussi, dans le même ouvrage, T. Paul Schultz, « Fertility and Income », p. 125.

(...) aujourd'hui cruciaux pour lutter contre le sida : Pour un article complet sur les origines génétiques du sida et sa progression dans le temps, voir M. Thomas, P. Gilbert, Andrew Rambaut, Gabriela Wlasiuk, Thomas J. Spira, Arthur E. Pitchenik et Michael Worobey, « The Emergence of HIV/AIDS in the Americas and Beyond », *Proceedings of the National Academy of Sciences*, vol. 104, novembre 2007, p. 18566-18570.

(...) les femmes ont deux fois plus de risques : Ann E. Biddlecom, Beth Fredrick et Susheela Singh, « Women, Gender and HIV/AIDS », *Countdown 2015 Magazine*, p. 66 ; disponible en ligne à l'adresse suivante : www.populationaction.org/2015/magazine/sect6_HIVAIDS.php.

L'indifférence qui permit au sida de se propager : Pour une excellente source d'informations sur l'aide étrangère consacrée à la lutte contre le VIH/sida, voir Helen Epstein, *The Invisible Cure : Africa, the West, and the Fight Against AIDS* (New York, Farrar, Straus and Giroux, 2007).

Selon une étude de l'université de Californie : Nada Chaya, Kali-Ahset Amen et Michael Fox, *Condoms Count : Meeting the Need in the Era of HIV/AIDS* (Washington, D.C., Population Action International, 2002), p. 5. Une grande partie des informations sur le préservatif provient de cette brochure. L'ouvrage d'Aine Collier, *The Humble Little Condom : A History* (New York, Prometheus Books, 2007), décrit en détail l'histoire du préservatif et l'opposition religieuse qu'il suscita.

(...) des rumeurs pseudo-scientifiques : La preuve de l'efficacité du préservatif contre le VIH et différentes IST est analysée dans « Workshop Summary : Scientific Evidence on Condom Effectiveness for Sexually Transmitted Disease (STD) Prevention », National Institutes of Health, 12-13 juin 2000; disponible en ligne à l'adresse suivante : www.ccv.org/downloads.pdf.CDC_Condom_Study.pdf.

« Votre corps est une sucette emballée » : Camille Hahn, « Virgin Territory », *Ms.*, automne 2004. La métaphore de la sucette est très souvent utilisée par les partisans de l'abstinence. Ces sucettes sont vendues sur www.abstinence.net.

Laboratoire d'action contre la pauvreté : Esther Duflo, Pascaline Dupas, Michael Kremer et Samuel Sinei, « Education and HIV/AIDS Prevention : Evidence from a Randomized Evaluation in Western Kenya », manuscrit, juin 2006; et Pascaline Dupas, « Relative Risks and the Market for Sex : Teenage Pregnancy, HIV, and Partner Selection in Kenya », manuscrit, octobre 2007, www.dartmouth.edu/~pascaline/.

(...) l'église géante de Kiev, en Ukraine : Les informations sur le christianisme dans les pays en voie de développement proviennent d'un exposé que fit Mark Noll, professeur au Wheaton College, au Conseil des relations étrangères, New York, 2 mars 2005. Voir aussi l'analyse que propose Philip Jenkins du soutien des chrétiens aux femmes des pays en voie de développement dans *The New Faces of Christianity : Believing the Bible in the Global South* (New York, Oxford University Press, 2006), en particulier le chapitre VII.

Arthur Brooks : *The Index of Global Philanthropy 2007* offre également une analyse de l'aide des groupes religieux, en particulier les p. 22-23 et 62-65.

Jane Roberts et ses 34 millions d'amis

En revanche, Jane Roberts : L'histoire de la création de 34 millions d'amis est racontée dans le livre de Jane Roberts, *34 million Friends of the Women of the World* (Sonora, Calif., Ladybug Books, 2005).

Chapitre 9. L'islam est-il misogyne ?

Les pays où les femmes sont entravées : Deux ouvrages proposent une excellente introduction à la situation des femmes dans le monde islamique : Jan Goodwin, *Price of Honor : Muslim Women Lift the Veil of Silence on the Islamic World* (New York, Penguin, 2003), et Geraldine Brooks, *Nine Parts of Desire : The Hidden World of Islamic Women* (New York, Anchor, 1995).

En revanche, les sondages d'opinion : *Arab Human Development Report 2005 : Towards the Rise of Women in the Arab World*, New York, UNDP, 2006, Annexe II, p. 249 et suivantes.

(...) le Grand Mufti Sheikh Abdulaziz : « Saudi Arabia's Top Cleric Condemns Calls for Women's Rights », *The New York Times*, 22 janvier 2004, p. A13.

En Afghanistan, après la chute des talibans : *Afghanistan in 2007 : A Survey of the Afghan People* (Kaboul, The Asia Foundation, 2007).

Amina Wadud, spécialiste de l'islam : Amina Wadud, *Qur'an and Women : Rereading the Sacred Text from a Woman's Perspective* (New York, Oxford University Press, 1999).

L'esclavage offre un point de comparaison intéressant : Rodney Stark, *For the Glory of God : How Monotheism Led to Reformations, Science, Witch-Hunts and the End of Slavery* (Princeton, N.J., Princeton University Press, 2003), p. 301-304. Voir aussi Bernard Lewis, *Race and Slavery in the Middle East : An Historical Enquiry* (New York, Oxford University Press, 1992), et Murray Gordon, *Slavery in the Arab World* (New York, New Amsterdam Books, 1990). Pour savoir comment étaient traités les esclaves dans différentes sociétés islamiques, voir Shaun E. Marmon (éd.), *Slavery in the Islamic Middle East* (Princeton, N.J., Markus Wiener Publishers, 1999).

Ali, son vieil adversaire : Les partisans d'Ali sont les chiites, qui aujourd'hui encore n'ont aucune sympathie pour Aisha. Aisha est un prénom commun chez les filles sunnites, mais presque inexistant chez les chiites.

(...) des féministes islamiques : Fatima Mernissi, *Sexe, Idéologie, Islam* (Paris, Tierce, 1983). Voir aussi les autres livres de Fatima Mernissi, y compris *Le Harem politique* (Paris, Albin Michel, 2010). Nawaal Saadawi, auteure de *La Face cachée d'Ève : les femmes dans le monde arabe* (Paris, éditions des Femmes, 1982), a été une pionnière de la lutte pour les droits des femmes au sein du monde arabe.

Un autre débat : Christoph Luxenberg, *The Syro-Aramaic Reading of the Koran : A Contribution to the Decoding of the Language of the Koran* (Berlin, Hans Schiler Publishers, 2007). Nous avons échangé des mails avec Luxenberg, mais ignorons sa vraie identité : il utilise ce pseudonyme de crainte que des fondamentalistes ne tentent de l'assassiner.

(...) la complexité du statut des femmes : Pour comprendre les nuances de l'islam en Occident, on peut notamment feuilleter le magazine *Muslim Girl*. Créé en 2006 par une Pakistano-Américaine, Ausma Khan, il ne remet pas en cause l'islam tout en soutenant les droits de l'homme et en valorisant l'image de jeunes femmes talentueuses et sûres d'elles.

« Je suis lauréate du prix Nobel de la paix » : Shirin Ebadi analyse également ces questions dans son livre, *Iran Awakening : A Memoir of Revolution and Hope* (New York, Random House, 2006).

« Chaque fois que la part des jeunes dans la population adulte augmente de 1 % » : Henrik Urdal, « The Demographics of Political Violence : Youth Bulges, Insecurity and Conflict », Mimeographe, 2007. Une littérature aussi riche que controversée est consacrée à la violence des groupes exclusivement masculins. Voir David T. Courtwright, *Violent Land : Single Men and Social Disorder from the Frontier to the Inner City* (Cambridge, Mass., Harvard University Press, 1998). Pour une interprétation biologique, voir Dale Peterson et Richard Wrangham, *Demonic Males : Apes and the Origins of Human Violence* (New York, Mariner Books, 1997).

Au Yémen, les femmes ne représentent que 6 % : Ricardo Hausmann, Laura D. Tyson et Saadia Zahidi, *The Global Gender Gap Report 2006* (Genève, World Economic Forum, 2006), et *Arab Human Development Report 2005*, p. 88.

Comme l'a précisé un rapport de l'ONU sur le développement humain dans les pays arabes : *Arab Human Development Report 2005*, p. 24.

« Le statut des femmes » : M. Steven Fish, « Islam and Authoritarianism », *World Politics*, vol. 55, octobre 2002, p. 4-37 ; citations de la p. 37 et des p. 30-31.

« Les implications économiques de la discrimination sexuelle » : David S. Landes, *The Wealth and Poverty of Nations : Why Some Are So Rich and Some So Poor* (New York, W.W. Norton, 1998), p. 412- 413.

Chapitre 10. Investir dans l'instruction

« La plupart du temps, les preuves sont entachées de préjugés évidents » : Esther Duflo, « Gender Equality in Development », BREAD Policy Paper n° 011, décembre 2006.

(...) il n'en reste pas moins vrai que le Kerala : Amartya Sen et d'autres chercheurs ont souvent cité le Kerala comme un possible exemple du rôle des femmes dans le développement. Nous partageons leur enthousiasme à propos des avancées du Kerala en matière d'instruction, de santé et d'égalité des sexes, mais nous sommes profondément déçus par sa mauvaise gestion économique et son environnement hostile aux investissements. L'économie du Kerala stagne et repose sur l'argent des Kéralais qui travaillent dans le golfe Persique. On trouvera davantage d'informations sur le Kerala dans K. P. Kannan, K. R. Thanappan, V. Raman Kutty et K. P. Aravindan, *Health and Development in Rural Kerala* (Trivandrum, Inde, Integrated Rural Technology Center, 1991).

(...) les arguments en faveur de l'instruction féminine : Voir Barbara Herz et Gene B. Sperling, *What Works in Girls' Education : Evidence and Policies from the Developing World* (New York, Council on Foreign Relations, 2004). Il existe beaucoup d'autres études et de rapports sur l'impact de l'instruction des filles, mais cet ouvrage présente un résumé pratique des conclusions. Voir aussi *Girls Education : Designing for Success* (Washington, D.C., World Bank, 2007), et Dina Abu-Ghaida et Stephan Klasen, *The Economic and Human Development Costs of Missing the Millennium Development Goal on Gender Equity* (Washington, D.C., World Bank, 2004).

(...) la très forte augmentation de la fréquentation scolaire qu'a connue l'Indonésie :

Lucia Breierova et Esther Duflo, « The Impact of Education on Fertility and Child Mortality : Do Fathers Really Matter Less Than Mothers ? », manuscrit non publié, mars 2002.

Una Osili : Una Okonkwo Osili et Bridget Terry Long, « Does Female Schooling Reduce Fertility ? Evidence from Nigeria », manuscrit, juin 2007.

FemCare : Claudia H. Deutsch, « A Not-So-Simple Plan to Keep African Girls in School », *The New York Times*, 12 novembre 2007, page spéciale sur la philanthropie, p. 6.

(…) le cerveau des fœtus : Erica Field, Omar Robles et Maximo Torero, « The Cognitive Link Between Geography and Development : Iodine Deficiency and Schooling Attainment in Tanzania », manuscrit, octobre 2007, www.economics.harvard.edu/faculty/field/files/Field_ID _Tanzania.pdf.

L'un des pays pionniers en la matière est le Mexique : Tina Rosenberg traite du lancement du programme Progresa, rebaptisé plus tard Oportunidades, par Santiago Levy, dans « How to Fight Poverty : Eight Programs That Work », www.nytimes.com, 16 novembre 2006. Voir aussi la Banque mondiale, « Shanghai Poverty Conference Case Summary : Mexico's Oportunidades Program », 2004 ; Emmanuel Skoufias, « PROGRESA and Its Impacts upon the Welfare of Rural Households in Mexico », International Food Policy Research Institute, Rapport de recherches 139, 2005 ; Alan B. Krueger, « Putting Development Dollars to Use, South of the Border », *The NewYork Times*, 2 mai 2002.

(…) le programme d'alimentation scolaire de l'ONU : *Food for Education Works : A Review of WFP FFE Programme Monitoring and Evaluation, 2002-2006* (Washington, D.C., World Food Programme, 2007).

Au Kenya, l'économiste de Harvard Michael Kremer : Michael Kremer, Edward Miguel et Rebecca Thornton, « Incentives to Learn », manuscrit, mis à jour en janvier 2007.

« L'existence d'un lien positif » : Raghuram G. Rajan et Arvind Subramanian, « Aid and Growth : What Does the Cross-Country Evidence Really Show ? », *The Review of Economics and Statistics*, vol. 90, n° 4, novembre 2008, p. 643.

Pourtant, quand Bono s'exprima : TED International Conference, juin 2007. Mwenda et Bono y eurent un accrochage sur l'efficacité de l'aide humanitaire. Voir aussi Nicholas D. Kristof, « Bono, Foreign Aid and Skeptics », *The New York Times*, 9 août 2007, p. A19.

Ann et Angeline

Angeline Mugwendere vient d'une famille : Une partie des informations de ce passage provient de la brochure *I Have a Story to Tell* (Cambridge, Royaume-Uni, Camfed, 2004), p. 11.

La moitié des Tanzaniennes : Les chiffres d'abus sexuels commis par les enseignants en Afrique du Sud, en Tanzanie et en Ouganda proviennent de

Ruth Levine, Cynthia Lloyd, Margaret Greene et Caren Grown, *Girls Count : A Global Investment & Action Agenda* (Washington, D.C., Center for Global Development, 2008), p. 54.

Chapitre 11. Microcrédit : la révolution financière

Muhammad Yunus : Voir Muhammad Yunus, *Banker to the Poor : Micro-Lending and the Battle Against World Poverty* (New York, Public Affairs, 2003) ; David Bornstein, *The Price of a Dream : The Story of the Grameen Bank* (New York, Oxford University Press, 1996) ; Phil Smith et Eric Thurman, *A Billion Bootstraps : Microcredit, Barefoot Banking, and the Business Solution for Ending Poverty* (New York, McGraw-Hill, 2007).

Selon une étude remarquable : Edward Miguel, « Poverty and Witch Killing », *Review of Economic Studies*, vol. 72, 2005, p. 1153.

Les économistes Abhijit Banerjee et Esther Duflo : Abhijit V. Banerjee et Esther Duflo, « The Economic Lives of the Poor », *Journal of Economic Perspectives*, vol. 21, n° 1, hiver 2007, p. 141.

En Côte d'Ivoire : Esther Duflo et Christopher Udry, « Intrahousehold Resource Allocation in Côte d'Ivoire : Social Norms, Separate Accounts and Consumption Choices », Yale University Economic Growth Center, Discussion Paper n° 857.

En Afrique du Sud : Esther Duflo, « Grandmothers and Granddaughters : Old-Age Pension and Intra-Household Allocation in South Africa », *World Bank Economic Review*, vol. 17, n° 1, 2003, p. 1-25. Les pensions de retraite accordées aux grand-mères eurent un effet positif sur la taille et le poids de leurs petites-filles, mais non de leurs petits-fils. Une autre étude eut des résultats inverses : quand ces nouvelles pensions allaient à des hommes, les enfants dont ils s'occupaient étaient davantage scolarisés que lorsqu'elles allaient aux femmes. L'auteur lui-même fut étonné par ses résultats, confirmés par aucune autre étude. Eric V. Edmonds, « Does Illiquidity Alter Child Labor and Schooling Decisions ? Evidence from Household Responses to Anticipated Cash Transfers in South Africa », National Bureau of Economic Research, Document de travail, 10265.

« Quand les femmes ont davantage de pouvoir » : Esther Duflo, « Gender Equality in Development », BREAD Policy Paper n° 011, décembre 2006, p. 14

Certes, le gouvernement des États-Unis : Un projet similaire baptisé Women's Legal Rights Initiative est soutenu par l'Agence des États-Unis pour le développement international. Voir *The Women's Legal Rights Initiative : Final Report, January 2007* (Washington, D.C., USAID, 2007).

Pourtant, dans les milieux du développement : Une des études montrait que plus les femmes occupent de sièges parlementaires dans un pays, moins il y a de corruption. Mais ces résultats peuvent en dire plus sur les pays qui élisent des femmes que sur les députées elles-mêmes. L'Europe n'est pas très corrompue et élit beaucoup de femmes, mais ces faits ne sont pas nécessairement liés. Ils peuvent être davantage liés aux sociétés postindustrielles cultivées.

En Inde, une expérience fascinante : Esther Duflo et Petia Topalova, « Unappreciated Service : Performance, Perceptions, and Women Leaders in India », et « Why Political Reservation ? », *Journal of the European Economic Association*, vol. 3, n° 2-3, mai 2005, p. 668-678, http://econ-www.mit.edu/files/794. Une autre étude consacrée aux priorités budgétaires des femmes chef de villages en Inde mit en évidence qu'elles étaient plus disposées à favoriser la participation féminine et à allouer des fonds aux questions importantes pour les femmes, comme l'eau potable. Raghabendhra Chattopadhyay et Esther Duflo, « Women as Policy Makers : Evidence from a Randomized Policy Experiment in India », *Econometrica*, vol. 72, n° 5, septembre 2004, p. 1409-1443.

Quel que soit l'impact des dirigeantes : Grant Miller, « Women's Suffrage, Political Responsiveness, and Child Survival in American History », *The Quarterly Journal of Economics*, vol. 123, n° 3, août 2008, p. 1287.

Chapitre 12. Le défi de l'égalité

« La vie serait bien moins dure » : Lu Xun, « Anxious Thoughts on "Natural Breasts" », 4 septembre 1927, dans *Lu Xun : Selected Works*, trad. Yang Xianyi and Gladys Yang, vol. 2 (Pékin, Foreign Languages Press, 1980), p. 355. Lu Xun, un des plus grands auteurs chinois contemporains, était un brillant polémiste des droits de l'homme et de l'égalité des femmes.

Zhang Yin : David Barboza, « Blazing a Paper Trail in China », *The New York Times*, 16 janvier 2007, p. C1. Une autre citation est extraite d'un article de Bloomberg paru dans le *China Daily* : « U.S. Trash Helps Zhang Become Richest in China », 16 janvier 2007. Nous avons aussi puisé des informations dans « Paper Queen », *The Economist*, vol. 9, juin 2007. En 2007, Zhang Yin – Cheong Yan en cantonais – a laissé sa place de première fortune de Chine à une autre femme, Yang Huiyan, qui n'est pas « self-made ». C'est le père de Yang Huiyan qui lui a transmis son entreprise immobilière, Country Garden, évaluée à 16 milliards de dollars lors de son entrée en Bourse. Elle est donc devenue plus riche que Rupert Murdoch, George Soros et Steve Jobs. David Barboza, « Shy of Publicity, but Not of Money », *The New York Times*, 7 novembre 2007, p. C1. La crise économique de 2008 a sans aucun doute changé toutes ces données.

Il naît cent seize petits garçons : Certains éléments laissent penser que la hausse des revenus des femmes entraînera d'elle-même une correction des avortements sélectifs à l'origine du déficit de filles. Ainsi, le thé, qui est actuellement une des cultures de rente en forte expansion sur la côte chinoise, est généralement récolté par les femmes, considérées comme les plus aptes à assumer cette fonction à cause de leur petite taille et de leurs petites mains. Or le nombre de « filles manquantes » a considérablement baissé dans les zones théicoles par rapport aux régions spécialisées dans d'autres productions. Un universitaire a montré qu'augmenter l'ensemble des revenus n'avait pas d'effet sur le *sex-ratio*, mais qu'augmenter les revenus des femmes permettait de réduire la disparité. Chaque hausse de revenu des femmes égale à 10 % du revenu familial permettrait de sauver 1 % de filles supplémentaires. Nancy Qian, « Missing Women and the Price of Tea in China : The Effect of Sex-Specific Income on Sex Imbalance », manuscrit, décembre 2006. Voir aussi Valerie M. Hudson et Andrea M. den Boer, *Bare Branches : The Security Implications of Asia's Surplus Male Population* (Cambridge, Mass., MIT Press, 2004).

En Inde, où d'importants chefs d'entreprise : Sur un point, la négligence dont sont victimes les filles en Inde peut leur être profitable. Une étude a montré qu'à Mumbai les garçons de basse caste continuent de suivre la voie traditionnelle en fréquentant les écoles en marathi, puis en cherchant un emploi grâce au réseau des castes. Les garçons aidés par ces réseaux sociaux sont également condamnés à occuper des emplois peu qualifiés. Comme les filles ne comptent pas et qu'elles demeurent en dehors des réseaux, elles sont autorisées à choisir des écoles en anglais. Quand elles parlent anglais, elles sont capables de se positionner sur des emplois bien rémunérés. Kaivan Munshi et Mark Rosenzweig, « Traditional Institutions Meet the Modern World : Caste, Gender, and Schooling Choice in a Globalizing Economy », *The American Economic Review*, vol. 96, n° 4, septembre 2006, p. 1225-1252.

(...) les ateliers du tiers-monde auraient fait avancer les femmes : Certaines féministes se sont mises à critiquer nos arguments : elles affirment que les femmes sont souvent exploitées et harcelées dans les ateliers du tiers-monde. Ces accusations comportent une part de vérité. Ces usines sont sinistres et exploitent leur personnel, mais elles restent préférables à la vie dans les villages – et c'est la raison pour laquelle les femmes cherchent à y travailler. Les féministes affirment que la mondialisation a entraîné une érosion des conceptions socialistes traditionnelles de l'égalité. C'est vrai, mais l'idéologie socialiste était trop coupée de la réalité économique pour n'offrir guère plus qu'une base fragile à l'égalité des sexes. Nous ne pouvons faire justice à ces objections ici, mais voyez Irene Van Staveren, Diane Elson, Caren Grown, et Nilüfer Çağatay (éd.), *The Feminist Economics of Trade* (New York, Routledge, 2007) ; *Feminist Economics* (juillet/octobre 2007), un numéro special sur la Chine ; Stephanie Seguino et Care Grown, « Gender Equity and Globalization : Macroeconomic Policy for Developing Countries », *Journal of International Development*, vol. 18, 2006, p. 1081-1104 ; Yana van der Meulen Rodgers et Nidhiya Menon, « Trade Policy Liberalization and Gender Equality in the Labor Market : New Evidence for India », manuscrit, mai 2007. D'autres documents reflétant cette approche – bien plus sceptiques que nous sur l'intérêt de ces ateliers pour les femmes – sont disponibles auprès de l'International Gender and Trade Network, www.igtn.org.

Ces critiques nous semblent proposer une analyse sérieuse des limites du commerce, mais sous-estimer largement ses avantages.

Comme l'a noté l'économiste Paul Collier : Paul Collier, *The Bottom Billion : Why the Poorest Countries Are Failing and What Can Be Done About It* (New York, Oxford University Press, 2007), p. 168-170.

Le Rwanda, caractérisé par sa société patriarcale, sa pauvreté et son absence d'accès à la mer : Pour une analyse des relations hommes-femmes au Rwanda, voir *Rwanda's Progress Towards a Gender Equitable Society* (Kigali, Rwanda Women Parliamentary Forum, 2007). Le Rwanda émancipe également les femmes sur le plan sexuel grâce à deux pratiques peu connues et presque uniques par leur orientation vers le plaisir sexuel féminin. La première, qui concerne les Rwandaises, mais également certaines Ougandaises bagandas, consiste à étirer les organes génitaux des femmes dès l'enfance afin d'intensifier leur plaisir sexuel une fois adultes. La seconde, baptisée *kunyaza*, implique des rapports sexuels centrés sur la stimulation clitoridienne, sans pénétration. Une fois de plus, l'objectif principal est de donner aux femmes du plaisir sexuel. Leana S. Wen, *Thoughts on Rwandan Culture, Sex and HIV/AIDS*, manuscrit daté de février 2007 ; et Sylvia Tamale, « Eroticism, Sensuality, and "Women's Secrets" Among the Baganda : A Critical Analysis », 2005, www.feministafrica.org.

Le secret de Zainab

Zainab Salbi : Voir Zainab Salbi et Laurie Becklund, *Between Two Worlds : Escape from Tyranny, Growing up in the Shadow of Saddam* (New York, Gotham Books, 2005).

Chapitre 13. S'attaquer aux racines du problème

Soranos d'Éphèse : L'exemplaire original du traité de gynécologie de Soranos est perdu, mais deux traductions latines nous sont parvenues. Le passage sur la clitoridectomie est extrait de la traduction latine datant du VIIe siècle de Paul d'Egine reprise par Bernadette J. Brooten, *Love Between Women : Early Christian Responses to Female Homoeroticism* (Chicago, University of Chicago Press, 1996), p. 164, n. 58 ; l'illustration du manuel allemand de 1666 est reproduite dans l'ouvrage de Brooten à la figure 12.

(...) trois millions de filles sont excisées : *Changing a Harmful Social Convention : Female Genital Mutilation/Cutting*, Innocenti Digest n° 12 (New York, UNICEF, 2005, 2007). Cet ouvrage constitue également une source de données utile sur l'étendue géographique et l'incidence de l'EGF. Fran P. Hosken, l'auteure de *The Hosken Report : Genital and Sexual Mutilation of Females*, 4e éd. revue (Lexington, Mass., Women's International Network News, 1993), est la spécialiste la plus prolifique et la plus complète sur l'excision. Hosken estime qu'au total 149 millions de femmes sont excisées. Voir aussi *Agency for International Development ; Abandoning Female Genital Mutilation/Cutting : An In-Depth Look at Promising Practice* (Washington, D.C., U.S. Agency for International Development, 2006), en particulier les p. 29-38.

Le repassage des seins est une forme de mutilation beaucoup plus limitée destinée à préserver la chasteté des filles. Au Cameroun, des poids, des bandes ou des ceintures sont utilisés pour aplatir la poitrine des filles afin qu'elles aient moins de risques d'être violées ou séduites. Les parents camerounais estiment que, dans un monde où les filles sont exposées, la meilleure façon de les protéger est de les mutiler.

Chapitre 14. Ce que vous pouvez faire

D'après Chaim Kaufmann et Robert Pape : Chaim D. Kaufmann et Robert A. Pape, « Explaining Costly International Moral Action : Britain's Sixty-Year Campaign Against the Atlantic Slave Trade », *International Organization*, vol. 53, automne 1999, p. 637. C'est de cet article remarquable que proviennent les chiffres que nous citons sur le coût de l'engagement la Grande-Bretagne contre le commerce des esclaves.

William Wilberforce : William Hague, *William Wilberforce : The Life of the Great Anti-Slave Trade Campaigner* (London, Harcourt, 2007). Hague et le sénateur Brownback font partie des hommes politiques contemporains qui disent se sentir inspirés par Wilberforce.

« S'il y eut un fondateur » : « Slavery : Breaking the Chains », *The Economist*, 24 février 2007, p. 72.

Swanee Hunt : Swanee Hunt, « Let Women Rule », *Foreign Affairs*, mai-juin 2007, p. 120.

« Les mesures d'encouragement de l'emploi féminin » : Kevin Daly, *Gender Inequality, Growth and Global Ageing*, Global Economics Paper n° 154, Goldman Sachs, 3 avril 2007, p. 3.

Selon une étude du magazine *Fortune* : « The Bottom Line on Women at the Top », *Business Week*, 26 janvier 2004. Cette étude particulière a été menée par Catalyst, mais des études similaires ont révélé les mêmes résultats. Des recherches parallèles sur l'économie japonaise ont été conduites par Kathy Matsui, de Goldman Sachs. Voir son rapport révolutionnaire, *Womenomics : Buy the Female Economy*, Goldman Sachs Investment Research, Japon, 13 août 1999. Depuis, Matsui a publié une série de mises à jour et a contribué à inventer le terme « *womenomics* ».

(...) les pays en voie de développement comme le Brésil et le Kenya : R. Colom, C. E. Flores-Mendoza, et F. J. Abad, « Generational Changes on the Draw-a-Man Test : A Comparison of Brazilian Urban and Rural Children Tested in 1930, 2002 and 2004 », *Journal of Biosocial Science*, vol. 39, n° 1, janvier 2007, p. 79-89.

Le QI des enfants des campagnes kenyanes : B. Bower, « I.Q. Gains May Reach Rural Kenya's Kids », *Science News*, 10 mai 2003 ; Tamara C. Daley, Shannon E. Whaley, Marian D. Sigman, Michael P. Espinosa et Charlotte Neumann, « I.Q. on the Rise : The Flynn Effect in Rural Kenyan Children », *Psychological Science*, vol. 14, n° 3, mai 2003, p. 215-219.

(...) les mouvements pour les droits civiques et contre la guerre du Vietnam : Sidney Tarrow, *Power in Movement : Social Movements and Contentious Politics*, 2e éd. (Cambridge, Royaume-Uni, Cambridge University Press, 1998), en particulier p. 204. Voir aussi David A. Snow, Sarah A. Soule et Hanspeter Kriesi, *The Blackwell Companion to Social Movements* (New York, Wiley, 2007).

(...) en Corée du Sud : Les informations sur la Corée du Sud et le Kirghizstan proviennent de Hunt, « Let Women Rule ».

Au xixe siècle : Stephanie Clohesy et Stacy Van Gorp, *The Powerful Intersection of Margins & Mainstream : Mapping the Social Change Work of Women's Funds* (San Francisco, Women's Funding Network, 2007).

Aux États-Unis, un sondage réalisé en 2006 : Scott Bittle, Ana Maria Arumi et Jean Johnson, « Anxious Public Sees Growing Dangers, Few Solutions : A Report from Public Agenda », *Public Agenda Confidence in U.S. Foreign Policy Index*, automne 2006.

Deux études : Les auteurs de l'étude brésilienne sont Eliana La Ferrara, Alberto Chong et Suzanne Duryea, « Soap Operas and Fertility : Evidence from Brazil », manuscrit, mars 2008. L'étude indienne est de Robert Jensen et Emily Oster, « The Power of TV : Cable Television and Women's Status in India », manuscrit, 30 juillet 2007, p. 38.

(...) les Nations unies ont besoin d'une agence : Personne n'a exprimé aussi distinctement que Stephen Lewis le besoin d'une agence de l'ONU dédiée aux femmes. Voir Stephen Lewis, *Race Against Time : Searching for Hope in AIDS-Ravaged Africa* (Berkeley, Calif., Publishers Group West, 2005).

Les psychologues sociaux ont beaucoup appris : Jonathan Haidt, *The Happiness Hypothesis : Finding Modern Truth in Ancient Wisdom* (New York, Basic Books, 2006). Voir aussi Alan B. Krueger, Daniel Kahneman, David Schkade, Norbert Schwarz et Arthur Stone, « National Time Accounting : The Currency of Life », avant-projet, 31 mars 2008.

Table

Crédits photos

Toutes les photos sont de Nicholas D. Kristof, sauf p. 41 (© Sraboni Sircar); p. 79 (© Naka Nathaniel); p. 148 (© Tanya Braganti); p. 155 (© Naka Nathaniel); p. 200 (© courtesy of Jane Roberts); p. 218 (© Afghan Institute of Learning); p. 239 (© Camfed); p. 282 (© Trish Tobin); p. 289 (© Tostan); p. 296 (© Lisa Alter) et p. 308 (© Tererai Trent).